GRAEME SIMSION

DAS ROSIE-PROJEKT

ROMAN

Aus dem australischen Englisch
von Annette Hahn

FISCHER Taschenbuch

10. Auflage: November 2015

Erschienen bei FISCHER Taschenbuch
Frankfurt am Main, Februar 2015

Die Originalausgabe erschien 2013 unter dem
Titel ›The Rosie Project‹ im Verlag
The Text Publishing Company, Melbourne, Australien

Druck und Bindung: CPI books GmbH, Leck
Printed in Germany
ISBN 978-3-596-19700-2

Don Tillman will heiraten. Allerdings findet er menschliche Beziehungen oft höchst verwirrend und irrational. Was tun? Don entwickelt das Ehefrau-Projekt: Mit einem 16-seitigen Fragebogen will er auf wissenschaftlich exakte Weise die ideale Frau finden. Also keine, die raucht, trinkt, unpünktlich oder Veganerin ist.
Und dann kommt Rosie. Unpünktlich, Barkeeperin, Raucherin. Offensichtlich ungeeignet. Aber Rosie verfolgt ihr eigenes Projekt: Sie sucht ihren biologischen Vater. Dafür braucht sie Dons Kenntnisse als Genetiker. Ohne recht zu verstehen, wie ihm geschieht, lernt Don staunend die Welt jenseits beweisbarer Fakten kennen und stellt fest: Gefühle haben ihre eigene Logik.

»Der Australier Graeme Simsion hat ein Märchen für Erwachsene geschrieben, das einem das Herz aufgehen lässt.«
Maren Schürmann, *Westdeutsche Allgemeine Zeitung*

»Eine ganz klassische romantische Komödie«
Norbert Zähringer, *Die Welt*

»Das Debüt des IT-Beraters Simsion ist die schrägste Liebesgeschichte des Jahres – lebensklug und saulustig.«
Glamour

Weitere Bücher von Graeme Simsion:
›Der Rosie-Effekt‹

Sein erster Roman, ›Das Rosie-Projekt‹, wurde auf Anhieb ein Weltbestseller und in Australien mit dem »Book of the Year«-Preis ausgezeichnet. Mit dem Roman ›Der Rosie-Effekt‹ setzt der Australier Graeme Simsion seine Erfolgsgeschichte fort. Simsion war erfolgreicher IT-Berater, bis er mit dem Schreiben anfing. Er ist verheiratet, hat zwei Kinder und lebt mit seiner Familie in Melbourne.

Weitere Informationen, auch zu E-Book-Ausgaben, finden Sie bei www.fischerverlage.de

Für Rod und Lynette

1

Ich denke, ich habe eine Lösung für das Ehefrauproblem gefunden. Wie bei so vielen wissenschaftlichen Durchbrüchen, war diese Lösung im Nachhinein ganz logisch, doch ohne eine Reihe außerplanmäßiger Ereignisse wäre ich wohl nie darauf gekommen.

Alles fing damit an, dass Gene mich drängte, einen Vortrag über das Asperger-Syndrom zu halten, für den eigentlich er zugesagt hatte. Das Timing war äußerst unerfreulich. Zwar ließ sich die Vorbereitung zeitgleich zur Nahrungsaufnahme am Mittag durchführen, aber am besagten Abend hatte ich vierundneunzig Minuten für die Reinigung meines Badezimmers eingeplant. Mir blieben drei Optionen, von denen keine befriedigend war:

1. Ich könnte das Badezimmer nach dem Vortrag reinigen, was zu weniger Schlaf und folglich einer Minderung meiner mentalen und körperlichen Leistungsfähigkeit führen würde.
2. Ich könnte die Reinigungsaktion auf den nachfolgenden Dienstag verlegen, was zu einer achttägigen eingeschränkten Sauberkeit des Badezimmers und folglich einer Gefährdung meiner Gesundheit führen würde.
3. Ich könnte es ablehnen, den Vortrag zu halten, was meine Freundschaft mit Gene negativ beeinträchtigen würde.

Als ich Gene das Dilemma erläuterte, hatte der wie üblich eine weitere Lösung parat.

»Ach, Don. Ich bezahle dir jemanden, der dein Badezimmer putzt.«

Ich erklärte Gene – nicht zum ersten Mal –, dass alle Putzhilfen, möglicherweise mit Ausnahme der ungarischen Frau mit dem Minirock, Fehler machten. Minirockfrau, vormals Genes Putzhilfe, war aufgrund irgendeines Problems mit Gene und Claudia verschwunden.

»Ich gebe dir Evas Handynummer. Du darfst mich nur nicht erwähnen.«

»Was, wenn sie nach dir fragt? Wie soll ich antworten, ohne dich zu erwähnen?«

»Sag einfach, du rufst an, weil sie die einzige Putzhilfe ist, die das ordentlich macht. Und wenn sie nach mir fragt, sag einfach gar nichts.«

Das war ein exzellenter Plan und ein gutes Beispiel dafür, wie Gene zwischenmenschliche Probleme löst. Eva würde sich freuen, dass ihre Kompetenz gewürdigt wird, und ließe sich vielleicht sogar dauerhaft beschäftigen, was mir pro Woche im Durchschnitt dreihundertsechzehn Minuten meines Terminplans einsparen würde.

Genes Vortragsproblem rührte daher, dass sich ihm die Gelegenheit bot, Sex mit einer chilenischen Dozentin zu haben, die in Melbourne an einer Konferenz teilnahm. Gene arbeitet an einem Projekt, mit Frauen so vieler verschiedener Nationalitäten wie möglich zu schlafen. Als Professor der Psychologie interessiert er sich sehr für die sexuelle Anziehung zwischen Menschen, die seiner Meinung nach großenteils genetisch bedingt ist.

Diese Meinung passt zu Genes Fachgebiet Genetik. Achtundsechzig Tage nachdem Gene mich als wissenschaftlichen

Mitarbeiter im Institut für Genetik eingestellt hatte, wurde er zum Leiter des Instituts für Psychologie befördert – eine äußerst kontroverse Entscheidung, mit der die Universität ihre führende Rolle in Evolutionspsychologie festigen und ihren Ruf verbessern wollte.

Als wir noch beide im Institut für Genetik arbeiteten, führten wir zahlreiche interessante Gespräche, was sich nach seinem Stellenwechsel fortsetzte. Ich wäre zufrieden gewesen, wenn unsere Beziehung weiterhin allein auf dieser Basis beruht hätte, doch Gene lud mich außerdem zum Essen in sein Haus ein und vollzog weitere Rituale der Annäherung, so dass wir nun in freundschaftlicher Beziehung stehen. Mit seiner Frau Claudia, einer klinischen Psychologin, bin ich ebenfalls befreundet. Was eine Gesamtzahl von zwei Freunden ergibt.

Eine Zeitlang haben Gene und Claudia versucht, mir beim Partnerin-Problem zu helfen. Leider beruhte ihr Ansatz auf dem traditionellen Verabredungsparadigma, das ich bereits aufgegeben hatte, da die Erfolgswahrscheinlichkeit in keinem Verhältnis zu Aufwand und negativen Erfahrungen stand. Ich bin neununddreißig Jahre alt, groß, durchtrainiert und intelligent, mit relativ hohem gesellschaftlichem Status und überdurchschnittlichem Einkommen als Assistenzprofessor. Gemäß den Gesetzen der Logik sollte ich für eine ganze Reihe von Frauen attraktiv sein. Im Reich der Tiere würde ich mich erfolgreich vermehren.

Offenbar jedoch habe ich etwas an mir, das Frauen unattraktiv finden. Schon immer habe ich mich schwergetan, Freundschaften zu schließen, und die Mängel, die diesem Problem zugrunde liegen, scheinen auch meine Bestrebungen hinsichtlich romantischer Beziehungen zu beeinträchtigen. Das »Aprikoseneis-Desaster« ist ein gutes Beispiel.

Claudia hatte mich einer ihrer vielen Freundinnen vorgestellt. Elizabeth war eine hochintelligente Informatikerin mit eingeschränkter Sehleistung, was mittels einer Brille korrigiert worden war. Ich erwähne die Brille, weil Claudia mir ein Foto zeigte und fragte, ob mich die Brille störe. Was für eine Frage! Von einer Psychologin! Bei der Einschätzung von Elizabeths Tauglichkeit als potentieller Partnerin – eine Person, die mir intellektuelle Stimulation bieten soll, mit der ich Freizeitaktivitäten teilen und mich vielleicht sogar fortpflanzen werde – war Claudias erste Sorge, ob mir die Wahl ihrer Brillenfassung zusagt, die vermutlich nicht einmal ihrer eigenen Wahl entsprach, sondern das Ergebnis der Beratung eines Optikers war. In so einer Welt muss ich leben! Dann sagte Claudia noch, als wäre das ein Problem: »Sie hat sehr konkrete Vorstellungen.«

»Beruhen diese auf nachweisbaren Tatsachen?«

»Ich schätze, ja«, erwiderte Claudia.

Perfekt. Damit hätte sie auch mich beschreiben können.

Wir verabredeten uns in einem thailändischen Restaurant. Restaurants sind für gesellschaftlich Unbeholfene reine Minenfelder, und wie immer in solchen Situationen war ich nervös. Wir hatten aber einen außerordentlich guten Start, indem wir beide gleichzeitig, wie verabredet, um Punkt 19:00 Uhr eintrafen. Unpünktlichkeit ist eine immense Zeitverschwendung.

Wir überstanden das Essen, ohne dass ich wegen irgendwelcher gesellschaftlichen Fehler kritisiert wurde. Es ist schwer, ein Gespräch zu führen, während man andauernd überlegen muss, ob man den korrekten Körperteil betrachtet, aber wie von Gene empfohlen, fixierte ich einfach ihre bebrillten Augen. Zwar führte das zu einigen Ungenauigkeiten bei der Nahrungsaufnahme, doch Elizabeth schien es nicht weiter zu bemerken. Im Gegenteil, wir führten eine hochproduktive Diskussion über Simulationsalgorithmen. Die Frau war äußerst interessant! Ich zog bereits die Möglichkeit einer dauerhaften Beziehung in Betracht.

Dann brachte der Kellner die Dessertkarte, und Elizabeth sagte: »Ich mag keine asiatischen Desserts.«

Dies konnte nur eine unqualifizierte Verallgemeinerung sein, die auf eingeschränkter Datengrundlage beruhte, und vielleicht hätte ich das schon als Warnsignal deuten müssen. Allerdings bot es die Gelegenheit für einen kreativen Vorschlag.

»Wir könnten auf der Straßenseite gegenüber ein Eis kaufen.«

»Gute Idee. Solange sie Aprikoseneis haben.«

Ich kalkulierte, dass ich mich bis zu diesem Zeitpunkt gut gehalten hatte, und stufte die Aprikosenpräferenz nicht als Problem ein. Ich lag falsch. Die Eisdiele bot eine riesige Auswahl an Eissorten, doch die Geschmacksrichtung Aprikose war bereits ausverkauft. Ich bestellte eine Waffel mit Schokolade-Chili und Lakritz für mich und fragte Elizabeth nach ihrer zweitliebsten Sorte.

»Wenn sie kein Aprikoseneis haben, nehme ich nichts.«

Ich konnte es nicht fassen. Im Grunde genommen schmecken alle Eissorten gleich, da die Geschmacksnerven unterkühlt werden. Das gilt besonders für Fruchteissorten. Ich schlug Mango vor.

»Nein, danke, für mich nichts.«

Ich erklärte das Phänomen der Geschmacksnervenunterkühlung im Detail. Ich sagte voraus, dass, wenn ich ein Mango- und ein Pfirsicheis kaufte, sie keinerlei Unterschied schmecken werde. Und dass außerdem beides genauso schmecken werde wie Aprikoseneis.

»Die sind vollkommen verschieden«, widersprach sie.

»Wenn Sie Mango nicht von Pfirsich unterscheiden können, ist das Ihr Problem.«

Es bestand eine simple objektive Uneinigkeit, die kurzerhand durch ein Experiment behoben werden könnte. Ich bestellte für jede der beiden Eissorten jeweils eine Miniwaffel. Doch als die Bedienung die Waffeln gefüllt hatte und ich mich umdrehte, um Elizabeth zu bitten, die Augen für das Experiment zu schließen, war sie verschwunden. So viel zu »nachweisbaren Tatsachen«. Und zu »Naturwissenschaftlerin«.

Hinterher empfahl Claudia, ich hätte das Experiment abbrechen sollen, bevor Elizabeth ging. Nun, das war offensichtlich. Aber zu welchem Zeitpunkt? Wo war das Signal? Das sind die Feinheiten, die ich nicht erkennen kann. Ich sehe aber auch nicht ein, warum erhöhte Aufmerksamkeit gegenüber unklaren Vorstellungen von Eissorten eine Vorbedingung dafür sein soll, eine passende Partnerin zu finden. Mir scheint es vernünftig, anzunehmen, dass es Frauen gibt, bei denen so etwas nicht nötig ist. Unglücklicherweise ist das Verfahren, ebenjene zu finden, unsagbar ineffizient. Das Aprikoseneis-Desaster hat mich einen ganzen Abend meines Lebens gekostet, was nur durch wertvolle Information über Simulationsalgorithmen einigermaßen aufgewogen wurde.

Dank der Ausstattung der Cafeteria der medizinischen Bibliothek mit WLAN reichten zwei Mittagspausen aus, um meinen Vortrag über das Asperger-Syndrom zu recherchieren und vorzubereiten, ohne dabei die Nahrungsaufnahme vernachlässigen zu müssen. Ich besaß bislang keine Kenntnis über Autismus-Spektrum-Störungen, da diese außerhalb meines Fachgebiets liegen. Das Thema war faszinierend. Es schien mir sinnvoll, mich auf die genetischen Aspekte des Syndroms zu konzentrieren, die meinem Publikum vermutlich nicht bekannt wären. Die meisten Krankheiten beruhen auf einer Störung in unserer DNA, wobei wir sie in vielen Fällen erst noch entdecken müssen. Meine eigene Arbeit konzentriert sich auf die genetische Disposition für Leberzirrhose. Einen Großteil meiner Arbeitszeit verbringe ich damit, Mäuse betrunken zu machen.

Natürlich wurden in Büchern und Forschungsarbeiten auch die Symptome des Asperger-Syndroms beschrieben, und ich kam zu dem vorläufigen Schluss, dass die meisten davon lediglich Variationen der menschlichen Hirnfunktionen seien, die man unzutreffend als medizinisch auffällig eingestuft hatte, weil sie nicht den gesellschaftlichen Normen entsprachen. Gesellschaftliche Normen sind dabei jedoch kulturell bedingt und spiegeln nur die gängigsten menschlichen Konfigurationen wider anstatt das gesamte Spektrum. Der Vortrag war für 19:00 Uhr an einer Schule in einem nahe gelegenen Vorort angesetzt. Ich kalkulierte zwölf Minuten für die Fahrt mit dem Fahrrad ein und gab weitere drei Minuten dazu, um meinen Computer hochzufahren und mit dem Projektor zu verbinden.

Planmäßig um 18:57 Uhr traf ich ein – siebenundzwanzig Minuten, nachdem ich Eva, die miniberockte Putzhilfe, in meine Wohnung eingelassen hatte. An der Tür und im vorderen Bereich des Klassenzimmers tummelten sich schätzungsweise fünfundzwanzig Menschen, aber anhand Genes Beschreibung konnte ich Julie, die Veranstalterin, sofort erkennen: »blond mit großen Titten«. Tatsächlich waren ihre Brüste nicht mehr als eineinhalb Standardabweichungen von der ihrem Körpergewicht entsprechenden Normgröße entfernt und mitnichten ein bedeutsames Identifikationsmerkmal. Es war eher eine Frage von Anhebung und Betonung, was auf Julies Kleiderwahl zurückzuführen war, die für einen heißen Januarabend durchaus zweckmäßig erschien.

Vielleicht verbrachte ich zu lange Zeit damit, ihre Identität zu verifizieren, denn sie musterte mich mit seltsamem Blick.

»Sie müssen Julie sein«, sagte ich.

»Kann ich Ihnen helfen?«

Sehr gut. Eine praktisch veranlagte Person. »Ja, zeigen Sie mir bitte den VGA-Anschluss.«

»Oh«, meinte sie. »Dann sind Sie bestimmt Professor Tillman. Ich bin sehr froh, dass Sie es einrichten konnten.«

Sie wollte mir die Hand geben, doch ich winkte ab. »Der VGA-Anschluss, bitte. Es ist 18:58 Uhr.«

»Entspannen Sie sich«, entgegnete sie. »Wir fangen nie vor Viertel nach sieben an. Möchten Sie einen Kaffee?«

Warum schätzen die Leute die Zeit anderer nur so gering? Nun würden wir wohl den unvermeidlichen Smalltalk führen müssen. Dabei hätte ich zu Hause noch eine Viertelstunde Aikido üben können.

Ich hatte mich zunächst auf Julie und die Leinwand vorn im Raum konzentriert, doch nun stellte ich bei genauerem Hinsehen fest, dass ich neunzehn weitere Personen außer Acht gelassen hatte, die an den Schreibpulten saßen. Es waren Kinder, vornehmlich männlich und vermutlich Opfer des Asperger-Syndroms. Fast die gesamte Literatur beschäftigt sich mit Kindern.

Trotz ihres Gebrechens nutzten sie die Zeit weitaus sinnvoller als ihre Eltern, die ziellos dahinplauderten. Die meisten Kinder – ich schätzte sie auf zwischen acht und dreizehn Jahre – waren mit tragbaren elektronischen Geräten beschäftigt, und ich hoffte, dass sie in ihrem naturwissenschaftlichen Unterricht aufgepasst hatten, da mein Vortrag ausreichende Kenntnisse in Organischer Chemie und der Struktur von DNA voraussetzte.

Ich merkte, dass ich die Kaffee-Anfrage nicht beantwortet hatte.

»Nein.«

Leider hatte Julie aufgrund der verspäteten Antwort ihre Frage bereits vergessen. »Keinen Kaffee«, erklärte ich also. »Ich trinke niemals Kaffee nach 15:48 Uhr. Es würde meinen Schlaf beeinträchtigen. Koffein hat eine Halbwertszeit von drei bis vier Stunden, daher ist es unverantwortlich, nach 19 Uhr noch Kaffee zu servieren – es sei denn, die Leute planen, bis nach Mitternacht wach zu bleiben. Und das würde, wenn sie einer konventionellen Arbeit nachgehen, zu ungenügendem Schlaf führen.« Ich versuchte, die Wartezeit dadurch zu nutzen, dass ich praktische Ratschläge erteilte, doch Julie bevorzugte es anscheinend, Trivialitäten auszutauschen.

»Wie geht es Gene?«, erkundigte sie sich. Dies war offenbar eine Variante zu der am weitesten verbreiteten konventionellen Interaktion »Wie geht es Ihnen?«

»Es geht ihm gut, danke«, antwortete ich, indem ich die konventionelle Antwort in dritter Person wiedergab.

»Oh. Ich dachte, er sei krank.«

»Gene erfreut sich ausgezeichneter Gesundheit, von den sechs Kilogramm Übergewicht einmal abgesehen. Wir sind am Morgen noch zusammen laufen gewesen. Er hat heute Abend eine Verabredung, die er nicht wahrnehmen könnte, wenn er krank wäre.«

Julie wirkte irritiert, und als ich diesen Austausch später noch einmal Revue passieren ließ, ging mir auf, dass Gene ihr gegenüber mit dem Grund seiner Abwesenheit gelogen haben musste. Dies geschah vermutlich in der Absicht, Julie vor dem Gefühl zu bewahren, Gene sei der Vortrag nicht wichtig, und um eine Rechtfertigung für einen weniger angesehenen Ersatzredner zu liefern. Es scheint mir kaum möglich, eine derart komplexe Situation, in der es um Täuschung und Einschätzung der mutmaßlichen emotionalen Reaktion eines anderen Menschen geht, zu analysieren und dann eine eigene plausible Lüge zu entwerfen, während man gleichzeitig ein Gespräch in Gang halten muss. Aber genau das ist es, was die Leute von einem erwarten.

Schließlich baute ich meinen Laptop auf, und wir fingen an – *mit achtzehn Minuten Verspätung*. Ich müsste meine Sprechgeschwindigkeit um dreiundvierzig Prozent erhöhen, um den Vortrag planmäßig um Punkt 20 Uhr beenden zu können – ein nahezu unmögliches Unterfangen. Folglich würden wir mit Verspätung fertig werden, und mein Zeitplan für den Rest des Abends wäre zerstört.

2

Ich hatte meinen Vortrag *Genetische Vorbedingungen für Autismus-Spektrum-Störungen* benannt und einige exzellente DNA-Diagramme ausfindig gemacht. Nach nur neun Minuten, in denen ich etwas schneller gesprochen hatte, um die verlorene Zeit aufzuholen, wurde ich von Julie unterbrochen.

»Professor Tillman. Die meisten von uns sind keine Wissenschaftler, deshalb sollten Sie das Thema vielleicht weniger fachspezifisch ausführen.« So etwas nervt ungemein. Die Leute können einem die vermeintlichen Charaktereigenschaften eines Zwillings oder Stiers aufzählen und fünf Tage damit zubringen, ein Cricket-Spiel zu verfolgen, finden aber weder das Interesse noch die Zeit, etwas über die Grundlagen dessen zu erfahren, woraus sie als Menschen bestehen.

Ich setzte meinen Vortrag so fort, wie ich ihn vorbereitet hatte. Es war zu spät, ihn zu ändern, und einige der Zuhörer waren mit Sicherheit gebildet genug, ihn zu verstehen.

Ich hatte recht. Eine männliche Person von etwa zwölf Jahren hob die Hand.

»Sie sagen also, es sei unwahrscheinlich, dass es nur ein einziges Markergen gibt, sondern dass mehrere Gene beteiligt seien, und das Gesamtbild sei abhängig von der speziellen Kombination. Positiv?«

Exakt! »Plus Umweltfaktoren. Die Situation entspricht der bipolaren Störung, bei der …«

Wiederum unterbrach mich Julie. »Also, für uns Nicht-Genies: Ich denke, Professor Tillman will uns daran erinnern, dass das Asperger-Syndrom angeboren ist. Niemand ist schuld an diesem Defekt.«

Ich war entsetzt über den Gebrauch des Wortes »Defekt« mit seiner negativen Konnotation, vor allem durch eine Autoritätsperson. Ich ließ meinen Entschluss fallen, nicht von den genetischen Aspekten abzuweichen. Zweifelsohne hatte die Angelegenheit in meinem Unterbewusstsein geschlummert, und als Folge sprach ich möglicherweise mit erhobener Stimme.

»Defekt! Das Asperger-Syndrom ist kein Defekt! Es ist eine Variante des Möglichen – vielleicht sogar ein erheblicher Vorteil. Das Asperger-Syndrom ist mit hoher Organisations- und Konzentrationsfähigkeit, innovativer Denkweise und rationaler Distanziertheit verbunden.«

Eine Frau im hinteren Teil des Raumes hob die Hand. Ich war noch ganz auf meinen Einwand konzentriert und beging einen minderen gesellschaftlichen Fehler, den ich jedoch sofort korrigierte.

»Die dicke Frau … *übergewichtige* Frau … dort hinten?«

Sie stutzte kurz, sah sich um und sagte dann: »Rationale Distanziertheit – ist das ein Euphemismus für Mangel an Emotion?«

»Nein, ein Synonym«, erwiderte ich. »Emotionen können erhebliche Probleme verursachen.«

Ich entschied, dass ein Beispiel hilfreich sein könnte, und erzählte eine Geschichte, in der emotionales Verhalten katastrophale Folgen hätte.

»Stellen Sie sich vor«, begann ich, »Sie verstecken sich in einem Keller. Der Feind sucht nach Ihnen und Ihren Freunden. Alle müssen sich absolut ruhig verhalten, doch Ihr Baby fängt an zu schreien.« Ich machte es vor, so wie Gene es tun würde, um die Geschichte anschaulicher zu gestalten. »Wäääää!« Ich ließ eine dramatische Pause folgen. »Sie haben eine Waffe.«

Überall wurden Hände gehoben.

Julie sprang auf, während ich fortfuhr: »Mit Schalldämpfer. Die Feinde kommen näher. Sie werden Sie alle töten. Was tun Sie? Das Baby schreit …«

Die Kinder waren ganz wild darauf, ihre Lösung mitzuteilen. Eines rief: »Das Baby erschießen«, und bald darauf schrien sie alle: »Das Baby erschießen, das Baby erschießen.«

Der Junge, der die Frage zur Genetik gestellt hatte, rief: »Die Feinde erschießen«, und ein anderer sagte: »Ihnen auflauern.«

Nun häuften sich die Vorschläge.

»Man kann das Baby als Lockmittel benutzen.«

»Wie viele Waffen haben wir?«

»Wir halten ihm den Mund zu.«

»Wie lange kann es ohne Luft überleben?«

Wie erwartet, kamen alle Ideen von denjenigen, die unter Asperger »litten«. Die Eltern konnten keinerlei konstruktive Vorschläge einbringen; manche versuchten sogar, die Kreativität ihrer Kinder zu unterdrücken.

Ein Junge rief: »Aspis sind geil!« Diese Abkürzung hatte ich in der Literatur schon entdeckt, doch für die anderen Kinder schien sie neu zu sein. Und offenbar gefiel sie ihnen, denn schon bald kletterten sie erst auf die Stühle, dann auf die Pulte, boxten mit den Fäusten in die Luft und riefen »Aspis sind geil!« im Chor. Nach dem, was ich gelesen hatte, leiden Asperger-Kinder in ihrem sozialen Umfeld oft unter mangelndem Selbstbewusstsein. Ihr Erfolg bei der Lösungssuche schien das vorübergehend kuriert zu haben, doch auch hier versagten die Eltern darin, ihnen positives Feedback entgegenzubringen. Im Gegenteil, sie fuhren sie an und versuchten sogar, sie von den Tischen zu ziehen. Anscheinend waren sie mehr an der Einhaltung gesellschaftlicher Konventionen interessiert als an den Fortschritten ihrer Kinder.

Ich hatte das Gefühl, meine These wirkungsvoll dargelegt zu haben, und auch Julie schien nicht der Meinung, dass wir mit der Genetik fortfahren müssten. Die Eltern dachten möglicherweise darüber nach, was ihre Kinder gelernt hatten, und verließen den Vortrag, ohne weiter mit mir Kontakt zu suchen. Es war 19:43 Uhr. Ein exzellentes Ergebnis.

Während ich meinen Laptop einpackte, brach Julie in Gelächter aus.

»Oh, mein Gott«, sagte sie. »Jetzt brauche ich einen Drink.«

Ich war mir nicht sicher, warum sie diese Information mit jemandem teilen wollte, den sie erst sechsundvierzig Minuten kannte. Ich hatte selbst vor, etwas Alkohol zu konsumieren, wenn ich nach Hause käme, sah aber keinen Grund, Julie darüber in Kenntnis zu setzen.

Sie fuhr fort: »Wissen Sie, wir benutzen dieses Wort nicht. Aspis. Wir wollen nicht, dass sie sich für eine Art Club halten.« Schon wieder eine negative Andeutung von jemandem, der vermutlich dafür bezahlt wurde, zu unterstützen und zu ermutigen.

»Wie Homosexuelle?«, gab ich zurück.

»Touché«, meinte Julie. »Aber hier liegt die Sache anders. Wenn sie sich nicht ändern, werden sie nie echte Freundschaften schließen – sie werden nie eine Partnerschaft eingehen können.« Das war ein vernünftiges Argument. Ein Argument, das ich angesichts meiner eigenen diesbezüglichen Schwierigkeiten gut nachvollziehen konnte. Doch schon wechselte Julie das Thema. »Aber Sie haben angedeutet, dass es Dinge gibt – nützliche Dinge –, die sie besser können als … Nicht-Aspis. Abgesehen davon, Babys zu erschießen.«

»Natürlich.« Ich fragte mich, warum gerade ihr, die sich mit der Ausbildung von Menschen mit ungewöhnlichen Fähigkeiten beschäftigte, der Wert von und Markt für solche Fähigkeiten nicht bewusst war. »In Dänemark gibt es eine Firma, die Aspis zum Überprüfen von Software einstellt.«

»Das wusste ich nicht«, sagte Julie. »Sie lassen mich das Ganze wirklich in einem neuen Licht sehen.« Einen Moment lang musterte sie mich eingehend. »Haben Sie noch Zeit für einen Drink?« Dann legte sie ihre Hand auf meine Schulter.

Ich zuckte zusammen. Definitiv unangemessener Körperkontakt. Hätte ich so etwas bei einer Studentin gemacht, hätte das mit an Sicherheit grenzender Wahrscheinlichkeit ein Problem gegeben, vermutlich eine Beschwerde wegen sexueller Belästigung bei der Dekanin, was Konsequenzen für meine Karriere gehabt hätte. *Sie* dagegen würde natürlich von niemandem kritisiert werden!

»Leider habe ich noch andere Dinge auf meinem Terminplan.«

»Sind Sie da nicht flexibel?«

»Definitiv nicht.« Nachdem ich die verlorene Zeit erfolgreich wieder aufgeholt hatte, würde ich mein Leben unter keinen Umständen wieder dem Chaos preisgeben.

Bevor ich Gene und Claudia kennenlernte, hatte ich zwei andere Freunde. Meine erste Freundin war meine ältere Schwester. Obwohl sie Mathematiklehrerin war, hatte sie wenig Interesse an Fortschritten auf diesem Gebiet. Aber sie wohnte in der Nähe, und wir besuchten einander regelmäßig zweimal pro Woche und manchmal auch ungeplant. Wir aßen zusammen und sprachen über triviale Dinge wie Ereignisse in den Leben unserer Verwandten und soziale Interaktionen mit Kollegen. Einmal pro Monat fuhren wir sonntags nach Shepparton zum

Mittagessen mit unseren Eltern und unserem Bruder. Meine Schwester lebte allein, was vermutlich daran lag, dass sie schüchtern und nicht in konventioneller Weise attraktiv war. Infolge von massiver und unentschuldbarer medizinischer Inkompetenz ist sie inzwischen gestorben.

Meine zweite Freundin war Daphne, deren Freundschaft sich zeitlich mit der zu Gene und Claudia überschnitt. Nachdem ihr Mann aufgrund seiner Demenz in ein Pflegeheim eingewiesen worden war, zog Daphne in die Wohnung über mir ein. Wegen schwerer Knieprobleme, die durch ihr Übergewicht noch verstärkt wurden, konnte sie nicht mehr als ein paar Schritte gehen, aber sie war sehr intelligent, und ich fing an, sie regelmäßig zu besuchen. Da sie in ihrer Ehe die traditionelle Hausfrauenrolle eingenommen hatte, besaß sie keinerlei formale Qualifikationen, was ich als extreme Talentvergeudung betrachtete – vor allem, da ihre Nachkommen die von ihr empfangene Zuwendung nicht erwiderten. Daphne interessierte sich sehr für meine Arbeit, und wir entwickelten das Bring-Daphne-Genetik-bei-Projekt, das uns beide faszinierte.

Bald kam sie regelmäßig zu mir zum Abendessen, denn es ist erheblich wirtschaftlicher, eine Mahlzeit für zwei Personen zu kochen als zwei einzelne Mahlzeiten. Jeden Sonntag um 15 Uhr besuchten wir ihren Mann im Pflegeheim, das 7,3 Kilometer entfernt lag. Auf diese Weise konnte ich einen 14,6 Kilometer langen Rollstuhl-Spaziergang mit interessanten Gesprächen über Genetik kombinieren. Während sie mit ihrem Mann redete, dessen Verständnisfähigkeit schwer zu bestimmen, aber definitiv niedrig war, las ich etwas.

Daphne war nach dem Namen der Pflanze benannt worden, die zur Zeit ihrer Geburt, am achtundzwanzigsten August, blühte: Seidelbast, botanisch »Daphne«. Zu jedem Geburtstag hatte ihr Mann ihr Seidelbast geschenkt, was sie als hochromantisch empfunden hatte. Sie klagte, ihr bevorstehender Geburtstag sei der erste seit fünfundsechzig Jahren, an dem dieser symbolische Akt nicht ausgeführt werde. Die Lösung war offensichtlich, und bevor ich sie an ihrem achtundsiebzigsten Geburtstag zum Abendessen in meine Wohnung schob, hatte ich besagte Pflanze in großen Mengen für sie besorgt.

Sofort erkannte sie den Duft und begann zu weinen. Ich dachte schon, ich hätte einen Fehler begangen, doch sie erklärte, es seien Tränen der Freude. Von dem Schokoladenkuchen, den ich für sie gebacken hatte, war sie ebenfalls beeindruckt, aber nicht im selben Maße.

Während des Essens traf sie eine unfassbare Feststellung: »Don, Sie wären bestimmt ein wunderbarer Ehemann.«

Dies stand in derart krassem Gegensatz zu meinen Erfahrungen mit Frauen, die mich abgewiesen hatten, dass ich vorübergehend verblüfft war. Dann legte ich Daphne die Tatsachen dar – die Geschichte meiner Versuche, eine Partnerin zu finden, die mit meiner Annahme als Kind begann, dass ich erwachsen werden und heiraten würde, und die damit endete, dass ich diese Vorstellung aufgab, nachdem immer klarer ersichtlich wurde, dass ich dafür ungeeignet war.

Ihr Argument lautete schlicht: Für jeden gibt es jemanden. Statistisch gesehen, hatte sie damit beinahe recht. Leider war die Wahrscheinlichkeit, dass ich so einen Menschen finden würde, verschwindend gering. Doch es setzte etwas in meinem Gehirn in Gang – wie bei einem mathematischen Problem, von dem wir wissen, dass es eine Lösung haben muss.

Zu ihren nächsten beiden Geburtstagen wiederholten wir das Blumenritual. Das Ergebnis war nicht mehr so dramatisch wie beim ersten Mal, aber ich kaufte ihr auch Geschenke – Bücher über Genetik –, und sie wirkte sehr glücklich. Sie erzählte, ihr Geburtstag sei für sie immer der schönste Tag im Jahr gewesen. Ich wusste, dass diese Einstellung der Geschenke wegen bei Kindern sehr verbreitet war, hätte dies aber nicht bei einer Erwachsenen erwartet.

Dreiundneunzig Tage nach unserem dritten Geburtstagsessen diskutierten wir auf dem Weg zum Pflegeheim einen Fachaufsatz über Genetik, den Daphne am Vortag gelesen hatte, als offensichtlich wurde, dass sie einige signifikante Punkte vergessen hatte. Es war nicht das erste Mal in den vergangenen Wochen, dass sich ihr Gedächtnis fehlerhaft zeigte, und ich ließ unverzüglich eine Überprüfung ihrer kognitiven Fähigkeiten durchführen. Die Diagnose lautete Alzheimer.

Daphnes intellektuelle Fähigkeiten verschlechterten sich zusehends, und bald waren wir nicht mehr in der Lage, uns über Genetik zu unterhalten. Unsere gemeinsamen Essen und die Spaziergänge zum Pflegeheim setzten wir jedoch fort. Daphne sprach nun vorzugsweise über ihre Vergangenheit, insbesondere über ihren Mann und die Familie, und ich erhielt einen allgemeinen Überblick darüber, wie das Eheleben so aussah. Sie beharrte weiterhin darauf, dass ich eine passende Partnerin finden und jenes hohe Maß an Glück erleben könne, das sie in ihrem eigenen Leben erfahren habe. Meine Nachforschungen bestätigten, dass Daphnes Argumente durch wissenschaftliche Nachweise gestützt wurden: Verheiratete Männer sind glücklicher und leben länger.

Eines Tages fragte Daphne: »Wann habe ich wieder Geburtstag?«, und ich erkannte, dass sie ihr Zeitgefühl verloren hatte. Ich beschloss, dass eine Lüge akzeptabel sei, um ihr Glück zu maximieren. Das Problem bestand darin, außerhalb der Jahreszeit Seidelbast aufzutreiben, doch ich hatte unerwartet Glück. Ich hatte von einem Genetiker gehört, der aus wirtschaftlichen Gründen an der Veränderung und

Verlängerung von Blütezeiten bei Pflanzen arbeitete. Dieser konnte meine Blumenhändlerin mit Seidelbast versorgen, und ich veranstaltete ein simuliertes Geburtstagsessen. Jedes Mal, wenn Daphne nach ihrem Geburtstag fragte, wiederholte ich dieses Vorgehen.

Schließlich wurde es notwendig, dass Daphne zu ihrem Mann im Pflegeheim kam, und während ihr Gedächtnis immer schlechter wurde, feierten wir ihre Geburtstage immer häufiger, bis ich sie schließlich täglich besuchte. Die Blumenhändlerin gab mir eine spezielle Treuerabattkarte. Ich rechnete aus, dass Daphne ihren zweihundertsiebten Geburtstag gefeiert hatte, als sie aufhörte, mich zu erkennen, und ihren dreihundertneunzehnten, als sie nicht mehr auf den Seidelbast reagierte. Da stellte ich meine Besuche ein.

Ich hatte nicht erwartet, noch einmal von Julie zu hören, aber wie üblich erwies sich meine Einschätzung menschlichen Verhaltens als falsch. Zwei Tage nach dem Vortrag klingelte um 15:37 Uhr mein Telefon mit einer unbekannten Nummer im Display. Julie hinterließ die Nachricht, ich solle sie zurückrufen, und ich folgerte, dass ich etwas vergessen haben musste.

Wiederum lag ich falsch. Sie wollte unser Gespräch über das Asperger-Syndrom fortsetzen. Ich freute mich, dass mein Vortrag einen solchen Eindruck auf sie gemacht hatte. Sie schlug ein Treffen zum Mittagessen vor, was keine ideale Umgebung für eine produktive Diskussion darstellt, aber da ich mein Mittagessen für gewöhnlich allein einnehme, wäre es leicht zu terminieren. Ein anderes Problem war dagegen die Hintergrundrecherche.

»An welchem Thema sind Sie speziell interessiert?«

»Ach«, meinte sie, »ich dachte, wir könnten uns einfach

ganz allgemein unterhalten … uns ein bisschen kennenlernen.«

Das klang unpräzise. »Ich brauche wenigstens einen pauschalen Hinweis auf den Themenbereich. Was habe ich gesagt, das Ihr spezielles Interesse geweckt hat?«

»Ach … Ich schätze mal, die Sache mit den Computertestern in Dänemark.«

»Sie testen *Software*. Es sind Computer-*Software*-Tester.« Darüber würde ich definitiv nachforschen müssen. »Was würden Sie gern wissen?«

»Ich frage mich, wie sie sie finden. Die meisten Erwachsenen mit Asperger-Syndrom wissen gar nicht, dass sie es haben.«

Das war ein guter Punkt. Zufällig ausgewählte Bewerber zu testen wäre ein äußerst ineffektiver Weg, ein Syndrom zu diagnostizieren, das eine geschätzte Häufigkeit von 0,3 Prozent aufweist.

Ich wagte eine Vermutung. »Ich nehme an, sie benutzen als Filter vorher einen Fragebogen.« Ich hatte den Satz noch nicht beendet, als mir im Kopf ein Licht aufging – natürlich nicht wortwörtlich.

Ein Fragebogen! Was für eine naheliegende Lösung! Ein spezielles, wissenschaftlich fundiertes Instrument als das momentan beste Verfahren, um die Zeitverschwenderinnen, die Unorganisierten, die Eiscremewählerischen, die Beschwerdeführerinnen gegen visuelle Belästigung, die Kristallkugelguckerinnen, die Horoskopleserinnen, die Modesüchtigen, die religiösen Fanatikerinnen, die Veganerinnen, die Sportberichtbegeisterten, die Gegnerinnen der Evolutionstheorie, die Raucherinnen, die wissenschaftlich Ungebildeten und die Homöopathinnen auszusortieren und so im Idealfall die perfekte Partnerin oder, realistischer, eine zu bewältigende Auswahl von Kandidatinnen zu bestimmen.

»Don?«, fragte Julie, die immer noch in der Leitung war. »Wann sollen wir uns treffen?«

Die Dinge lagen nun anders, Prioritäten hatten sich verschoben.

»Es ist nicht möglich«, erwiderte ich. »Mein Terminkalender ist voll.«

Ich würde alle verfügbare Zeit für mein neues Projekt benötigen.

Das Projekt Ehefrau.

3

Nach dem Gespräch mit Julie ging ich sofort in Genes Büro im Psychologie-Gebäude, doch er war nicht da. Zum Glück saß die Schöne Helena, seine persönliche Assistentin, die eigentlich die Hinderliche Helena heißen müsste, ebenfalls nicht am Platz, so dass ich Zugang zu Genes Terminkalender hatte. Ich sah, dass er bis um 17:00 Uhr eine Vorlesung hielt und bis zu einem Meeting um 17:30 Uhr frei wäre. Perfekt. Ich würde lediglich die Dauer meiner geplanten Trainingseinheit kürzen müssen. Ich trug mich in den freien Terminspalt ein.

Nach einem verkürzten Training in der Sporthalle (was ich dadurch erreichte, dass ich das Duschen und Umkleiden ausließ), joggte ich zum Hörsaal und wartete vor dem Mitarbeitereingang. Obwohl ich durch die Hitze und das Training stark transpirierte, fühlte ich mich körperlich wie geistig vitalisiert. Sobald meine Armbanduhr 17:00 Uhr zeigte, betrat ich den Hörsaal. Gene stand am Vortragspult des abgedunkelten Saals und hatte offenbar die Zeit vergessen, da er gerade auf eine Frage zur Finanzierung antwortete. Durch mein Eintreten drang ein Lichtstrahl in den Raum, und ich merkte, dass sich die Augen der Zuhörer auf mich richteten, als erwarteten sie, dass ich etwas sage.

»Schluss für heute«, verkündete ich also. »Ich habe einen Termin mit Gene.«

Sofort begannen die Leute aufzustehen, und in der ersten Reihe bemerkte ich die Dekanin mit drei Personen in Geschäftsanzügen. Ich vermutete, dass Letztere als potentielle Geldgeber hier waren und nicht, weil sie ein wissenschaftliches Interesse an der sexuellen Anziehung zwischen Primaten hegten. Gene versucht ständig, Geld für Forschung aufzutreiben, und die Dekanin droht fortwährend, die Institute für Genetik und Psychologie aufgrund unzureichender Finanzierung zu verkleinern. Das ist ein Thema, mit dem ich mich nicht weiter befasse.

Über das allgemeine Geplapper hinweg verkündete Gene: »Ich glaube, mein Kollege Professor Tillman wollte uns signalisieren, dass wir die Finanzierung, die so wichtig für unsere fortlaufende Arbeit ist, zu einem anderen Zeitpunkt besprechen.« Er blickte zur Dekanin und ihrer Begleitung hinüber. »Nochmals vielen Dank für Ihr Interesse an meiner Arbeit – und natürlich auch der meiner Kolleginnen und Kollegen am Institut für Psychologie.« Es gab Applaus. Wie es aussah, hatte ich genau zur rechten Zeit unterbrochen.

Die Dekanin zog mit ihren Geldgeberfreunden an mir vorbei. »Tut mir leid, dass wir Ihr Meeting aufhalten, Professor Tillman«, raunte sie mir zu. »Ich bin sicher, wir können das Geld auch anderswo auftreiben.« Das war eine gute Nachricht, doch nun bildete sich um Gene bedauerlicherweise eine Menschentraube. Eine Frau mit roten Haaren und diversen metallischen Objekten in den Ohren redete auf ihn ein. Und das recht laut.

»Ich kann nicht glauben, dass Sie eine öffentliche Vorlesung dazu benutzen, Ihre persönlichen Ziele voranzutreiben.«

»Wie gut also, dass Sie gekommen sind. So können Sie von einem Glauben ablassen, an den Sie sich festklammern. Das wäre das erste Mal.«

Es war offensichtlich, dass die Frau eine gewisse Feindseligkeit hegte, obwohl Gene lächelte.

»Selbst wenn Sie recht hätten, was Sie nicht haben – was bedeutet das für die Gesellschaft?«

Genes nächste Äußerung überraschte mich, aber nicht wegen ihrer Zielsetzung, mit der ich vertraut bin, sondern wegen des subtilen Themawechsels. Gene verfügt über zwischenmenschliche Fähigkeiten, die ich niemals besitzen werde.

»Das klingt wie ein Kaffeegesprächsthema. Warum nehmen wir es nicht irgendwann bei einer Tasse Kaffee wieder auf?«

»Bedaure«, erwiderte sie. »Ich habe Forschungsarbeit zu erledigen. Mit wissenschaftlicher Beweisführung – falls Ihnen das etwas sagt.«

Gerade als ich ansetzte, mit Gene zu reden, schob sich eine große blonde Frau dazwischen, und ich wollte keinen Körperkontakt riskieren. Sie sprach mit norwegischem Akzent.

»Professor Barrow?«, wandte sie sich an Gene. »Bei allem Respekt … aber ich denke, Sie vereinfachen die feministische Position zu sehr.«

»Wenn wir das philosophisch vertiefen wollen, schlage ich die Cafeteria vor«, erwiderte Gene. »In fünf Minuten im *Barista's*?«

Die Frau nickte und ging Richtung Tür.

Endlich hatten wir Zeit zu reden.

»Was war das für ein Akzent?«, wollte Gene wissen. »Schwedisch?«

»Norwegisch«, erwiderte ich. »Ich dachte, du hättest schon eine Norwegerin.«

Ich erklärte ihm, dass wir verabredet seien, doch Gene hatte jetzt nur noch das Kaffeetrinken mit dieser Frau im Kopf. Die meisten Männchen der Tierwelt sind darauf programmiert, Sex eine höhere Priorität einzuräumen als der Unterstützung eines nicht verwandten Individuums, und bei Gene wirkte sich die zusätzliche Motivation seines Forschungsprojekts aus. Darüber zu streiten, wäre aussichtslos gewesen.

»Trag dich einfach für den nächsten freien Termin in meinem Kalender ein«, sagte er.

Die Schöne Helena hatte offenbar schon Feierabend, so dass ich wiederum selbsttätig auf Genes Terminkalender zugreifen musste. Meinen eigenen Terminplan stellte ich um, damit ich die neue Verabredung wahrnehmen könnte. Von nun an hatte das »Projekt Ehefrau« höchste Priorität.

Am nächsten Tag wartete ich bis exakt 7:30 Uhr, bevor ich an Genes und Claudias Haustür klopfte. Dazu war es nötig gewesen, meinen Dauerlauf über den Markt für die Essenseinkäufe auf 5:45 Uhr vorzuverlegen, was wiederum bedeutete, dass ich am Vorabend früher hatte zu Bett gehen müssen. Auch nachfolgend würden sich noch einige Termine verschieben.

Ich hörte Laute der Überraschung durch die Tür dringen, bevor Genes Tochter sie öffnete. Wie immer freute Eugenie sich, mich zu sehen, und bat darum, dass ich sie auf die Schultern setzen und hüpfend mit ihr bis zur Küche galoppieren möge. Es machte großen Spaß. Mir fiel ein, dass ich Eugenie und ihren Halbbruder Carl ebenfalls zu meinen Freunden zählen könnte, was eine Gesamtzahl von vier ergäbe.

Gene und Claudia saßen beim Frühstück und sagten, sie hätten mich nicht erwartet. Ich riet Gene, seinen Terminkalender online zu stellen – dann hätte er stets den neuesten Stand seiner Termine parat, und mir blieben unangenehme Begegnungen mit der Schönen Helena erspart. Er war nicht begeistert.

Ich hatte das Frühstück ausfallen lassen, also holte ich mir aus dem Kühlschrank einen Joghurt. Mit Zucker! Kein Wunder, dass Gene Übergewicht hatte! Claudia war noch nicht übergewichtig, doch auch bei ihr hatte ich schon eine leichte Gewichtszunahme registriert. Ich wies auf das Problem hin und identifizierte den Joghurt als möglichen Schuldigen.

Claudia erkundigte sich, ob mir der Vortrag über Asperger gefallen habe. Sie stand unter der Annahme, dass Gene den Vortrag gehalten und ich lediglich zugehört hätte. Ich korrigierte ihren Fehler und erwiderte, das Thema sei faszinierend.

»Haben dich die Symptome an jemanden erinnert?«, wollte sie wissen.

Das hatten sie tatsächlich. Es handelte sich um eine fast perfekte Beschreibung von Laszlo Hevesi aus dem Institut für Physik. Ich wollte gerade die berühmte Geschichte von Laszlo im Pyjama erzählen, als Genes sechzehnjähriger Sohn Carl in Schuluniform erschien. Er ging zum Kühlschrank, als wollte er ihn öffnen, drehte sich dann jedoch abrupt um und zielte mit einem kräftigen Schlag auf meinen Kopf. Ich fing den Hieb ab und schob Carl sanft, aber bestimmt zu Boden, damit er merkte, dass ich dieses Manöver mehr durch Hebelwirkung als durch Kraft vollführte. Dieses Spielchen spielen wir jedes Mal, nur hatte er diesmal den Joghurt übersehen, der sich jetzt über unsere Kleidung verteilte.

»Still halten«, befahl Claudia. »Ich hole einen Lappen.«

Ein Lappen würde mein Hemd nicht ordentlich sauber bekommen. Ein Hemd zu waschen bedurfte einer Waschmaschine, Waschmittel, Weichspüler und reichlich Zeit.

»Ich werde mir eins von Gene borgen«, sagte ich und ging in ihr Schlafzimmer.

Als ich in einem unbequem weiten weißen Hemd mit dekorativen Rüschen auf der Vorderseite zurückkehrte, wollte ich endlich das »Ehefrauprojekt« vorstellen, aber Claudia war mit Fürsorgepflichten als Mutter beschäftigt. Die Situation frustrierte mich zunehmend. Ich lud mich für Samstag zum Abendessen ein und bat die beiden, keine weiteren Gesprächsthemen einzuplanen.

Die Verzögerung kam mir tatsächlich gelegen, da ich somit einige Nachforschungen zur Gestaltung von Fragebögen betreiben, eine Liste wünschenswerter Eigenschaften zusammenstellen und einen Entwurf vorbereiten konnte. All dies musste selbstverständlich neben meinen Verpflichtungen als Dozent und Forschungsmitarbeiter sowie einem Termin mit der Dekanin geschehen.

Am Freitagmorgen kam es nämlich zu einer weiteren unangenehmen Begegnung, weil ich einen Studenten wegen akademischen Betrugs hatte melden müssen. Schon zuvor hatte ich Kevin Yu einmal beim Abschreiben erwischt, und dann, beim Korrigieren seiner letzten Hausarbeit, hatte ich einen kompletten Satz aus der Arbeit eines anderen Studenten von vor drei Jahren wiedererkannt.

Nachforschungen ergaben, dass der damalige Student Kevin als privater Tutor Nachhilfe gab und mindestens einen Teil seiner Hausarbeit für ihn geschrieben hatte. Das alles war vor einigen Wochen passiert. Ich hatte die Angelegenheit gemeldet und darauf gewartet, dass der disziplinarische Prozess seinen Lauf nähme. Offenbar war die Sache komplizierter.

»Die Sache mit Kevin ist ein wenig heikel«, erklärte die Dekanin. Wir befanden uns in ihrem managermäßigen Büro, und sie trug ihr managermäßiges Kostüm, bestehend aus dunkelblauem Rock und Blazer, das sie laut Gene mächtiger erscheinen lassen soll. Sie ist klein, schlank und etwa fünfzig Jahre alt, und möglicherweise lässt das Kostüm sie größer erscheinen, aber ich verstehe nicht, warum körperliche Dominanz in einer akademischen Umgebung von Bedeutung sein sollte.

»Das ist Kevins dritter Verstoß, und laut Universitätsregeln müsste er der Hochschule verwiesen werden«, fuhr sie fort.

Die Sachlage schien klar und die notwendige Handlung offensichtlich. Ich versuchte das Heikle zu ergründen, auf das die Dekanin verwiesen hatte. »Sind die Beweise unzureichend? Will er sie juristisch anfechten?«

»Nein, alles ist vollkommen klar. Aber sein erster Verstoß war recht naiv. Er hatte sich Sachen aus dem Internet zusammengesucht und war von der Plagiatssoftware erwischt worden. Damals studierte er im ersten Jahr und sprach nicht besonders gut Englisch. Zudem sind da die kulturellen Unterschiede.«

Von diesem Betrug hatte ich gar nichts gewusst.

»Das zweite Mal hatten Sie ihn gemeldet, weil er etwas aus einer unbedeutenden Arbeit übernommen hatte, die Sie zufälligerweise kannten.«

»Korrekt.«

»Don, kein anderer Dozent ist so … wachsam … wie Sie.«

Es war ungewöhnlich, dass die Dekanin mich für meine Aufmerksamkeit und Hingabe lobte.

»Diese jungen Leute zahlen einen Haufen Geld, damit sie hier studieren dürfen. Wir sind auf ihre Gebühren angewiesen. Natürlich wollen wir nicht, dass sie ungeniert aus dem Internet klauen. Aber wir müssen anerkennen, dass sie Hilfe brauchen, und … Kevin hat nur noch ein Semester. Wir können ihn nach diesen dreieinhalb Jahren nicht ohne Abschluss nach Hause schicken. Das macht keinen guten Eindruck.«

»Was, wenn er Medizinstudent wäre? Was, wenn Sie ins Krankenhaus kämen, und der Arzt, der Sie operiert, hätte bei seinem Examen betrogen?«

»Kevin ist kein Medizinstudent. Und er hat nicht beim Examen betrogen, er hat sich nur etwas Hilfe für eine Hausarbeit geholt.«

Wie es aussah, hatte die Dekanin mich nur deshalb gelobt, um unethisches Verhalten meinerseits zu erreichen. Doch die Lösung für ihr Dilemma war offensichtlich. Wenn sie die Regeln nicht brechen wollte, musste sie die Regeln ändern. Das teilte ich ihr mit.

Ich bin nicht gut darin, Gesichtsausdrücke zu lesen, und der nachfolgende Ausdruck im Gesicht der Dekanin war mir nicht vertraut. »Wir dürfen Abschreiben nicht erlauben.«

»Obwohl wir es tun?«

Nach dem Gespräch war ich verwirrt und verärgert. Ernsthafte Dinge standen auf dem Spiel. Was, wenn unsere Forschung nicht anerkannt würde, weil man uns unzureichenden akademischen Standard nachsagte? Was, wenn ein Genetiklabor eine Person einstellte, deren Qualifikation durch Betrug gewonnen worden war, und diese Person schwerwiegende Fehler machte? Die Dekanin schien eher um vordergründiges Ansehen besorgt als um derart schwerwiegende Sachverhalte.

Ich stellte mir vor, wie es wohl wäre, mein Leben mit der Dekanin zu verbringen. Ein durch und durch schrecklicher Gedanke! Das vorherrschende Problem wäre ihre Sorge ums Ansehen. Mein Fragebogen müsste unnachgiebig alle Frauen herausfiltern, die zu viel Wert auf Äußeres legten.

4

Gene öffnete die Tür mit einem Glas Rotwein in der Hand. Ich stellte mein Fahrrad im Hausflur ab, zog den Rucksack vom Rücken, holte den Ordner zum »Projekt Ehefrau« hervor und überreichte Gene seine Kopie des Fragebogen-Entwurfs. Ich hatte ihn auf sechzehn Doppelseiten gekürzt.

»Entspann dich, Don, wir haben genug Zeit«, sagte er. »Wir werden erst mal zivilisiert essen, und dann kümmern wir uns um den Fragebogen. Wenn du mit Frauen ausgehen willst, brauchst du Übung beim gemeinsamen Essen.«

Da hatte er natürlich recht. Claudia ist eine exzellente Köchin, und Gene besitzt eine umfangreiche Weinsammlung, die nach Region, Jahrgang und Erzeuger sortiert ist. Im »Weinkeller«, der nicht wirklich unter der Erde liegt, zeigte er mir seine neuesten Errungenschaften, und wir suchten eine zweite Flasche aus. Wir aßen zusammen mit Carl und Eugenie, und ich umging den Smalltalk, indem ich mit Eugenie ein Gedächtnisspiel spielte. Dann sah sie meinen Ordner mit dem Titel »Projekt Ehefrau«, den ich gleich nach dem Dessert auf den Tisch legte.

»Willst du heiraten, Don?«, wollte sie wissen.

»Korrekt.«

»Wen?«

Ich wollte gerade anfangen, es zu erklären, da schickte Claudia die Kinder in ihre Zimmer, was eine gute Entscheidung war, da sie nicht die nötige Kompetenz besaßen, um zu dem Gespräch beizutragen.

Ich reichte Gene und Claudia je einen Fragebogen. Gene schenkte uns allen Portwein ein. Ich erklärte, ich hätte den Fragebogen nach optimalen Richtlinien entworfen, einschließlich Multiple-Choice-Verfahren, Likert-Skala, Vergleichsprüfung, Testfragen und indirekte Fragen. Claudia bat um ein Beispiel für Letztere.

»Frage 35: *Essen Sie Niere?* Die korrekte Antwort lautet *(c) gelegentlich.* Ein Test, um Ernährungsgewohnheiten festzustellen. Wenn man direkt danach fragt, sagen sie ›Ich esse alles‹, und später stellt man dann fest, dass sie Vegetarier sind.«

Mir ist bewusst, dass es viele Argumente für den Vegetarismus gibt. Da ich selbst jedoch Fleisch esse, dachte ich, es sei passender, wenn meine Partnerin das ebenfalls tut. In diesem frühen Stadium schien es mir logisch, die ideale Situation zu spezifizieren. Falls nötig, könnte ich die Fragebogen später neu anpassen.

Claudia und Gene lasen weiter.

Claudia sagte: »Bei Verabredung tippe ich mal auf *(b) ein bisschen zu früh.*«

Diese Antwort war ganz offenkundig inkorrekt und zeigte, dass sogar Claudia, die eine gute Freundin ist, als Partnerin absolut ungeeignet wäre.

»Die korrekte Antwort lautet *(c) pünktlich*«, entgegnete ich. »Gewohnheitsmäßiges Zufrühkommen akkumuliert sich zu einer immensen Zeitverschwendung.«

»Ich würde *ein bisschen zu früh* durchgehen lassen«, sagte Claudia. »Es könnte sein, dass sie sich anstrengt zu gefallen. Das ist nichts Schlechtes.«

Ein interessanter Punkt. Ich machte mir eine Notiz, dies zu

berücksichtigen, wies aber darauf hin, dass *(d) ein bisschen zu spät* und *(e) sehr spät* definitiv nicht akzeptabel seien.

»Ich finde, wenn eine Frau sich als brillante Köchin bezeichnet, dann ist sie ziemlich eingebildet«, meinte Claudia. »Frag sie doch einfach, ob sie gerne kocht. Und schreib dazu, dass du das auch gern tust.«

Dies war genau die Art von Kommentar, die ich brauchte – feine Nuancen in der Formulierung, die mir nicht bewusst sind. Mir fiel ein, dass eine Frau, die mir ähnlich ist, diese Feinheiten ebenfalls nicht wahrnehmen würde, aber es war unlogisch zu erwarten, dass meine potentielle Partnerin meinen Mangel an Hintersinn teilte.

»Kein Schmuck, kein Make-up?«, beantwortete Claudia korrekt die zwei Fragen, die durch mein letztes Gespräch mit der Dekanin ausgelöst worden waren.

»Bei Schmuck geht es nicht immer um Außenwirkung«, gab sie zu bedenken. »Wenn du eine Frage in die Richtung brauchst, lass die Schmuck-Frage weg und behalte die mit dem Make-up. Aber frag nur, ob sie sich täglich schminkt.«

»Größe, Gewicht *und* BMI«, zitierte Gene weiter. »Kannst du das nicht selbst ausrechnen?«

»Das ist der Sinn der Frage«, erwiderte ich. »Zu prüfen, ob sie ein Grundwissen in Arithmetik hat. Ich will keine Partnerin, die nicht rechnen kann.«

»Ich dachte, du würdest gern wissen wollen, wie sie aussieht«, sagte Gene.

»Da ist eine Frage zur Fitness.«

»Ich dachte mehr an Sex«, sagte Gene.

»Zur Abwechslung«, kommentierte Claudia, was eine seltsame Bemerkung war, da Gene ständig über Sex redet. Doch seine Bemerkung war berechtigt.

»Ich werde eine Frage zu HIV und Herpes einfügen.«

»Stopp«, meinte Claudia. »Du bist viel zu wählerisch.«

Ich fing an zu erklären, dass eine unheilbare Geschlechtskrankheit ein deutliches Minus darstellte, aber Claudia unterbrach mich.

»Bei allem.«

Das war eine verständliche Reaktion. Doch meine Strategie bestand darin, die Möglichkeit eines Fehlers Typ 1 zu vermeiden – Zeit für jemanden zu vergeuden, der unpassend war. Leider erhöhte dies das Risiko eines Fehlers Typ 2 – eine passende Person abzulehnen. Letzteres war jedoch ein akzeptables Risiko, da ich es mit einer sehr großen Ausgangsmenge zu tun hatte.

Gene meldete sich zu Wort: »Nichtraucher ist okay. Aber wie lautet die richtige Antwort auf die Frage nach Alkoholkonsum?«

»Null.«

»Moment mal. Du trinkst aber.« Er deutete auf mein Portweinglas, das er kurz zuvor noch aufgefüllt hatte. »Du trinkst sogar ganz ordentlich.«

Ich erklärte, dass ich mir durch das Projekt eine Verbesserung meines eigenen Verhaltens erhoffe.

In dieser Weise fuhren wir fort, und ich erhielt exzellentes Feedback. Der Fragebogen schien mir nun zwar weniger akkurat, aber ich vertraute noch immer darauf, dass er die meisten, wenn nicht alle Frauen aussortieren würde, mit denen ich in der Vergangenheit Probleme gehabt hatte. Aprikoseneisfrau wäre bei mindestens fünf Fragen durchs Raster gefallen.

Mein Plan war, mich auf traditionellen Partnersuchforen anzumelden, dort aber zusätzlich zu den üblichen unzureichenden Informationen zu Größe, Beruf und ob ich Strandspaziergänge mag einen Link zum Fragebogen einzustellen.

Gene und Claudia schlugen vor, ich solle außerdem ein

paar richtige Verabredungen treffen, um meine gesellschaftlichen Fähigkeiten zu trainieren. Ich sah ein, dass es sinnvoll wäre, die Fragebögen quasi im Rahmen einer Feldstudie zu validieren, deshalb druckte ich, während ich auf die Online-Antworten wartete, einige Fragebögen aus und begann erneut mit jenem Verabredungsprozedere, das ich für immer ad acta gelegt zu haben dachte.

Als Erstes schrieb ich mich für das Programm *Tisch für acht* ein, das von einer kommerziellen Partnerschaftsvermittlung angeboten wurde. Nach einem zweifellos unzuverlässigen Kompatibilitäts-Vortest, der auf inadäquaten Daten beruhte, erhielten vier Männer und vier Frauen, einschließlich meiner Person, Daten zu einer Tischreservierung in einem Restaurant der Innenstadt. Ich nahm vier Fragebögen mit und traf pünktlich um 20:00 Uhr ein. *Es war nur eine Frau anwesend!* Die anderen drei waren unpünktlich. Eine erstaunliche Bestätigung der Vorteile einer Auswertung vor Ort! Diese Frauen hätten womöglich mit *(b) ein bisschen zu früh* oder *(c) pünktlich* geantwortet, doch ihr tatsächliches Verhalten demonstrierte das Gegenteil. Ich entschied, vorübergehend *(d) ein bisschen zu spät* zuzulassen, da ein einzelner Vorfall für das generelle Verhalten vielleicht nicht repräsentativ wäre. Im Geiste hörte ich Claudia sagen: »Jeder kommt mal ein bisschen zu spät, Don.«

Es saßen auch zwei Männer am Tisch. Wir gaben einander die Hand. Mir kam die Assoziation, dass dies eine Parallele zur Verbeugung im Kampfsport darstellte.

Ich taxierte meine Konkurrenten. Der Mann, der sich als Craig vorgestellt hatte, war etwa in meinem Alter, aber übergewichtig, trug ein weißes, zu enges Hemd und einen Bart, und seine Zähne waren schlecht gepflegt. Der zweite Mann, Danny, war vermutlich ein paar Jahre jünger als ich und schien bei guter Gesundheit. Er trug ein weißes T-Shirt, war an den Armen tätowiert, und in seinem schwarzen Haar befand sich irgendein kosmetisches Mittel.

Die pünktliche Frau hieß Olivia und teilte ihre Aufmerksamkeit zunächst gerecht unter uns drei Männern auf (was logisch war). Sie sagte, sie sei Anthropologin. Danny verwechselte das mit Archäologin, und dann erzählte Craig einen rassistischen Witz über Pygmäen. Selbst mir war klar, dass diese Reaktionen keinen guten Eindruck bei Olivia hinterließen, und einen Moment lang genoss ich das seltene Gefühl, einmal nicht die sozial inkompetenteste Person im Raum zu sein. Nun wandte sich Olivia an mich, doch noch während meiner Beantwortung ihrer Frage nach meinem Beruf wurden wir durch die Ankunft des vierten Mannes, der sich als Gerry, Anwalt, vorstellte, sowie zweier Frauen, Sharon und Maria, die Buchhalterin bzw. Krankenschwester waren, unterbrochen. Es war ein warmer Abend, und Maria trug ein Kleid mit den doppelten Vorzügen von Luftigkeit und Sexyness. Sharon war in konventionelle Bürokluft gekleidet, bestehend aus Hose und Blazer. Ich schätzte alle auf ungefähr mein Alter.

Olivia setzte ihre Unterhaltung mit mir fort, während die anderen sich in Smalltalk ergingen – eine außerordentliche Zeitverschwendung, wenn eine so bedeutsame Lebensentscheidung anstand. Auf Claudias Rat hin hatte ich den Fragebogen auswendig gelernt. Sie fand, es könne eine falsche »Dynamik« entstehen, wenn ich die Fragen direkt abläse, und ich solle sie lieber beiläufig in die Konversation einflechten. Beiläufigkeit, erinnerte ich sie, sei nicht meine Stärke. Daraufhin schlug sie vor, ich solle nicht nach Geschlechtskrankheiten fragen und Gewicht, Größe sowie BMI eigenständig einschätzen. Olivias BMI schätzte ich auf neunzehn: schlank, aber keine Anzeichen von Anorexie. Bei Sharon tippte ich auf dreiundzwanzig und bei Maria auf achtundzwanzig. Der von der Weltgesundheitsorganisation empfohlene Höchstwert liegt bei fünfundzwanzig.

Besser, als nach dem IQ zu fragen, erschien mir, mittels Olivias Antwort auf meine Frage nach den historischen Auswirkungen unterschiedlicher Anfälligkeit für Syphilis bei südamerikanischen Ureinwohnern eine Schätzung vorzunehmen. Wir führten eine faszinierende Unterhaltung, und ich hatte das Gefühl, das Thema könnte eventuell sogar das Einflechten der Geschlechtskrankheitsfragen erlauben. Olivias IQ lag definitiv über dem erforderlichen Mindestmaß. Gerry, der Anwalt, warf ein paar seltsame Bemerkungen dazwischen, die wohl scherzhaft gemeint waren, aber schließlich ließ er uns das Gespräch ohne Unterbrechungen fortführen.

Plötzlich tauchte die noch fehlende Frau auf, *mit achtundzwanzig Minuten Verspätung*. Während Olivia abgelenkt war, nutzte ich die Gelegenheit, die bisher gewonnenen Daten in einen der vier Fragebögen auf meinem Schoß einzutragen. Für die zuletzt Angekommene brauchte ich kein Papier zu verschwenden, da sie verkündete, sie komme »immer zu spät«. Gerry, den Anwalt, schien das nicht weiter zu stören, aber da er sich vermutlich in Sechs-Minuten-Intervallen bezahlen ließ, sollte er Zeit eigentlich einen höheren Wert beimessen. Offenbar jedoch maß er Sex einen höheren Wert bei, denn sein Gespräch begann sehr bald denen von Gene zu ähneln.

Mit Ankunft der Zuspätfrau erschien der Kellner mit den Speisekarten. Olivia überflog ihre und fragte: »Ist die Kürbissuppe mit Gemüsebrühe gekocht?«

Die Antwort bekam ich nicht mit. Allein die Frage lieferte die entscheidende Information: Vegetarierin.

Sie schien meine Enttäuschung zu bemerken. »Ich bin Hindu.«

Wegen des Sari und der übrigen äußeren Erscheinung hatte ich bereits gefolgert, dass Olivia vermutlich Inderin war. Ich wusste nicht genau, ob der Begriff »Hindu« als Glaubensbekenntnis oder als Hinweis auf den kulturellen Hintergrund zu werten sei. In der Vergangenheit war ich schon einmal kritisiert worden, weil ich diese Differenzierung nicht berücksichtigt hatte.

»Essen Sie Eiscreme?«, fragte ich nun. Nach dem Bekenntnis des Vegetarismus erschien mir diese Frage notwendig. Sehr geschickt.

»O ja, ich bin keine Veganerin. Aber nur, wenn kein Ei drin ist.«

Es wurde nicht besser.

»Haben Sie eine Lieblingssorte?«

»Pistazie. Definitiv Pistazie.« Sie lächelte.

Maria und Danny waren zum Rauchen nach draußen gegangen. Nachdem nun drei Frauen, einschließlich Zuspätfrau, eliminiert waren, hatte ich meine Aufgabe fast vollständig erledigt.

Mein Lammhirn wurde gebracht, das ich in zwei Hälften schnitt, um die innere Struktur freizulegen. Dann tippte ich Sharon an, die gerade mit Craig, dem Rassisten sprach, und deutete auf meinen Teller. »Mögen Sie Hirn?«

Nummer vier erledigt, Aufgabe erfüllt. Ich setzte mein Gespräch mit Olivia fort. Wir unterhielten uns blendend und bestellten sogar weitere Getränke, nachdem die anderen das Lokal pärchenweise verlassen hatten. Wir diskutierten, bis wir die letzten Gäste waren. Als ich die Fragebögen in meinem Rucksack verstaute, gab mir Olivia ihre Kontaktdaten, die ich notierte, um nicht unhöflich zu wirken. Dann gingen wir getrennter Wege.

Während ich nach Hause radelte, ließ ich den Abend noch

einmal Revue passieren. Das Abendessen war eine äußerst ineffiziente Methode gewesen, um ungeeignete Frauen auszusortieren, aber der Fragebogen hatte beachtliche Dienste geleistet. Ohne seine Auswahlkriterien hätte ich zweifellos eine zweite Verabredung mit Olivia erwogen, die interessant und sympathisch gewirkt hatte. Vielleicht wären wir sogar ein drittes, viertes und fünftes Mal ausgegangen, bis wir eines Tages, wenn alle Nachspeisen eines Restaurants Ei enthielten, in der Eisdiele gegenüber feststellen würden, dass es dort kein eifreies Pistazieneis gäbe. Es war besser, das vorher geklärt zu wissen, bevor wir etwas in eine Beziehung investiert hätten.

5

Ich stand im Eingangsbereich eines Vorstadthauses, das mich an das Backsteinhaus meiner Eltern in Shepparton erinnerte. Zwar hatte ich beschlossen, nie wieder an einer Singles-Party teilzunehmen, doch der Fragebogen erlaubte mir, die Qual unstrukturierter sozialer Interaktionen mit Fremden zu vermeiden.

Als die weiblichen Gäste eintrafen, händigte ich jeder einen Fragebogen aus, den sie zu beliebiger Zeit ausfüllen und mir entweder auf der Party oder später per Mail zurückgeben könnten. Die Gastgeberin schlug mir anfangs vor, mich zur Gästeschar im Wohnzimmer zu gesellen, doch nachdem ich ihr meine Strategie erläutert hatte, ließ sie mich in Ruhe. Zwei Stunden später kam eine etwa fünfunddreißigjährige Frau mit geschätztem BMI von einundzwanzig aus dem Wohnzimmer zu mir, zwei Gläser Schaumwein in der einen, den Fragebogen in der anderen Hand.

Sie reichte mir eines der Gläser. »Ich dachte, Sie haben vielleicht Durst«, sagte sie mit attraktivem französischem Akzent.

Durst hatte ich keinen, aber ich war froh, Alkohol angeboten zu bekommen. Ich hatte beschlossen, das Trinken nicht aufzugeben, es sei denn, ich fände eine abstinente Partnerin. Und nach einiger Selbstanalyse hatte ich entschieden, dass *(c) gelegentlich* eine akzeptable Antwort auf die Frage zum Alkoholkonsum sei, und mir vorgenommen, die Auswertung der Fragebögen dementsprechend zu aktualisieren.

»Danke.« Ich hoffte, sie würde mir den Fragebogen aushändigen und meine Suche damit ein für alle Mal beenden – so unwahrscheinlich dies auch sein mochte. Sie war extrem attraktiv, und ihre Geste mit dem Wein deutete auf ein hohes Maß an Einfühlungsvermögen hin, was bislang keiner der anderen Gäste noch die Gastgeberin demonstriert hatte.

»Sie sind Wissenschaftler, hab ich recht?« Sie tippte auf den Fragebogen.

»Korrekt.«

»Ich auch«, teilte sie mir mit. »Heute Abend sind nicht viele Akademiker anwesend.« Obwohl es gefährlich ist, Schlussfolgerungen aus Verhaltensweisen und Gesprächsthemen zu ziehen, stimmte meine Einschätzung der Gäste mit ihrer Beobachtung überein.

»Ich bin Fabienne«, fuhr sie fort, klemmte den Fragebogen unter eine Achsel und streckte die freie Hand vor, die ich schüttelte und dabei achtgab, das empfohlene Maß an Druck auszuüben. »Der Wein ist grässlich, oder?«

Ich pflichtete ihr bei. Es handelte sich um mit Kohlensäure versetzten süßen Wein, der nur durch seinen Alkoholgehalt erträglich war.

»Meinen Sie, wir sollten in eine Weinstube gehen und etwas Besseres trinken?«

Ich schüttelte den Kopf. Die schlechte Qualität des Weins war ärgerlich, aber nicht dramatisch.

Fabienne atmete tief durch. »Hören Sie. Ich habe zwei oder drei Gläser getrunken, seit sechs Wochen keinen Sex mehr gehabt, und ich würde lieber sechs weitere warten, als es mit irgendeinem anderen hier zu versuchen. Wie sieht's aus? Kann ich Ihnen einen Drink spendieren?«

Das war ein sehr freundliches Angebot. Aber es war immer noch früh am Abend. »Es werden weitere Gäste kommen«, erwiderte ich. »Vielleicht finden Sie jemand Passenden, wenn Sie warten.«

Fabienne reichte mir ihren Fragebogen. »Ich nehme an, Sie werden die Gewinnerin irgendwann benachrichtigen?« Ich antwortete, das werde ich. Nachdem sie gegangen war, überflog ich rasch ihre Antworten. Wie zu erwarten, hatte sie in mehreren Punkten versagt. Es war enttäuschend.

Meine nächste Option außerhalb des Internets lautete Speed-Dating, ein Verfahren, das ich bisher noch nicht ausprobiert hatte.

Treffpunkt war der Konferenzraum eines Hotels. Auf meine beharrliche Nachfrage hin verriet mir der Leiter des Abends die *tatsächliche* Anfangszeit, und ich wartete bis dahin in der Bar, um zielloses Geplauder zu vermeiden. Als ich zurückkehrte, setzte ich mich an einem langen Tisch auf den letzten freien Platz, gegenüber einer Person mit dem Namensschild »Frances«, etwa fünfzig Jahre alt, mit einem geschätzten BMI von achtundzwanzig und nicht in konventioneller Weise attraktiv.

Der Leiter klingelte mit einer Glocke, und meine drei Minuten mit Frances begannen.

Ich nahm einen Fragebogen und notierte ihren Namen – unter diesen Umständen blieb keine Zeit für unauffälliges Vorgehen.

»Ich habe die Fragen in eine bestimmte Reihenfolge gebracht, um die schnellstmögliche Eliminierung zu gewährleisten«, erklärte ich. »Ich denke, die meisten Frauen kann ich innerhalb von vierzig Sekunden eliminieren. Für die restliche Zeit dürfen Sie das Gesprächsthema wählen.«

»Aber es würde keine Rolle mehr spielen«, sagte Frances, »denn ich wäre ja schon eliminiert, oder?«

»Nur als potentielle Partnerin. Wir können immer noch eine interessante Diskussion führen.«

»Aber ich wäre eliminiert.«

Ich nickte. »Rauchen Sie?«

»Gelegentlich.«

Ich legte den Fragebogen beiseite.

»Exzellent.« Ich freute mich, dass keine Zeit mit Fragen über Eiscremesorten und Make-up vergeudet worden war, nur um danach festzustellen, dass sie rauchte. Unnötig zu erwähnen, dass Rauchen nicht verhandelbar war. »Ich habe keine weiteren Fragen. Worüber würden Sie gern sprechen?«

Enttäuschenderweise war Frances an keinem weiteren Gespräch interessiert. Dieses Muster setzte sich für den Rest des Abends fort.

Diese Form persönlicher Interaktionen war natürlich von zweitrangiger Bedeutung. Hauptsächlich verließ ich mich aufs Internet, und kurz nach der Freischaltung des Links trafen die ersten beantworteten Fragebögen ein. Ich buchte einen Besprechungstermin mit Gene in meinem Büro.

»Wie viele Rückläufe?«, wollte er wissen.

»Zweihundertneunundsechzig.«

Er war sichtlich beeindruckt. Ich verriet ihm nicht, dass die Qualität der Antworten sehr unterschiedlich war und viele Fragebögen unvollständig ausgefüllt zurückkamen.

»Keine Fotos?«

Die meisten Frauen hatten ein Foto beigefügt, doch ich hatte die Anzeige unterdrückt, um mehr Platz für die wichtigeren Daten zu schaffen.

»Lass uns die Fotos ansehen«, schlug Gene vor.

Ich modifizierte die Einstellung, damit die Fotos sichtbar wurden, und Gene musterte ein paar, bevor er eines doppelt anklickte. Die Auflösung war beeindruckend. Offenbar fand die Frau seine Zustimmung, doch eine kurze Überprüfung der Daten zeigte, dass sie vollkommen ungeeignet war. Ich griff nach der Maus und löschte die Frau. Gene protestierte.

»Hey, hey, hey! Was tust du da?«

»Sie glaubt an Astrologie und Homöopathie. Und sie hat ihren BMI falsch berechnet.«

»Wie hoch war er?«

»Dreiundzwanzig Komma fünf.«

»Reizend. Kannst du das Löschen rückgängig machen?«

»Sie ist vollkommen ungeeignet.«

»Wie viele sind denn geeignet?«, kam Gene schließlich zum Punkt.

»Bisher keine Einzige. Der Fragebogen ist ein exzellenter Filter.«

»Meinst du nicht, dass du die Latte ein bisschen zu hoch anlegst?«

Ich wies darauf hin, dass ich Daten für die wichtigste Entscheidung meines Lebens sammele. Ein Kompromiss war absolut unangemessen.

»Man muss immer Kompromisse eingehen«, erwiderte Gene. Eine unfassbare Behauptung und in seinem Fall absolut unwahr!

»Du hast die perfekte Ehefrau gefunden. Hochintelligent, extrem hübsch, und sie lässt dich Sex mit anderen Frauen haben.«

Gene merkte an, ich solle Claudia lieber nicht persönlich zu ihrer Toleranz gratulieren, und bat mich, die Zahl der beantworteten Fragebogen zu wiederholen. Die tatsächliche Gesamtzahl lag höher als angegeben, da ich die vor Ort ausgefüllten Fragebögen nicht mitgerechnet hatte. Insgesamt waren es dreihundertvier.

»Gib mir deine Liste«, sagte Gene. »Ich werde ein paar für dich aussuchen.«

»Keine davon erfüllt sämtliche Vorgaben. Alle haben irgendeinen Makel.«

»Sieh es als Übung.«

Das war ein Argument. Ich hatte noch einige Male an Olivia, die indische Anthropologin, gedacht und daran, welche Konsequenzen es hätte, eine hinduistische Vegetarierin mit starker Eiscremepräferenz als Partnerin zu wählen. Nur die Selbstermahnung, dass ich auf mein perfektes Gegenstück warten sollte, hatte mich davon abgehalten, Kontakt mit ihr aufzunehmen. Sogar den Fragebogen von Fabienne, der unter Sexentzug leidenden Wissenschaftlerin, hatte ich ein zweites Mal überprüft.

Ich mailte Gene meine Kalkulationstabelle zu.

»Keine Raucherinnen«, warnte ich.

»Okay«, meinte Gene. »Aber du musst mit ihnen ausgehen. Zum Abendessen. In ein ordentliches Restaurant.«

Gene merkte, dass mich die Vorstellung nicht sonderlich begeisterte. Schlau, wie er war, nahm er sich des Problems an, indem er eine noch weniger akzeptable Alternative vorschlug.

»Du könntest auch zum Fakultätsball gehen.«

»Restaurant.«

Gene lächelte, als wollte er meinen Mangel an Enthusiasmus wettmachen. »Es ist ganz einfach: ›Wie wäre es, wenn wir heute Abend essen gingen?‹ Sprich mir nach.«

»Wie wäre es, wenn wir heute Abend essen gingen?«, wiederholte ich.

»Na also, das war doch gar nicht so schwer. Mach nur positive Bemerkungen über ihr Äußeres. Bezahl das Essen. Sprich nicht von Sex.« Gene ging zur Tür, dann drehte er sich noch einmal um. »Was ist mit den Fragebögen auf Papier?«

Ich reichte ihm die Unterlagen von *Tisch für acht*, von der Singles-Party und, als er darauf bestand, auch die nur sehr unvollständig ausgefüllten Fragebögen vom Speed-Dating. Damit hatte ich die Sache komplett aus der Hand gegeben.

6

Etwa zwei Stunden nachdem Gene mein Büro mit den ausgefüllten Fragebögen des Ehefrauprojekts verlassen hatte, klopfte es an die Tür. Ich war gerade dabei, Aufsätze von Studenten zu wiegen, was nicht verboten ist – aber vermutlich nur deshalb nicht, weil niemand weiß, dass ich es tue. Es gehörte zu meinem Projekt, den Aufwand für die Beurteilung zu reduzieren, indem ich auf leicht messbare Parameter achtete, wie etwa das Einfügen eines Inhaltsverzeichnisses oder den Unterschied zwischen einem gedruckten oder handgeschriebenen Titelblatt – Faktoren, die einen ebenso wertvollen Hinweis auf Qualität geben wie der ermüdende Prozess, den ganzen Aufsatz zu lesen.

Ich schob die Waage unter meinen Schreibtisch, die Tür wurde geöffnet, und als ich aufsah, stand im Türrahmen eine Frau, die ich nicht kannte. Ich schätzte ihr Alter auf dreißig und ihren BMI auf zwanzig.

»Professor Tillman?«

Da mein Name an der Tür steht, war dies keine besonders scharfsinnige Frage.

»Korrekt.«

»Professor Barrow schlug vor, dass ich Sie aufsuche.«

Ich wunderte mich über Genes Effizienz, und während sie sich meinem Schreibtisch näherte, musterte ich die Frau genauer. Es gab keine offensichtlichen Anzeichen, dass sie ungeeignet wäre. Ich konnte kein Make-up erkennen. Ihre Figur und ihr Teint ließen darauf schließen, dass sie gesund und körperlich fit war. Sie trug eine Brille mit breitem Kunststoffrahmen, was unangenehme Erinnerungen an die Aprikoseneisfrau wachrief, ein langes schwarzes T-Shirt, das an mehreren Stellen zerrissen war, und einen schwarzen Gürtel mit Metallketten. Zum Glück war die Schmuckfrage eliminiert worden, denn sie trug große metallene Ohrringe und einen interessanten Anhänger um den Hals.

Obwohl ich normalerweise nicht auf Kleidung achte, entsprach ihre nicht meiner Erwartung bei einer hochqualifizierten Akademikerin oder anderweitig Angestellten bei Sommerwetter. Ich konnte nur vermuten, dass sie selbständig war oder im Urlaub und ihre Kleidung, befreit von den Regeln ihres Arbeitsplatzes, willkürlich ausgewählt hatte. Damit konnte ich mich identifizieren.

Es herrschte einige Zeit Stille, und ich dachte, ich sei wohl an der Reihe, etwas zu sagen. Ich löste meinen Blick von ihrem Anhänger, blickte auf und erinnerte mich an Genes Instruktionen.

»Wie wäre es, wenn wir heute Abend essen gingen?«

Sie wirkte überrascht und antwortete: »Ja, genau. Wie wäre es, wenn wir essen gingen? Wie wäre es mit *Le Gavroche*, und Sie zahlen?«

»Ausgezeichnet. Ich werde uns für 20:00 Uhr einen Tisch reservieren.«

»Sie machen Witze.«

Das war eine seltsame Reaktion. Warum sollte ich jemanden, den ich kaum kannte, mit einem Witz verwirren?

»Nein. Ist 20:00 Uhr nicht akzeptabel?«

»Damit ich Sie richtig verstehe: Sie wollen mich heute Abend ins *Le Gavroche* zum Essen einladen?«

Erst die Frage nach meinem Namen, und nun das! Allmählich kam mir der Gedanke, dass diese Frau mit Genes Worten »nicht die hellste Kerze auf der Torte« war. Ich erwog kurz, sie unter einem Vorwand loszuwerden oder zumindest eine Verzögerungstaktik anzuwenden, bis ich ihren Fragebogen überprüft hätte, aber mir kam spontan keine Idee, wie ich das auf gesellschaftlich akzeptable Weise anstellen könnte. Deshalb bestätigte ich nur, dass sie mein Angebot korrekt verstanden habe. Darauf drehte sie sich um und ging, und mir fiel ein, dass ich nicht einmal ihren Namen kannte.

Ich rief Gene an. Zuerst schien er verwirrt, dann erheitert. Mein effizientes Vorgehen hatte er wohl nicht erwartet.

»Sie heißt Rosie«, sagte er. »Und das ist alles, was ich dir verrate. Amüsier dich. Und denk daran, was ich über Sex gesagt habe.«

Dass Gene mir keine weiteren Details verraten wollte, war bedauerlich, da sich ein Problem abzeichnete: Im *Le Gavroche* war zur verabredeten Zeit kein Tisch mehr frei. Ich versuchte, Rosies Profil auf meinem Computer zu finden, und hier kamen mir nun doch die Fotos zugute. Aber die Frau, die in mein Büro gekommen war, sah keiner der Kandidatinnen ähnlich, deren Namen mit »R« begannen. Sie musste zu den ausgedruckten Fragebögen gehören.

Gene war mittlerweile gegangen und hatte sein Handy ausgeschaltet. Dadurch sah ich mich gezwungen, eine Maßnahme zu ergreifen, die nicht direkt illegal, zweifellos aber unmoralisch war. Ich rechtfertigte sie damit, dass es noch unmoralischer wäre, meine Verabredung mit Rosie nicht einzuhalten. Das Online-Buchungssystem des *Le Gavroche* hatte eine Anwendung für VIPs, und ich buchte eine Reservierung unter dem Namen der Dekanin, deren Zugangsdaten ich unter Verwendung relativ simpler Hackersoftware knackte.

Um 19:59 Uhr traf ich ein. Das Restaurant befand sich in einem größeren Hotel. Da es heftig regnete, kettete ich mein Fahrrad im Foyer fest. Zum Glück war es nicht kalt, und meine Goretex-Jacke hatte mich wunderbar trocken gehalten – das T-Shirt darunter war nicht einmal feucht.

Der uniformierte Empfangschef kam auf mich zu, deutete auf das Fahrrad, aber ehe er sich beschweren konnte, sprach ich ihn an.

»Mein Name ist Professor Lawrence, und ich habe um 17:11 Uhr bei Ihnen einen Tisch reserviert. Online.«

Anscheinend kannte der Empfangschef die Dekanin nicht oder nahm an, dass ich ein anderer Professor Lawrence sei, denn er sah nur auf sein Klemmbrett und nickte. Ich war beeindruckt, wie reibungslos alles verlief, wobei es nun bereits 20:01 Uhr und Rosie nirgends zu entdecken war. Vielleicht war sie *(b) ein bisschen zu früh* gekommen und saß bereits am Tisch.

Doch dann ergab sich ein Problem.

»Tut mir leid, Sir, aber wir haben eine Kleiderordnung«, sagte der Empfangschef.

Ich wusste davon. Es hatte in Großbuchstaben auf der Webseite gestanden: Angemessene Kleidung erwünscht.

»Kein Essen im T-Shirt, korrekt?«

»Mehr oder weniger, Sir.«

Was soll ich zu solch einer Regel sagen? Ich hatte ein Hemd in die Jackentasche gesteckt und war zudem darauf vorbereitet, während des Essens nötigenfalls meine Jacke anzubehalten, falls auch Hemdsärmel nicht erwünscht wären. Das Restaurant wäre dann hoffentlich so weit klimatisiert, dass eine dieser Anforderung angepasste Temperatur herrschte.

Ich ging weiter Richtung Eingang, doch der Empfangschef stellte sich mir in den Weg. »Tut mir leid, Sir. Vielleicht habe ich mich nicht klar ausgedrückt. Sie müssen passende Kleidung tragen.«

»Aber meine Jacke passt ganz hervorragend.«

»Ich fürchte, wir benötigen etwas Angemesseneres, Sir.«

»Was könnte bei strömendem Regen angemessener sein als eine Regenjacke?«

Der Angestellte deutete nun auf seine eigene Jacke. Um mein weiteres Verhalten zu rechtfertigen, verweise ich auf die Definition im *Oxford English Dictionary* (Kompaktausgabe, 2. Auflage): »Jackett« *1(a) Oberbekleidung für den oberen Teil des Körpers.*

Ich möchte außerdem anmerken, dass das Wort »jacket« in der Waschanleitung meiner relativ neuen und perfekt sauberen Goretex-Jacke steht. Doch wie es schien, war die Definition hier auf »klassische Anzugjacke« beschränkt.

»Wir können Ihnen gern ein Jackett ausleihen, Sir. In dieser Art.« Er deutete auf sein eigenes Oberteil.

»Sie haben einen ganzen Vorrat an Jacketts? In jeder erdenklichen Größe?«, fragte ich erstaunt nach. Ich fügte nicht hinzu, dass die Notwendigkeit, solch einen Vorrat parat zu halten, auf das Versagen des Restaurants zurückzuführen sei, ihre Ankleideregel deutlich zu kommunizieren, und dass es effektiver wäre, ihre Wortwahl zu ändern oder die Regel ganz und gar abzuschaffen. Des Weiteren erwähnte ich nicht, dass die Anschaffung der Jacketts sowie deren Reinigung sich mit Sicherheit auf die Preise ihrer Gerichte auswirkten. Ob die Gäste wohl wussten, dass sie hier einen Jackettverleih mitfinanzierten?

»Das weiß ich nicht, Sir«, erwiderte er. »Lassen Sie mich Ihnen ein Jackett besorgen.«

Unnötig zu sagen, dass mir bei der Vorstellung, ein fremdes Kleidungsstück von dubioser Sauberkeit anziehen zu müssen, unwohl war. Einen Moment lang war ich von der schieren Unvernunft der Situation überwältigt. Ich stand bereits unter Stress, da ich mich auf die zweite Begegnung mit einer Frau vorbereitete, die meine Ehefrau werden könnte. Und nun legte mir die Institution, die ich dafür bezahlte, dass sie uns mit einer Mahlzeit versorgte – der *Dienstleister*, der doch alles Mögliche tun sollte, damit ich mich wohlfühlte –, willkürliche Hindernisse in den Weg. Meine Goretex-Jacke, ein Kleidungsstück mit Hightech-Ausstattung, das mich bereits vor Regen und Schneestürmen geschützt hatte, wurde auf irrationale, unfaire und hinderliche Weise mit dem wollenen Äquivalent des Empfangschefs verglichen. Ich hatte 1015 australische Dollar dafür bezahlt, einschließlich 120 $ extra für die individuelle Ausstattung in reflektierendem Gelb. Ich brachte meine Argumente vor.

»Meine Jacke ist Ihrer unter sämtlichen vernünftigen Gesichtspunkten überlegen: Sie ist wasserdicht, auch bei schlechter Beleuchtung gut sichtbar und hält praktische Aufbewahrungsmöglichkeiten bereit.« Ich zog den Reißverschluss auf, um die Innentaschen zu zeigen, und fuhr fort: »Hohe Trockengeschwindigkeit, fleckenabweisend, Kapuze …«

Der Empfangschef zeigte keinerlei deutbare Reaktion, obwohl ich mit Sicherheit schon meine Stimme erhoben hatte.

»Hohe Reißfestigkeit …«

Um den letzten Punkt zu illustrieren, fasste ich dem Empfangschef ans Revers. Obwohl ich keinesfalls die Absicht hatte, seine Jacke zu zerreißen, wurde ich plötzlich rücklings von einer unbekannten Person gepackt, die mich zu Boden werfen wollte. Instinktiv konterte ich mit einem sicheren, gelenkschonenden Wurf, um sie außer Gefecht zu setzen, ohne meine Brille zu gefährden. Der Begriff »gelenkschonend« gilt für Ausübende von Kampfsportarten, die wissen, wie man fällt. Diese Person wusste das nicht und landete schwerfällig zu meinen Füßen.

Ich wandte mich um und sah einen großen Mann, der mich wütend anstarrte. Um weitere Gewalt zu verhindern, musste ich mich auf ihn setzen.

»Geh von mir runter, verdammt! Ich bring dich um!«, schrie er.

Angesichts dieser Drohung schien es mir unlogisch, auf seine Forderung einzugehen. In diesem Moment kam ein weiterer Mann dazu und versuchte, mich wegzuziehen. Besorgt, dass Angreifer Nummer eins seine Drohung wahr machen würde, hatte ich keine andere Wahl, als Angreifer Nummer zwei ebenfalls auszuschalten. Niemand wurde ernsthaft verletzt, aber es war eine sehr unangenehme Situation, und ich merkte, dass meine rationale Kontrolle kurz davor war, abzuschalten.

Zum Glück traf nun Rosie ein.

Jackettmann schien überrascht. »Rosie!«, rief er.

Offenbar kannte er sie. Rosie sah von ihm zu mir und sagte: »Professor Tillman … Don … Was ist hier los?«

»Sie kommen zu spät«, erwiderte ich. »Wir haben ein gesellschaftliches Problem.«

»Du kennst den Mann?«, sagte Jackettmann zu Rosie.

»Was denkst du denn – dass ich seinen Namen einfach geraten habe?« Rosie klang streitlustig, und ich fand, das sei nicht unbedingt der beste Ansatz. Wir sollten uns eher entschuldigen und gehen. Ich nahm an, dass wir nun nicht mehr im Restaurant speisen würden.

Inzwischen hatte sich eine kleine Gruppe Neugieriger um uns versammelt, und mir fiel ein, dass möglicherweise ein dritter Angreifer dazukommen könnte, also musste ich es irgendwie schaffen, eine Hand freizubekommen, ohne die anderen beiden Männer loszulassen. Bei diesem Vorgang stach einer der beiden dem anderen ins Auge, und der Grad ihrer Verärgerung schwoll merklich an. Jackettmann fügte hinzu: »Er hat Jason angegriffen.«

»Ach«, erwiderte Rosie, »armer Jason. Immer das Opfer.« Jetzt erst konnte ich sie sehen. Sie trug ein schlichtes schwarzes Kleid, schwarze Stiefel mit dicken Sohlen und große Mengen Silberschmuck an den Armen. Ihr rotes Haar stand stachelig ab, wie eine neue Art von Kaktus. Für die Beschreibung von Frauen habe ich schon das Wort »atemberaubend« gehört, aber dies war das erste Mal, dass mir eine Frau tatsächlich den Atem raubte. Es lag nicht nur an ihrem Kleid oder dem Schmuck oder irgendeinem einzelnen Charakteristikum dieser Rosie: es war die Kombination, der Gesamteindruck. Ich war nicht sicher, ob ihr Aussehen im konventionellen Sinn als schön galt oder für das Restaurant akzeptabel war, das meine Jacke abgelehnt hatte. »Atemberaubend« war das richtige Wort. Und was sie tat, war ebenfalls verblüffend. Sie kramte ihr Handy hervor und hielt es in unsere Richtung. Es blitzte zweimal. Jackettmann machte Anstalten, es ihr wegzunehmen.

»Scheiße, denk nicht mal dran«, sagte Rosie. »Mit diesen Fotos kann ich so wunderbare Sachen anstellen, dass die Typen da nie wieder an einer Tür stehen werden. *Professor erteilt Rausschmeißern eine Lehre.*«

Während Rosie sprach, kam ein Mann mit Kochmütze dazu. Er sagte kurz etwas zu Jackettmann und Rosie, und unter der Bedingung, dass wir ohne weitere Belästigung gehen könnten, bat mich Rosie, meine Angreifer freizugeben. Wir standen alle auf, und um der Tradition zu entsprechen, verbeugte ich mich und streckte den beiden Männern meine Hand entgegen. Inzwischen war ich zu dem Schluss gekommen, dass es sich bei ihnen um Sicherheitspersonal handelte. Sie hatten nur getan, wofür sie bezahlt wurden, und für die Ausübung ihrer Pflicht Verletzungen riskiert. Diese Form der Höflichkeit schienen sie nicht erwartet zu haben, aber dann lachte einer von ihnen und schüttelte mir die Hand, worauf der zweite seinem Beispiel folgte. Es war eine gute Lösung, doch essen wollte ich in diesem Restaurant nicht mehr.

Ich kettete mein Fahrrad los, und wir gingen hinaus auf die Straße. Ich rechnete damit, dass Rosie über diesen Zwischenfall böse wäre, doch sie schmunzelte nur. Ich erkundigte mich, woher sie Jackettmann kannte.

»Ich hab da mal gearbeitet.«

»Sie haben das Restaurant gewählt, weil Sie es kannten?«

»So könnte man es sagen. Ich wollte es ihnen heimzahlen.« Sie begann zu lachen. »Vielleicht nicht ganz so heftig, wie Sie es gerade geschafft haben.«

Ich sagte, ihre Lösung sei brillant gewesen.

»Ich arbeite in einer Bar«, erzählte sie nun. »Na ja, es ist nicht nur eine Bar … das *Marquess of Queensbury*. Ich werde dafür bezahlt, mit Idioten klarzukommen.«

Ich wies darauf hin, dass sie bei pünktlichem Erscheinen von ihren sozialen Fähigkeiten hätte Gebrauch machen und die Gewalt verhindern können.

»Dann bin ich froh, dass ich zu spät gekommen bin. Das war Judo, stimmt's?«

»Aikido.« Während wir die Straße überquerten, wechselte ich das Fahrrad auf die andere Seite, zwischen Rosie und mich. »Ich beherrsche auch Karate, aber Aikido schien mir angemessener.«

»Ehrlich? Man braucht doch ewig, um so was zu lernen, oder?«

»Ich habe mit sieben angefangen.«

»Wie häufig trainieren Sie?«

»Dreimal pro Woche, mit Ausnahme von Krankheitszeiten, gesetzlichen Feiertagen und Auslandsreisen zu Fachkonferenzen.«

»Wie sind Sie darauf gekommen?«

Ich zeigte auf meine Brille.

»Rache der Nerds«, kommentierte sie.

»Dies ist das erste Mal seit meiner Schulzeit, dass ich es zur Selbstverteidigung einsetzen musste. Ich mache es vor allem wegen der Fitness.« Ich war nun ein wenig entspannter, und Rosie hatte mir Gelegenheit gegeben, eine Frage meines Ehefrauprojekt-Fragebogens einzuflechten. »Treiben Sie regelmäßig Sport?«

»Das hängt davon ab, was Sie regelmäßig nennen.« Sie lachte. »Ich bin der wohl unfitteste Mensch auf diesem Planeten.«

»Sport ist sehr wichtig für die Gesundheit.«

»Das sagt mein Vater auch immer. Er ist Fitnesstrainer und liegt mir damit ständig in den Ohren. Zum Geburtstag hat er mir eine Mitgliedschaft geschenkt, in seinem Studio. Er hat diese fixe Idee, dass wir irgendwann zusammen für den Triathlon trainieren.«

»Sie sollten seinen Rat befolgen.«

»Scheiße, ich bin fast dreißig. Ich muss mir von meinem Dad nicht mehr sagen lassen, was ich tun soll.« Sie wechselte das Thema. »Hören Sie, ich bin am Verhungern. Lassen Sie uns Pizza essen gehen.«

Nach dem eben durchlebten Trauma war ich nicht bereit, ein weiteres Restaurant zu erwägen. Ich erklärte, dass ich zu meinem ursprünglichen Plan für diesen Abend zurückkehren wolle, der darin bestand, zu Hause zu kochen.

»Haben Sie denn genug für zwei?«, erkundigte sie sich. »Sie sind mir ein Essen schuldig.«

Das war richtig, aber an diesem Tag hatte es schon zu viele ungeplante Ereignisse gegeben.

»Ach, kommen Sie. Ich werde Ihre Kochkünste nicht kritisieren. Ich könnte nicht mal kochen, wenn mein Leben davon abhinge.«

Ich hatte keine Sorge, dass meine Kochkünste kritisiert würden. Aber ihre Unfähigkeit zu kochen war nach dem Zuspätkommen und dem Mangel an sportlicher Betätigung das – bislang – dritte Ausschlusskriterium seitens des Ehefrau-Fragebogens. Ich rechnete mit einem vierten, denn es war unwahrscheinlich, dass sie als Bedienung und Barfrau das erforderliche intellektuelle Niveau aufwies. Es bestand also kein Grund, die Sache fortzuführen.

Doch bevor ich protestieren konnte, hatte Rosie ein Minivan-Taxi herbeigewunken, das mein Fahrrad transportieren konnte.

»Wo wohnen Sie?«

7

»Aber hallo, Herr Saubermann! Wie kommt es, dass gar keine Bilder an den Wänden hängen?«

Seit Daphne ins Pflegeheim gezogen war, hatte ich keinen Besuch mehr gehabt. Ich wusste, dass ich nur einen extra Teller und Besteck bereitstellen musste. Aber es war bereits ein stressiger Abend gewesen, und die durch Adrenalin hervorgerufene Euphorie nach dem Jackett-Zwischenfall war verpufft, zumindest bei mir. Rosie schien permanent unter Strom zu stehen.

Wir befanden uns im Wohnbereich, der an die Küche angrenzt.

»Weil ich nach einer Weile aufhören würde, sie wahrzunehmen. Das menschliche Gehirn ist so konstruiert, dass es auf Veränderungen in der Umgebung reagiert – damit es schnell einen Angreifer ausmachen kann. Wenn ich Bilder oder andere dekorative Objekte anbrächte, würde ich sie ein paar Tage lang registrieren, und dann würde mein Hirn sie ignorieren. Wenn ich Kunst sehen möchte, gehe ich in eine Ausstellung. Die Gemälde dort sind von höherer Qualität, und der Kostenaufwand wäre, auf lange Sicht gerechnet, geringer als beim Kauf billiger Drucke.« Tatsächlich war ich seit dem zehnten Mai vor drei Jahren nicht mehr in einer Kunstgalerie gewesen, aber diese Information würde mein Argument schwächen, und ich sah keinen Grund, sie mit Rosie zu teilen und damit weitere Aspekte meines Privatlebens einer Beurteilung preiszugeben.

Rosie war weitergegangen und begutachtete nun meine CD-Sammlung. Ihr Erkundungsdrang wurde allmählich lästig. Es war schon jetzt sehr spät fürs Essen.

»Bach müssen Sie ja wirklich lieben«, kommentierte sie. Das war eine logische Schlussfolgerung, da meine CD-Sammlung ausschließlich aus Werken dieses Komponisten bestand. Doch sie entsprach nicht der Wahrheit.

»Ich beschloss, mich auf Bach zu konzentrieren, nachdem ich *Gödel, Escher, Bach* von Douglas Hofstadter gelesen hatte. Leider konnte ich keine besonderen Fortschritte erzielen. Mein Gehirn scheint nicht schnell genug zu arbeiten, um die Muster in der Musik zu dekodieren.«

»Hören Sie Musik nicht einfach so zum Spaß?«

Es fing an, den ersten Essenskonversationen mit Daphne zu ähneln, und ich antwortete nicht.

»Haben Sie ein Handy?«, wollte Rosie wissen.

»Natürlich, aber ich nutze es nicht für Musik. Ich lade Podcasts herunter.«

»Lassen Sie mich raten … über Genetik.«

»Über Naturwissenschaften im Allgemeinen.«

Ich ging in die Küche, um mit den Vorbereitungen für das Abendessen zu beginnen, und Rosie folgte mir. Vor meinem Whiteboard mit dem Terminkalender blieb sie stehen.

»Aber hallo«, sagte sie erneut. Diese Reaktion wurde allmählich vorhersehbar. Ich fragte mich, was sie zu Themen wie DNA oder Evolutionstheorie sagen würde.

Ich holte Gemüse und Kräuter aus dem Kühlschrank. »Lassen Sie mich helfen«, sagte sie. »Ich kann was kleinschneiden oder so.« Sie schien andeuten zu wollen, dass das Kleinschneiden der Zutaten durch eine unerfahrene Person ohne

Kenntnis des Rezepts ausgeführt werden könne. Nach ihrer Bemerkung, sie sei nicht einmal in einer lebensbedrohlichen Situation in der Lage zu kochen, hatte ich Visionen von riesigen Lauchstücken und Kräuterfitzelchen, die zu klein waren, um sie mit dem Sieb zu erfassen.

»Hilfe ist nicht nötig«, entgegnete ich. »Ich empfehle, in der Zwischenzeit ein Buch zu lesen.«

Ich beobachtete, wie Rosie zum Bücherregal ging, kurz dessen Inhalt überflog und sich wieder abwandte. Vielleicht benutzte sie IBM-Software anstelle von Mac, obwohl viele der Handbücher für beide Systeme geeignet waren.

Meine Hi-Fi-Anlage hat einen iPod-Dock, den ich benutze, um während des Kochens Podcasts abzuspielen. Rosie schloss ihr Handy an, und aus den Lautsprechern tönte Musik. Sie war nicht besonders laut, aber ich war sicher, dass, wenn ich bei jemandem zu Gast wäre und, ohne zu fragen, einen Podcast abspielte, man mir einen gesellschaftlichen Fehler vorwerfen würde. Ich war sogar *sehr* sicher, da ich genau diesen Fehler vor vier Jahren und siebenundsechzig Tagen bei einer Dinnerparty begangen hatte.

Rosie setzte ihre Erkundung fort, wie ein Tier in einer neuen Umgebung, was sie natürlich auch war. Sie klappte die Jalousien auf und zog sie hoch, was Staub aufwirbelte. Ich bin beim Saubermachen sehr gründlich, aber es besteht keine Notwendigkeit, die Jalousien zu öffnen, so dass dort Staub an Stellen gelegen haben musste, die ohne diesen Vorgang nicht zu erreichen waren. Hinter den Jalousien befinden sich Türen, und Rosie löste die Verriegelung und öffnete sie.

Ich fühlte mich sehr unwohl bei diesem ungefragten Eindringen in mein persönliches Umfeld. Als Rosie außer Sichtweite auf den Balkon trat, versuchte ich, mich auf die Essensvorbereitung zu konzentrieren. Ich konnte hören, wie sie die beiden großen Topfpflanzen verschob, die nach all den Jahren vermutlich abgestorben waren. Ich gab die Mischung aus Kräutern und Gemüse in die große Kasserolle, in der bereits Wasser mit Salz, Reisweinessig, Mirin, Orangenschale und Koriandersamen köchelte.

»Ich weiß ja nicht, was Sie da kochen«, rief Rosie, »aber eigentlich bin ich Vegetarierin.«

Vegetarierin! Das sagte sie jetzt, wo ich schon angefangen hatte zu kochen! Mit Zutaten, die ich unter der Annahme gekauft hatte, ich würde allein essen. Und was bedeutete »eigentlich« – legte es einen beschränkten Grad an Flexibilität nahe wie bei meiner Kollegin Esther, die unter eingehender Befragung zugab, sie würde Schweinefleisch essen, wenn es überlebensnotwendig wäre?

Vegetarier und Veganer können ziemlich nerven. Gene erzählt gern diesen Witz: »Woran erkennt man einen Veganer? Warte einfach zehn Minuten, und er wird es dir brühwarm erzählen.« Wenn dem so wäre, wäre das ja kein großes Problem. Aber nein! Vegetarier erscheinen zum Essen und sagen dann: »Ich esse kein Fleisch.« *Das war schon das zweite Mal.* Vor sechs Jahren gab es das »Schweinefuß-Desaster«, nachdem Gene vorgeschlagen hatte, ich solle eine Frau zum Essen in meine Wohnung einladen. Er hatte argumentiert, meine Kochkünste werden mich begehrenswerter machen und ich müsse mich nicht dem Stress einer Restaurant-Umgebung aussetzen. »Und du kannst trinken, so viel du willst, und einfach ins Schlafzimmer torkeln.«

Die Frau hieß Bethany, und in ihrem Internet-Profil stand nichts von Vegetarismus. Da mir bewusst war, dass die Qualität des Essens von entscheidender Bedeutung wäre, lieh ich mir ein neuveröffentlichtes Buch mit Rezepten »von der Schnauze bis zum Schwanz« aus der Bücherei aus und plante ein mehrgängiges Menü mit diversen tierischen Körperteilen: Hirn, Zunge, Gekröse, Bauchspeicheldrüse, Nieren usw.

Bethany erschien pünktlich und schien sehr nett. Wir tranken ein Glas Wein, danach ging es bergab. Als Erstes servierte ich den gebratenen Schweinefuß, der sehr schwierig zuzubereiten gewesen war, und Bethany aß nur sehr wenig.

»Ich steh nicht so auf Schweinefüße«, sagte sie. Das war nicht allzu abwegig: Wir haben alle unsere Vorlieben, und vielleicht machte sie sich Sorgen um Fett und Cholesterin. Doch als ich die folgenden Gänge ankündigte, erklärte sie plötzlich, sie sei Vegetarierin. Unglaublich!

Sie bot an, mich zum Essen in ein Restaurant einzuladen, aber da ich so viel Zeit mit den Vorbereitungen verbracht hatte, wollte ich das Essen nicht einfach stehen lassen. Ich aß allein und sah Bethany nie wieder.

Jetzt Rosie. In diesem Fall wäre es vielleicht gut, wenn Rosie ebenfalls ginge und das Leben wieder in geregelten Bahnen verliefe. Offensichtlich hatte sie ihren Fragebogen nicht ehrlich ausgefüllt, oder Gene war ein Irrtum unterlaufen. Vielleicht hatte er sie auch wegen ihrer erheblichen sexuellen Attraktivität ausgewählt und seine eigenen Vorlieben dabei auf mich übertragen.

Rosie kam wieder in die Wohnung und sah mich an, als erwarte sie eine Antwort. »Fisch und Meeresfrüchte sind in Ordnung«, sagte sie, »solange sie nachhaltig produziert wurden.«

Ich hatte gemischte Gefühle. Es ist immer befriedigend, die Lösung zu einem Problem zu finden, aber nun würde Rosie zum Essen bleiben. Ich ging ins Badezimmer, Rosie folgte. In der Badewanne krabbelte der Hummer, den ich nun herausnahm.

»Ach, du Scheiße«, sagte Rosie.

»Mögen Sie keinen Hummer?« Ich trug das Tier in die Küche.

»Ich liebe Hummer, aber …«

Das Problem lag auf der Hand, und ich konnte es verstehen.

»Sie finden das Töten unangenehm. Ich stimme zu.«

Ich legte den Hummer in den Gefrierschrank und erklärte Rosie, ich hätte diverse Hummer-Exekutions-Methoden recherchiert und die Gefrierschrank-Methode gelte als die humanste. Ich zitierte die entsprechende Webseite als Beleg.

Während der Hummer starb, setzte Rosie ihre Schnüffelei fort. Sie öffnete die Speisekammer und schien beeindruckt von meiner systematischen Ordnung: ein Regal pro Wochentag plus jeweils Lagerraum für Grundnahrungsmittel, Alkohol, Frühstück etc. einschließlich einer Liste mit Lagerbestandsdaten an der Türinnenseite.

»Wollen Sie mal zu mir kommen und alles ordnen?«

»Möchten Sie denn das Standardmahlzeitenmodell übernehmen?« Trotz seiner beachtlichen Vorteile finden es die meisten Menschen seltsam.

»Ach, den Kühlschrank saubermachen würde schon reichen«, erwiderte sie. »Ich schätze mal, Sie wollen die Zutaten für Dienstag.«

Ich informierte sie, dass – da heute Dienstag war – kein Schätzen vonnöten sei.

Sie reichte mir die Nori-Algenblätter und Bonitoflocken. Ich verlangte außerdem Macadamiaöl, Meersalz und die Pfeffermühle aus dem Bereich der Grundnahrungsmittel.

»Chinesischer Reiswein«, fügte ich hinzu. »Abgestellt unter Alkohol.«

»Natürlich«, sagte Rosie.

Sie gab mir den Wein und studierte die Alkoholabteilung. Ich kaufe meinen Wein in Halbliterflaschen.

»Dann kochen Sie also jeden Dienstag dasselbe, richtig?«

»Korrekt.« Ich zählte die acht wichtigsten Vorteile des Standardmahlzeitenmodells auf.

1. Keine Anhäufung von Kochbüchern
2. Standardisierte Einkaufsliste – daher sehr effizientes Einkaufen
3. Fast keine Reste – es befindet sich nichts in Kühlschrank oder Speisekammer, das nicht für eines der Rezepte benötigt wird
4. Die Ernährungsweise ist durchstrukturiert und nährwerttechnisch ausgewogen
5. Keine Zeitverschwendung durch Herumrätseln, was man kochen soll
6. Keine Fehler, keine unangenehmen Überraschungen
7. Ausgezeichnetes Essen, das zu einem günstigeren Preis (siehe Punkt 3) besser ist als das der meisten Restaurants
8. Minimale kognitive Leistung erforderlich

»Kognitive Leistung?«

»Der gesamte Kochvorgang ist in meinem Kleinhirn abgespeichert – daher ist keine bewusste Anstrengung nötig.«

»Wie beim Fahrradfahren.«

»Korrekt.«

»Sie können Hummer mit ... was auch immer kochen, ohne nachzudenken?«

»Hummer-Mango-Avocado-Salat mit Fliegenfischkaviar in Wasabi, kross geröstetem Seegras und frittierter Lauchgarnierung. Korrekt. Mein derzeit neues Projekt ist das Ausbeinen von Wachteln. Dazu benötige ich noch bewusste Anstrengung.«

Rosie lachte. Das brachte Erinnerungen an meine Schulzeit zurück. Gute.

Während ich weitere Zutaten für das Dressing aus dem Kühlschrank nahm, schob sich Rosie mit zwei Flaschen Chablis an mir vorbei und legte sie zum Hummer ins Gefrierfach.

»Unser Abendessen bewegt sich nicht mehr.«

»Um sicherzugehen, dass der Tod tatsächlich eingetreten ist, sollten wir noch etwas warten«, erwiderte ich. »Leider hat der Jackett-Zwischenfall den Zeitplan für die Zubereitung durcheinandergebracht. Alle Zeiten müssen neu berechnet werden.« In diesem Moment ging mir auf, dass ich den Hummer sofort bei unserer Ankunft ins Gefrierfach hätte legen müssen, aber mein Gehirn war durch die Probleme überlastet gewesen, die Rosies Anwesenheit mit sich brachte. Ich ging zum Whiteboard und fing an, die korrigierten Zubereitungszeiten aufzuschreiben. Rosie begutachtete die Zutaten.

»Sie wollten das alles ganz allein aufessen?«

Seit Daphnes Auszug hatte ich das Standardmahlzeitmodell nicht mehr überarbeitet und aß den Hummersalat dienstags nun allein. Um die zusätzliche Kalorienzufuhr auszugleichen, ließ ich den Wein weg.

»Die Menge reicht für zwei Personen«, antwortete ich. »Das Rezept kann nicht auf eine Person heruntergerechnet werden. Es ist nicht möglich, einen halben lebenden Hummer zu kaufen.« Der letzte Teil war als kleiner Scherz gedacht, und Rosie reagierte darauf und lachte. Erneut überkam mich ein unerwartetes Glücksgefühl, während ich mit der Zeitneuberechnung fortfuhr.

Rosie unterbrach mich nochmals. »Mit Ihrem normalen Zeitplan – wie spät wäre es da jetzt?«

»18:38 Uhr.«

Die Uhr am Herd zeigte 21:09. Rosie fand die entsprechenden Knöpfe und fing an, die Zeit neu einzustellen. Ich erkannte, was sie vorhatte. Eine perfekte Lösung. Als sie fertig war, stand die Uhr auf 18:38. Eine Neuberechnung war nicht mehr nötig. Ich gratulierte ihr zu ihrem Scharfsinn. »Sie haben eine neue Zeitzone erschaffen. Das Essen wird um 19:55 Uhr serviert – nach Rosie-Zeit.«

»Besser, als alles neu auszurechnen«, meinte sie.

Diese Bemerkung gab mir Gelegenheit zu einer weiteren Ehefrau-Frage. »Haben Sie Schwierigkeiten mit Mathematik?«

Sie lachte. »Das ist das einzig Schlimme an meiner Arbeit. Kopfrechnen macht mich wahnsinnig.«

Wenn die einfache Arithmetik von Bar- und Restaurantrechnungen zu hoch für sie war, konnte ich mir schwer vorstellen, wie wir sinnvolle Unterhaltungen führen sollten.

»Wo haben Sie den Korkenzieher versteckt?«, wollte sie wissen.

»Wein ist für Dienstage nicht vorgesehen.«

»Scheiß drauf«, sagte Rosie.

Ihre Antwort entbehrte nicht einer gewissen Logik, denn ich würde heute wieder nur eine Portion des Abendessens zu mir nehmen. Dies war der letzte Schritt, um den Zeitplan des Abends ganz und gar über den Haufen zu werfen.

Ich verkündete die Änderung. »Die Zeit wurde neu definiert. Vorherige Regeln sind außer Kraft gesetzt. Für die Rosie-Zeitzone erkläre ich Alkohol hiermit als verpflichtend.«

8

Während ich das Essen zubereitete, deckte Rosie den Tisch – nicht den normalen Esstisch im Wohnzimmer, sondern einen provisorischen Tisch auf dem Balkon, bestehend aus dem Whiteboard von der Küchenwand und den zwei großen Blumentöpfen, aus denen sie die toten Pflanzen entfernt hatte. Als Tischtuch nahm sie ein weißes Laken aus dem Wäscheschrank und platzierte darauf die dekorativen Weingläser sowie Teile des Silberbestecks – ein Wohnungseinweihungsgeschenk meiner Eltern, das ich noch nie benutzt hatte. Sie zerstörte mein gesamtes Apartment!

Es war mir nie eingefallen, auf dem Balkon zu essen. Als ich mit den Sachen nach draußen kam, hatten sich die Regenwolken verzogen, und ich schätzte die Temperatur auf zweiundzwanzig Grad.

»Müssen wir sofort essen?«, fragte Rosie, was eine seltsame Frage war, da sie vor einigen Stunden behauptet hatte, am Verhungern zu sein.

»Nein, es wird ja nicht kalt. Es ist schon kalt.« Mir war klar, dass das komisch klang. »Gibt es einen Grund für die Verzögerung?«

»Die Lichter der Stadt. Der Ausblick ist phantastisch.«

»Leider verändert er sich nicht. Wenn man ihn einmal registriert hat, gibt es keinen Grund, ihn wieder anzusehen. Wie bei Bildern.«

»Aber er verändert sich ständig! Wie ist das am frühen Morgen? Oder wenn es regnet? Was, wenn man sich hier draußen einfach nur mal hinsetzen will?«

Ich hatte keine Antwort parat, die ihr gefallen könnte. Den Ausblick hatte ich beim Kauf der Wohnung einmal begutachtet. Unter den verschiedenen Bedingungen veränderte er sich nicht großartig. Und die einzigen Gelegenheiten, zu denen ich mich »einfach nur mal hinsetzte«, ergaben sich, wenn ich bei einem Arzt auf einen Termin wartete oder über ein Problem nachdachte, wobei die Umgebung dann nur eine Ablenkung bedeuten würde.

Ich stellte mich neben Rosie und füllte ihr Weinglas. Sie lächelte. Ich war fast sicher, dass sie Lippenstift trug.

Ich versuche, standardisierte, wiederholbare Mahlzeiten zuzubereiten, aber natürlich variiert die Qualität der Zutaten von Woche zu Woche. Heute schienen sie von ungewöhnlich hoher Qualität zu sein. Noch nie hatte der Hummersalat so gut geschmeckt.

Mir fiel die Grundregel ein, eine Frau zu bitten, von sich zu erzählen. Rosie hatte bereits angegeben, dass sie in der Bar mit schwierigen Gästen zurechtkommen müsse, also bat ich sie, dies näher zu erläutern. Das war ein exzellenter Schachzug. Sie hatte eine ganze Reihe lustiger Geschichten auf Lager, und ich merkte mir einige zwischenmenschliche Verhaltenstechniken für den möglichen späteren Gebrauch.

Wir aßen den ganzen Hummersalat auf. Dann öffnete Rosie ihre Handtasche … und zog ein Päckchen Zigaretten hervor! Wie soll ich mein Entsetzen beschreiben? Nicht nur, dass Rauchen an sich ungesund und für alle in unmittelbarer Nähe gefährlich ist. Es zeugt eindeutig von einer unvernünftigen Lebenseinstellung. Nicht ohne Grund hatte ich es als ersten Punkt auf meinen Fragebogen gesetzt.

Rosie musste meine Panik bemerkt haben. »Entspannen Sie sich. Wir sind doch draußen.«

Es bestand keine Notwendigkeit zu diskutieren. Nach dem heutigen Abend würde ich Rosie nie wiedersehen. Das Feuerzeug flammte auf, und sie hielt es an die Zigarette zwischen ihren künstlich geröteten Lippen.

»Übrigens habe ich eine Frage zu Genetik«, sagte sie.

»Fahren Sie fort.« Das brachte mich wieder auf vertrautes Terrain.

»Mir wurde erzählt, man könne an der Größe der Hoden erkennen, ob jemand monogam sei.«

Die sexuellen Aspekte der Biologie sind regelmäßig Thema der Boulevardpresse, deshalb war diese Aussage nicht ganz so dumm, wie sie erscheinen mochte, auch wenn sie auf einem typischen Missverständnis beruhte. Mir fiel ein, dass es auch irgendein Code für eine sexuelle Annäherung sein könnte, doch ich entschied, auf Nummer Sicher zu gehen und die Frage wörtlich zu nehmen.

»Lächerlich«, erwiderte ich also.

Rosie schien mit meiner Antwort sehr zufrieden.

»Sie sind ein Schatz«, sagte sie. »Gerade habe ich eine Wette gewonnen.«

Dann führte ich die Sache weiter aus und merkte, dass Rosies Ausdruck der Zufriedenheit verschwand. Ich schätzte, dass sie ihre Frage zu sehr vereinfacht hatte und es tatsächlich die detaillierte Erklärung war, die sie gehört hatte.

»Es mag eine gewisse Korrelation auf individueller Ebene geben, aber die Regel gilt für den Vergleich verschiedener Spezies. Der Homo sapiens ist im Wesentlichen monogam, aus taktischen Gründen jedoch untreu. Die Männchen profitieren davon, so viele Weibchen wie möglich zu befruchten, aber sie können nur einen Satz Nachkommen versorgen. Weibchen suchen für ihre Kinder die maximale Qualität an Genen plus ein Männchen, das sie versorgt.«

Ich wollte gerade in die mir vertraute Rolle des Dozenten schlüpfen, als Rosie unterbrach.

»Was ist mit den Hoden?«

»Größere Hoden produzieren mehr Sperma. Monogame Spezies benötigen nur so viel, wie für die Partnerin nötig ist. Menschen brauchen mehr, um die sich zufällig ergebenden Gelegenheiten zu nutzen und um das Sperma vorheriger Eindringlinge verdrängen zu können.

»Nett«, meinte Rosie.

»Eigentlich nicht. Dieses Verhalten entwickelte sich in der Umgebung unserer Ahnen. In der modernen Welt sind zusätzliche Regeln notwendig.«

»Yeah«, sagte Rosie. »Zum Beispiel, dass man für seine Kinder da ist.«

»Korrekt. Aber Instinkte spielen eine immense Rolle …«

»Das können Sie laut sagen.«

Ich erhob meine Stimme. »Instinkt ist ein Ausdruck von …«

»Das war rhetorisch gemeint«, unterbrach Rosie. »Ich habe es erlebt. Meine Mutter hat auf der Abschlussfeier ihres Medizinstudiums eine sich zufällig ergebende Gelegenheit genutzt.«

»Solch ein Verhalten geschieht meist unbewusst. Menschen sind sich nicht darüber im Klaren, dass …«

»Ich hab's verstanden.«

Das bezweifelte ich. Nicht-Wissenschaftler neigen zu Fehldeutungen der Evolutionspsychologie. Aber die Geschichte klang interessant.

»Sie sagen also, Ihre Mutter hatte ungeschützten Sex außerhalb ihrer bestehenden Beziehung?«

»Mit einem anderen Doktoranden, ja«, antwortete Rosie.

»Während sie mit meinem …«, hier hob Rosie die Hände und bewegte ihre beiden Zeige- und Mittelfinger zweimal kurz nach unten, »… Vater zusammen war. Mein richtiger Vater ist ein Arzt. Ich weiß nur nicht, welcher. Das kotzt mich wirklich an.«

Diese Handbewegung faszinierte mich, und ich schwieg eine Weile, um ihren Sinn zu ergründen. War es ein Zeichen von Unmut gewesen, weil sie ihren richtigen Vater nicht kannte? Wenn ja, so hatte ich diese Geste noch nie gesehen. Und warum hatte sie gerade diesen Moment gewählt, um ihren Unmut zu bekunden … natürlich! Als Satzzeichen!

»Anführungszeichen«, sagte ich laut, als es mir aufging.

»Was?«

»Sie haben Anführungszeichen um ›Vater‹ gesetzt, um darauf hinzuweisen, dass das Wort nicht die übliche Bedeutung hat. Sehr clever.«

»Sie sind ja echt ein Einstein«, kommentierte Rosie. »Und ich dachte schon, Sie denken vielleicht über das kleine Problem nach, das ich mit meinem beschissenen Leben habe. Und könnten möglicherweise etwas Intelligentes dazu beitragen.«

Ich musste sie korrigieren. »Es ist überhaupt kein kleines Problem!« Ich reckte einen Zeigefinger in die Luft, um ein Ausrufungszeichen anzudeuten. »Sie sollten darauf bestehen, informiert zu werden.« Jetzt stach ich als Punkt mit demselben Finger nach vorn. Das machte Spaß!

»Meine Mutter ist tot. Sie starb bei einem Autounfall, als ich zehn war. Sie hat niemandem erzählt, wer mein Vater war – nicht einmal Phil.«

»Phil?« Mir fiel nichts ein, wodurch ich ein Fragzeichen symbolisieren könnte, und so beschloss ich, das Spiel vorübergehend zu unterbrechen. Es war nicht die rechte Zeit für Experimente.

»Mein …«, Hände hoch, Fingerwackeln, »… Vater. Der ausrasten würde, wenn ich ihm sagte, dass ich es rausfinden will.«

Rosie trank ihr Weinglas aus und schenkte nach. Damit war die zweite Halbliterflasche geleert. Rosies Geschichte war traurig, aber nicht ungewöhnlich. Obwohl meine Eltern weiterhin routinemäßig ritualisierten Kontakt pflegten, schätzte ich, dass sie ihr Interesse an mir vor ein paar Jahren verloren hatten. Sie hatten ihre Pflicht erfüllt, sobald ich in der Lage gewesen war, mich selbst zu ernähren. Rosies Fall lag allerdings anders, da er einen Stiefvater beinhaltete. Ich bot ihr eine genetische Interpretation an.

»Sein Verhalten ist absolut nachvollziehbar. Sie sind nicht Trägerin seiner Gene. Männliche Löwen töten die Jungen fremder Paarungen, wenn sie ein Rudel übernehmen.«

»Danke für die Information.«

»Wenn es Sie interessiert, kann ich weitere Lektüre empfehlen. Für eine Bedienung scheinen Sie recht intelligent.«

»Jetzt hagelt es die Komplimente ja geradezu.«

Wie es aussah, hielt ich mich ganz gut, und ich gestattete mir einen Moment der Zufriedenheit, was ich Rosie mitteilte: »Exzellent. Ich habe nicht viel Übung mit Verabredungen. Es gibt so viele Regeln, die man berücksichtigen muss.«

»Sie machen sich ganz passabel«, erwiderte sie. »Außer, dass Sie mir auf die Brüste starren.«

Das war ein enttäuschendes Feedback. Rosies Kleid war recht tief ausgeschnitten, aber ich hatte mich bemüht, ihr immer in die Augen zu sehen.

»Ich habe nur Ihren Anhänger begutachtet«, erklärte ich. »Er ist äußerst interessant.«

Sofort legte sie eine Hand darauf. »Wie sieht er aus?«

»Es ist ein Abbild der Isis mit der Aufschrift *Sum omnia quae fuerunt suntque eruntque ego*. ›Ich bin alles, das war, ist und sein wird.‹« Ich hoffte, dass ich das Lateinische richtig gelesen hatte; die Schrift war sehr klein.

Rosie schien beeindruckt. »Und was ist mit dem Anhänger, den ich heute Morgen getragen habe?«

»Ein Dolch mit drei kleinen roten Steinen und vier weißen.«

Rosie leerte ihr Weinglas. Sie schien über etwas nachzudenken. Wie sich herausstellte, war es nicht sehr tiefsinnig.

»Sollen wir noch eine Flasche holen?«

Ich war fassungslos. Wir hatten bereits die empfohlene Höchstmenge konsumiert. Andererseits rauchte sie auch, also war sie gesundheitlichen Aspekten gegenüber deutlich nachlässig eingestellt.

»Sie wollen mehr Alkohol?«

»Korrekt«, antwortete sie mit seltsamer Stimme. Möglicherweise imitierte sie mich.

Ich ging in die Küche, um eine weitere Flasche zu holen, und beschloss, zum Ausgleich die Alkoholaufnahme des folgenden Tags zu reduzieren. Dann sah ich auf die Uhr: 23:40. Ich nahm das Telefon und bestellte ein Taxi. Mit etwas Glück würde es ankommen, bevor der Nach-Mitternachts-Tarif begann. Ich öffnete eine Halbliterflasche Shiraz, die wir während der Wartezeit trinken könnten.

Rosie wollte das Gespräch über ihren biologischen Vater fortsetzen.

»Denken Sie, es gibt so etwas wie eine genetische Motivation? Dass es uns quasi einprogrammiert ist, wissen zu wollen, wer unsere Eltern sind?«

»Für Eltern ist es entscheidend, ihre eigenen Kinder zu erkennen, damit sie die Träger ihres Erbguts beschützen können. Kleine Kinder müssen ihre Eltern lokalisieren können, um diesen Schutz zu erhalten.«

»Vielleicht wirkt es von da aus weiter.«

»Das ist unwahrscheinlich. Aber möglich. Unser Verhalten wird stark von Instinkten geleitet.«

»Das sagten Sie bereits. Aber was es auch ist, es macht mich fertig. Geht mir nicht aus dem Kopf.«

»Warum fragen Sie die entsprechenden Kandidaten nicht?«

»›Lieber Dr. Sowieso, sind Sie mein Vater?‹ Wohl eher nicht.«

Mir kam eine logische Idee – logisch, weil ich Genetiker bin.

»Ihr Haar hat eine sehr ungewöhnliche Farbe. Vielleicht …«

Sie lachte. »Für diesen Rotton gibt es keine Gene.«

Sie merkte wohl, dass ich verwirrt war.

»Die Farbe kommt aus der Flasche.«

Jetzt begriff ich, was sie meinte. Sie hatte ihr Haar in dieser unnatürlich leuchtenden Farbe gefärbt. Unfassbar! Mir war gar nicht in den Sinn gekommen, das Thema Haarefärben durch den Fragebogen abzuklären. Ich nahm mir vor, dies baldmöglichst zu korrigieren.

Es klingelte. Ich hatte Rosie nichts vom Taxi gesagt und brachte sie auf den neuesten Stand. Sie leerte jäh ihr Glas, streckte die Hand vor, und mir schien, dass ich nicht der Einzige war, der sich unwohl fühlte.

»Tja«, meinte sie, »das war mal ein interessanter Abend. Ich wünsch Ihnen noch ein schönes Leben.«

Das war keine Standardformel zur Verabschiedung. Ich hielt es für sicherer, mich an die Konventionen zu halten.

»Gute Nacht. Ich habe den Abend sehr genossen.« Dann fügte ich der Standardformel noch »Und viel Glück beim Finden Ihres Vaters« hinzu.

»Danke.«

Damit ging sie.

Ich war aufgewühlt, aber nicht im negativen Sinn. Es war mehr ein Fall von sensorischer Überlastung. Gut, dass noch etwas Wein in der Flasche war. Ich füllte ihn in mein Glas und rief Gene an. Claudia nahm ab, und ich übersprang die Nettigkeiten.

»Ich muss mit Gene sprechen.«

»Er ist nicht da«, sagte Claudia. Sie klang desorientiert. Vielleicht hatte sie getrunken. »Ich dachte, er ist bei dir zum Hummeressen.«

»Gene hat mir die inkompatibelste Frau der Welt geschickt. Eine Barfrau. Sie ist unpünktlich, Vegetarierin, unorganisiert, irrational, lebt ungesund, raucht – *raucht!* –, hat psychologische Probleme, kann nicht kochen, nicht rechnen und färbt sich die Haare unnatürlich rot. Ich nehme an, das war als Scherz gemeint.«

Claudia schien meine Aussage dahingehend zu interpretieren, dass es mir schlechtging, denn sie fragte: »Ist alles in Ordnung, Don?«

»Natürlich«, antwortete ich. »Sie war ausgesprochen unterhaltsam. Aber absolut ungeeignet für das Projekt Ehefrau.« Als ich diese unumstritten sachliche Feststellung machte, verspürte ich einen Anflug von Bedauern, das mit meiner intellektuellen Einschätzung in Konflikt stand. Claudia unterbrach meinen Versuch, diese widersprüchlichen Geisteszustände zu verbinden.

»Don, weißt du eigentlich, wie spät es ist?«

Ich trug keine Armbanduhr. Und plötzlich erkannte ich meinen Irrtum. Als ich das Taxi rief, hatte ich die Anzeige der Küchenuhr als Bezugszeit genommen – die Uhr, die Rosie verstellt hatte. Es musste fast 2:30 Uhr gewesen sein! Wie hatte ich nur derart mein Zeitgefühl verlieren können? Dies war eine wichtige Lektion über die Gefahren einer Änderung des Zeitplans. Rosie würde im Taxi den Nach-Mitternachts-Tarif zahlen müssen.

Ich ließ Claudia weiterschlafen. Als ich die zwei Teller und zwei Weingläser aufnahm, um sie hineinzutragen, betrachtete ich erneut den nächtlichen Ausblick auf die Stadt – einen Ausblick, den ich noch nie zuvor gesehen hatte, obwohl er die ganze Zeit da gewesen war.

Ich beschloss, mein Aikido-Training vor dem Schlafengehen ausfallen und den provisorischen Tisch auf der Terrasse stehen zu lassen.

9

»Ich habe sie als Wildcard in den Topf geworfen«, erklärte Gene, als ich ihn am nächsten Tag aus einem nicht im Terminkalender eingetragenen Nickerchen weckte, das er unter seinem Schreibtisch hielt.

Gene sah fürchterlich aus, und ich riet ihm, er solle sich das späte Aufbleiben abgewöhnen – auch wenn ich ausnahmsweise denselben Fehler gemacht hatte. Es war wichtig, dass er zur rechten Zeit zu Mittag aß, damit er zu seinem gewohnten Tagesrhythmus zurückkehren konnte. Er hatte ein Lunchpaket von zu Hause dabei, und wir steuerten eine Wiese auf dem Campus an. Für mich selbst holte ich unterwegs Algensalat, Misosuppe und einen Apfel aus der japanischen Cafeteria.

Es war ein schöner Tag. Das bedeutete leider, dass viele Frauen in kurzen Kleidern im Gras saßen oder vorbeigingen und Gene ablenkten. Gene ist sechsundfünfzig, obwohl diese Information eigentlich nicht bekannt werden darf. In diesem Alter sollte sein Testosteronspiegel bereits auf ein Niveau mit deutlich reduziertem Sexualtrieb gefallen sein. Meine Theorie lautet, dass sein ungewöhnlich starkes Interesse an Sex auf mentaler Gewohnheit beruht. Doch in der menschlichen Physiologie gibt es Abweichungen, und vielleicht ist er auch einfach eine Ausnahme.

Umgekehrt denke ich, dass Gene meinen Sexualtrieb für ungewöhnlich niedrig hält. Das stimmt aber nicht – ich bin nur nicht so begabt wie Gene, dies auf gesellschaftlich angemessene Weise zu äußern. Meine gelegentlichen Versuche, Gene zu imitieren, haben bislang außerordentlich wenig Erfolg gezeigt.

Wir setzten uns auf eine Bank, und Gene begann zu erklären.

»Sie ist einfach jemand, den ich kenne«, sagte er.

»Ohne Fragebogen?«

»Ohne Fragebogen.«

Das erklärte das Rauchen. Tatsächlich erklärte es alles. Gene war zu der ineffizienten Praxis zurückgekehrt, weibliche Bekannte als Verabredungspartner zu empfehlen. Mein Gesichtsausdruck musste ihm meine Verärgerung gezeigt haben.

»Mit dem Fragebogen vergeudest du nur deine Zeit«, kommentierte er. »Da kannst du besser hingehen und ihre Ohrläppchen vermessen.«

Sexuelle Anziehung ist Genes Fachgebiet. »Besteht da ein Zusammenhang?«, erkundigte ich mich.

»Menschen mit langen Ohrläppchen neigen dazu, sich Partner mit ebenfalls langen Ohrläppchen zu suchen. Es ist eine bessere Wirkungsvariable als der IQ.«

Das war unfassbar, aber vieles von dem Verhalten, das unsere Vorfahren entwickelten, scheint im Kontext der heutigen Welt unfassbar. Die Evolution ist nicht mehr auf dem Laufenden. Aber Ohrläppchen! Kann es eine irrationalere Grundlage für eine Beziehung geben? Kein Wunder, dass Ehen zerbrechen!

»Und? Hast du Spaß gehabt?«, fragte Gene.

Ich erklärte, seine Frage sei nicht relevant: Mein Ziel bestand darin, eine Ehepartnerin zu finden, und Rosie war offenkundig ungeeignet. Gene war schuld, dass ich einen Abend vergeudet hatte.

»Aber hast du Spaß gehabt?«, wiederholte er.

Erwartete er eine andere Antwort auf dieselbe Frage? Um fair zu bleiben: Ich hatte ihm seine Frage nicht beantwortet – aber das aus gutem Grund. Ich hatte noch keine Zeit gehabt, über den Abend nachzudenken und eine angemessene Antwort zu finden. Allerdings dachte ich, dass »Spaß« die sehr komplexe Situation allzu stark vereinfachte.

Ich lieferte Gene eine Zusammenfassung der Ereignisse. Als ich vom Abendessen auf dem Balkon erzählte, unterbrach er mich. »Wenn du sie das nächste Mal triffst …«

»Es besteht null Veranlassung, sie noch einmal zu treffen.«

»Wenn du sie das nächste Mal triffst«, wiederholte Gene, »wäre es vermutlich keine gute Idee, das Ehefrauprojekt zu erwähnen. Da sie die Voraussetzungen ja nicht erfüllt.«

Abgesehen von der irrigen Annahme, ich könnte Rosie wiedersehen, schien das ein guter Rat.

In diesem Moment nahm unsere Unterhaltung eine dramatische Wendung, und ich bekam keine Gelegenheit mehr, Gene zu fragen, woher er Rosie kannte. Der Grund für diese Wendung war Genes Sandwich. Er nahm einen Bissen, stieß einen Schmerzenslaut aus und griff nach meiner Wasserflasche.

»Oh, Scheiße! Scheiße! Claudia hat Chilischoten auf mein Sandwich gelegt.«

Es war nicht nachvollziehbar, wie Claudia ein derartiger Fehler hatte unterlaufen können. Doch oberstes Ziel war jetzt, die Schmerzen zu lindern. Chili ist nicht wasserlöslich, also wäre es nicht sinnvoll gewesen, aus meiner Wasserflasche zu trinken. Ich riet Gene, irgendein Öl aufzutreiben. Wir eilten zum japanischen Café zurück und konnten uns daher nicht weiter über Rosie unterhalten. Allerdings hatte ich die wichtigsten Grundinformationen erhalten. Gene hatte eine Frau ohne Bezug zu einem Fragebogen ausgewählt. Ein weiteres Treffen stände in absolutem Kontrast zum logischen Grundprinzip meines Ehefrauprojekts.

Auf der Heimfahrt dachte ich erneut darüber nach. Ich fand drei Gründe, die ein weiteres Treffen mit Rosie notwendig machten.

1. Gute Versuchsanordnungen beinhalten den Einsatz einer Kontrollgruppe. Es wäre interessant, Rosie als Vergleichsobjekt zu Frauen heranzuziehen, die mittels des Fragebogens als geeignet herausgefiltert wurden.
2. Der Fragebogen hatte bislang keine passenden Kandidatinnen geliefert. In der Zwischenzeit könnte ich mit Rosie interagieren.
3. Als Genetiker mit der Möglichkeit, DNA-Analysen durchzuführen, und der nötigen Fachkenntnis, sie zu interpretieren, wäre ich in der Lage, Rosie bei der Suche nach ihrem biologischen Vater zu helfen.

Gründe 1 und 2 waren nicht von Belang. Rosie war klar erkennbar keine passende Lebenspartnerin. Es bestand kein Grund für weitere Interaktionen mit einer so augenfällig ungeeigneten Person. Grund Nummer 3 hingegen verdiente eingehende Betrachtung. Meine Fähigkeiten zu nutzen, um ihr bei der Suche nach wichtigen Erkenntnissen zu helfen, stand im Einklang mit meinem Lebenssinn. Bis sich eine passende Partnerin einstellte, könnte ich dies in der Zeit erledigen, die ich für das Ehefrauprojekt veranschlagt hatte.

Dazu musste ich erneut Kontakt zu Rosie aufnehmen. Ich wollte Gene nicht sagen, dass ich vorhatte, sie wiederzusehen, nachdem ich ihm gerade erst erzählt hatte, die Chancen dafür ständen bei null. Zum Glück erinnerte ich mich an den Namen der Bar, in der sie arbeitete: *Marquess of Queensbury.*

Es gab nur eine Bar dieses Namens, in einer kleinen Seitenstraße eines Stadtteils der Innenstadt. Ich hatte meinen Tagesablauf bereits umgestellt und meinen Marktbesuch gestrichen, um verlorenen Schlaf nachzuholen. Stattdessen würde ich ein Fertiggericht kaufen. Gelegentlich wird mir mangelnde Flexibilität vorgeworfen, doch ich finde, dies demonstriert meine Fähigkeit, mich selbst an seltsamste Umstände anzupassen.

Um 19:04 Uhr traf ich an der Bar ein, nur um festzustellen, dass sie nicht vor 21:00 Uhr öffnete. *Unfassbar!* Kein Wunder, dass Menschen bei der Arbeit Fehler unterliefen! War das Lokal womöglich voller Chirurgen und Fluglotsen, die bis nach Mitternacht tranken und am nächsten Tag arbeiteten?

Ich aß in einem nahe gelegenen indischen Restaurant zu Abend. Bis ich mich durch das Buffet gegessen hatte und zur Bar zurückkehrte, war es 21:27 Uhr. An der Tür stand ein Sicherheitsbediensteter, und ich stellte mich auf eine Wiederholung des gestrigen Prozedere ein. Der Mann musterte mich eingehend und fragte dann: »Wissen Sie, um welche Art von Lokal es sich handelt?«

Mit Lokalitäten kenne ich mich aus, vielleicht sogar mehr als mit Menschen. Wenn ich zu Konferenzen fahre, suche ich mir normalerweise eine nette Bar in der Nähe des Hotels und gehe dort jeden Abend etwas essen und trinken. Ich bejahte seine Frage und trat ein.

Ich überlegte sofort, ob ich das richtige Lokal aufgesucht hatte. Das offensichtlichste Merkmal von Rosie war, dass sie weiblich war, und die Gäste im *Marquess of Queensbury* waren ohne Ausnahme männlich. Viele trugen ungewöhnliche Kleidung, und ich nahm mir ein paar Sekunden Zeit, um den Raum und die Anwesenden zu begutachten. Zwei Männer bemerkten, dass ich sie musterte – einer von ihnen lächelte mir zu und nickte. Ich lächelte zurück. Es schien mir ein freundlicher Ort zu sein.

Doch ich war hier, um Rosie zu finden, und ging zur Theke. Die zwei Männer folgten und setzten sich rechts und links von mir hin. Der Glattrasierte trug ein ärmelloses T-Shirt und verbrachte offenkundig viel Zeit im Fitnesscenter. Steroide könnten ebenfalls im Einsatz gewesen sein. Der mit dem Schnauzbart trug ein ledernes Outfit und eine schwarze Kappe.

»Ich hab dich hier noch nie gesehen«, sagte Schwarzkappe.

Ich lieferte ihm die sehr einfache Erklärung. »Ich bin auch noch nie hier gewesen.«

»Darf ich dir einen Drink spendieren?«

»Sie wollen mir etwas zu trinken kaufen?« Es war ein ungewöhnliches Angebot von einem Fremden, und ich schätzte, dass von mir erwartet würde, mich in gleicher Weise zu revanchieren.

»Ich glaube, das hab ich gesagt«, meinte Schwarzkappe. »Womit können wir dich in Versuchung führen?«

Ich erwiderte, der Geschmack spiele keine Rolle, solange Alkohol enthalten sei. Wie in den meisten gesellschaftlichen Situationen war ich nervös.

Da tauchte Rosie auf der anderen Seite der Theke auf. Sie trug eine ihrer Rolle angemessene schwarze Bluse. Ich war sehr erleichtert. Ich befand mich am richtigen Ort, und sie hatte Dienst. Schwarzkappe winkte ihr zu und bestellte drei Budweiser. Da fiel Rosies Blick auf mich.

»Don.«

»Sei gegrüßt.«

Rosie musterte uns und fragte: »Gehört ihr zusammen?«

»Gib uns ein paar Minuten«, meinte Muskelmann.

»Ich glaube, Don ist wegen mir hier«, sagte Rosie.

»Korrekt.«

»Tja, dann entschuldige bitte, dass wir dein Privatleben durch Getränkebestellungen stören«, sagte Schwarzkappe zu Rosie.

»Sie könnten es über die DNA versuchen«, sagte ich.

Aus Mangel an Kontext begriff Rosie wohl nicht, was ich meinte. »Was?«

»Um Ihren Vater zu identifizieren. Die DNA ist der naheliegende Ansatz.«

»Na klar«, sagte Rosie. »Naheliegend. ›Bitte schicken Sie mir Ihre DNA, damit ich weiß, ob Sie mein Vater sind.‹ Vergessen Sie's, ich habe nur herumgesponnen.«

»Sie könnten sich eine DNA-Probe holen.« Ich war nicht sicher, wie Rosie auf den nächsten Teil meines Vorschlags reagieren würde. »Unbemerkt.«

Rosie schwieg. Zumindest schien sie meine Idee in Betracht zu ziehen. Oder sie überlegte, ob sie mich melden solle. Ihre Antwort sprach für Ersteres. »Und wer analysiert die dann?«

»Ich bin Genetiker.«

»Sie sagen also, wenn ich eine Probe hätte, könnten Sie sie für mich untersuchen?«

»Ein Kinderspiel«, erwiderte ich. »Wie viele Proben müssen wir denn testen?«

»Vermutlich nur eine. Ich habe einen ziemlich konkreten Verdacht. Er ist ein Freund der Familie.«

Muskelmann hustete hörbar, und Rosie holte zwei Bier aus dem Kühlschrank. Schwarzkappe legte einen Zwanzig-Dollar-Schein auf die Theke, aber Rosie schob ihn wieder zurück und winkte die beiden davon.

Ich probierte es gleichfalls mit dem Hustentrick. Rosie brauchte diesmal einen Moment, um die Botschaft zu deuten, brachte dann aber ein Bier.

»Was brauchen Sie?«, wollte sie wissen. »Um die DNA zu analysieren?«

Ich erklärte, dass wir normalerweise einen Abstrich von der Innenseite der Wange machten, dass dies aber ohne das Wissen des Beteiligten so gut wie unmöglich sei. »Blut wäre das Beste, aber es reichen auch Hautpartikel, Speichel, Urin …«

»Auf keinen Fall.«

»… Stuhl, Sperma …«

»Das wird ja immer besser«, sagte Rosie. »Ich vögle einen sechzigjährigen Freund der Familie in der Hoffnung, dass er mein Vater ist.«

Ich war schockiert. »Sie würden Sex mit …«

Rosie erklärte, das sei ein Witz gewesen. Über solch eine ernste Angelegenheit! Inzwischen wurde es an der Theke immer voller, und immer mehr Hustensignale waren zu hören. Eine ausgezeichnete Möglichkeit, um Krankheiten zu verbreiten. Rosie schrieb eine Telefonnummer auf ein Stück Papier.

»Rufen Sie mich an.«

10

Erleichtert nahm ich am nächsten Morgen meine gewohnte Routine wieder auf, die in den letzten zwei Tagen so empfindlich gestört worden war. Das Joggen über den Markt an Dienstagen, Donnerstagen und Samstagen ist fester Bestandteil meines Zeitplans und bietet mir die Möglichkeit, gleichzeitig zu trainieren, die Zutaten für meine Mahlzeiten einzukaufen und nachzudenken. Gerade Letzteres hatte ich dringend nötig.

Eine Frau hatte mir ihre Telefonnummer gegeben und mich gebeten, sie anzurufen. Mehr noch als der Jackett-Zwischenfall, das Balkonessen und sogar die Aufregung über das mögliche Vaterprojekt hatte diese Geste meine Welt durcheinandergebracht. Ich wusste wohl, dass so etwas dauernd passierte: in Büchern, Filmen und Fernsehserien tun die Leute genau das, was Rosie getan hatte. Nur mir war es noch nie passiert. Keine Frau hatte mir je wie beiläufig, unbedacht und automatisch ihre Telefonnummer aufgeschrieben, gegeben und gesagt: »Rufen Sie mich an.« Ich fühlte mich vorübergehend in eine Kultur aufgenommen, die ich für mich für verschlossen gehalten hatte. Obwohl es vollkommen logisch war, dass Rosie mir ein Mittel bot, sie zu kontaktieren, beschlich mich das irrationale Gefühl, dass, wenn ich Rosie anriefe, sie merken würde, dass sie sich in irgendeiner Weise geirrt hatte.

Ich erreichte den Markt und begann mit den Einkäufen. Da

die Zutaten für jeden Tag standardisiert sind, weiß ich genau, welche Stände ich aufsuchen muss, und die Verkäufer halten meine Sachen meist schon fertig verpackt bereit. Ich muss sie nur noch bezahlen. Die Verkäufer kennen mich und sind durchweg freundlich.

Trotzdem ist es wegen der Menge menschlicher und nichtmenschlicher Hindernisse nicht möglich, zeitgleich zum Einkauf große intellektuelle Leistungen zu vollbringen: Gemüseteile liegen am Boden, alte Damen zuckeln mit Rollerwagen durch die Gegend, Händler bauen erst noch ihre Stände auf, Asiatinnen vergleichen Preise, Waren werden angeliefert, Touristen fotografieren sich gegenseitig vor den Auslagen. Zum Glück bin ich meist der einzige Jogger.

Auf dem Nachhauseweg setzte ich die Analyse der Rosie-Situation fort. Ich erkannte, dass meine Handlungen eher von Instinkt als von Logik geleitet gewesen waren. Es gab jede Menge Menschen, die Hilfe benötigten – viele mehr noch als Rosie –, und massenhaft wichtige wissenschaftliche Projekte, für die ich meine wertvolle Zeit besser einsetzen könnte als für die Suche nach einem einzelnen Vater. Und natürlich sollte das Projekt Ehefrau höchste Priorität haben. Es wäre also sinnvoller, Gene zu bitten, mir passendere Frauen von der Fragebogenliste auszusuchen, oder einige der weniger wichtigen Selektionskriterien zu lockern, wie ich es bereits beim Alkoholkonsum getan hatte.

Die logische Schlussfolgerung lautete, Rosie zu kontaktieren und ihr zu erklären, dass das Vaterprojekt doch keine gute Idee sei. Nach meiner Rückkehr vom Markt um 6:43 Uhr rief ich sie an und hinterließ die Nachricht, sie möge mich zurückrufen. Beim Auflegen schwitzte ich, obwohl es an dem Morgen noch kühl war. Hoffentlich bekäme ich kein Fieber.

Rosie rief zurück, während ich eine Vorlesung hielt. Normalerweise stelle ich mein Handy dabei aus, aber ich hatte diese Angelegenheit dringend hinter mich bringen wollen. Die Aussicht auf ein Gespräch, in dem ich ein Angebot zurückziehen musste, machte mich nervös. Dazu war es äußerst unangenehm, in einem Saal voller Studenten zu telefonieren, vor allem, da ich ein Mikrophon am Kragen trug.

Alle Anwesenden konnten meinen Teil des Gesprächs mit anhören.

»Hallo, Rosie.«

»Don, ich wollte nur danke sagen, dass Sie das für mich tun. Ich hatte gar nicht gemerkt, wie sehr mich diese Sache zermürbt hat. Kennen Sie die kleine Cafeteria gegenüber dem Gebäude für Wirtschaftswissenschaften – *Barista's*? Wie wäre es morgen um zwei?«

Nun, da Rosie mein Angebot angenommen hatte, wäre es unmoralisch und quasi ein Vertragsbruch gewesen, es zurückzuziehen.

»Im *Barista's* morgen um 14:00 Uhr«, bestätigte ich, wobei ich aufgrund mentaler Überlastung vorübergehend keinen Zugang zum Terminkalender in meinem Kopf hatte.

»Sie sind ein Schatz«, antwortete sie.

Ihr Tonfall deutete darauf hin, dass sie damit das Gespräch beenden wollte. Nun war ich an der Reihe, eine Standardformel zu erwidern, und die offensichtlichste wäre die simple Wiederholung ihrer Phrase gewesen. Aber selbst mir war klar, dass das keinen Sinn ergab. Sie war die Nutznießerin meines Schatz-Seins, da ich über die erforderlichen Genetikkenntnisse verfügte. Bei späterem Nachdenken fiel mir ein, dass ich einfach »Auf Wiedersehen« oder »Bis dann« hätte sagen können, aber mir blieb keine Zeit zum Nachdenken. Auf mir lastete ein beträchtlicher Druck, zügig eine Antwort zu geben.

»Ich mag Sie auch.«

Der gesamte Hörsaal brach in Applaus aus.

Eine weibliche Studentin in der ersten Reihe sagte: »Cool.« Sie grinste.

Zum Glück bin ich es gewohnt, unbeabsichtigt Heiterkeit hervorzurufen.

Ich war nicht allzu unglücklich, dass ich das Vaterprojekt nicht hatte ablehnen können. Der für den DNA-Test benötigte Arbeitsumfang war gering.

Wir trafen uns am nächsten Tag um 14:07 Uhr im *Barista's*. Unnötig zu erwähnen, dass Rosie schuld an der Verspätung war. Meine Studenten saßen bereits in der Vorlesung, die um 14:15 Uhr beginnen sollte, und warteten auf meine Ankunft. Eigentlich hatte ich Rosie nur kurz informieren wollen, wie sie an eine DNA-Probe herankommt, aber sie schien nicht in der Lage, die Instruktionen aufzunehmen. Im Nachhinein betrachtet, habe ich möglicherweise zu viele Optionen mit zu minuziösen technischen Details in zu hoher Geschwindigkeit präsentiert. Da insgesamt nur sieben Minuten Zeit waren, um das Problem zu besprechen (eine Minute musste ich für den Spurt zum Hörsaal abrechnen), einigten wir uns als einfachste Lösung darauf, dass wir die Probe zusammen nähmen.

Samstagnachmittag trafen wir am Wohnhaus des vermuteten Vaters ein, Dr. Eamonn Hughes. Rosie hatte uns telefonisch angekündigt.

Eamonn sah älter aus, als ich erwartet hatte. Ich schätzte ihn auf sechzig mit einem BMI von dreiundzwanzig. Eamonns Frau mit Namen Belinda (etwa fünfundfünfzig, BMI achtundzwanzig) kochte uns Kaffee, wie Rosie vorausgesagt hatte. Das war entscheidend, da wir den Rand der Kaffeetasse als idealen Bezugsort für eine Speichelprobe erkoren hatten. Ich saß neben Rosie, vorgeblich als ein Freund. Eamonn und Belinda saßen uns gegenüber, und ich hatte Schwierigkeiten, nicht ständig auf Eamonns Tasse zu starren.

Zum Glück musste ich keinen Smalltalk halten. Eamonn war Kardiologe, und wir führten ein faszinierendes Gespräch über Markergene für Herzkrankheiten. Schließlich leerte er seine Kaffeetasse, und Rosie stand auf, um das Geschirr in die Küche zu bringen. Dort würde sie einen Abstrich vom Tassenrand nehmen, so dass wir eine ausgezeichnete Probe hätten. Beim Besprechen des Plans hatte ich eingewendet, dies stelle einen Bruch gesellschaftlicher Konventionen dar, doch Rosie hatte versichert, sie kenne Eamonn und Belinda gut genug, um als Jüngere diese Arbeit verrichten zu dürfen. Ausnahmsweise erwies sich meine Einschätzung gesellschaftlicher Konventionen als zutreffender. Leider.

Als Rosie Belindas Tasse nahm, sagte Belinda: »Lass nur, das mache ich später.«

Rosie erwiderte: »Nein, bitte«, und nahm auch Eamonns Tasse.

Darauf nahm Belinda meine und Rosies Tassen und sagte: »Also gut, du kannst mir helfen.« Sie gingen zusammen in die Küche. Offenkundig würde es schwierig für Rosie werden, in Belindas Anwesenheit den Abstrich zu nehmen, aber mir fiel keine Möglichkeit ein, wie ich sie aus der Küche locken könnte.

»Hat Rosie Ihnen erzählt, dass ich mit ihrer Mutter zusammen Medizin studiert habe?«, fragte Eamonn.

Ich nickte. Wäre ich Psychologe gewesen, hätte ich aus Eamonns Gesprächsverhalten und Körpersprache möglicherweise herleiten können, ob er seine Vaterschaft zu Rosie verheimlichen wollte. Vielleicht hätte ich das Gespräch sogar in eine bestimmte Richtung lenken und ihm eine Falle stellen können, bei der er sich verriete. Doch zum Glück waren wir nicht von meinen diesbezüglichen Fähigkeiten abhängig. Falls Rosie es schaffte, die Speichelprobe zu nehmen, würde sich damit ein weitaus verlässlicheres Ergebnis analysieren lassen, als wenn ich irgendetwas aus seinem Verhalten ableiten müsste.

»Wenn ich Ihnen Hoffnungen machen darf ...«, fuhr Eamonn fort. »In ihren jungen Jahren war Rosies Mutter ein bisschen wild. Sehr klug, gutaussehend ... sie hätte jeden haben können. Alle anderen Frauen aus dem Medizinstudium haben damals Ärzte geheiratet.« Er lächelte. »Sie dagegen hat uns alle überrascht und sich für einen Außenseiter entschieden, der Ausdauer bewiesen hatte und dranblieb.«

Es war gut, dass ich nicht nach irgendwelchen Zeichen suchte. Mein Gesichtsausdruck musste absolute Verständnislosigkeit widergespiegelt haben.

»Ich vermute, dass Rosie nach ihrer Mutter kommt«, fügte er hinzu.

»In welchem Aspekt ihres Lebens?« Es schien mir sicherer, eine Erklärung nachzufragen, als davon auszugehen, dass er meinte, sie werde sich von einem unbekannten Kommilitonen schwängern lassen oder sterben. Dies waren die einzigen Fakten, die ich über Rosics Mutter wusste.

»Ich meine nur, dass Sie ihr vermutlich guttun. Und dass sie eine schwere Zeit hinter sich hat. Sagen Sie es ruhig, wenn Sie meinen, dass mich das nichts angeht. Aber sie ist ein tolles Mädchen.«

Jetzt war mir die Absicht seiner Aussage klar, wobei Rosie sicher zu alt war, um noch als Mädchen bezeichnet zu werden. Eamonn dachte, ich sei Rosies fester Freund. Ein verständlicher Irrtum. Ihn zu korrigieren hätte mit Sicherheit eine Lüge nach sich gezogen, und so beschloss ich zu schweigen. Da hörten wir aus der Küche ein Klirren.

»Alles in Ordnung?«, rief Eamonn.

»Es ist nur eine Tasse kaputtgegangen«, erwiderte Belinda.

Die Tasse zu zerbrechen gehörte nicht zu unserem Plan. Vermutlich hatte Rosie das Geschirrstück vor Nervosität fallen gelassen oder um es Belinda vorzuenthalten. Ich ärgerte mich, dass ich keinen Plan B entworfen hatte. Ich hatte das Projekt nicht als ernsthafte Feldstudie ausgearbeitet. Das war beschämend unprofessionell, und nun lag es in meiner Verantwortung, eine Lösung zu finden. Mit Sicherheit wäre ein Schwindel vonnöten, und im Schwindeln war ich nicht gut.

Mein bester Ansatz war, irgendeine Rechtfertigung für den Erhalt seiner DNA zu finden.

»Haben Sie schon von dem Genographie-Projekt gehört?«

»Nein«, entgegnete Eamonn.

Ich erklärte, dass wir mittels einer DNA-Probe seine entfernten Vorfahren ermitteln könnten. Er war fasziniert. Ich bot an, seine DNA zu untersuchen, wenn er mir einen Wangenabstrich zukommen lassen würde.

»Lassen Sie es uns gleich machen, bevor ich es vergesse«, sagte er. »Geht es auch mit Blut?«

»Blut ist ideal zum Untersuchen der DNA, aber …«

»Ich bin Arzt«, sagte er. »Warten Sie einen Moment.«

Eamonn verließ das Zimmer, und ich konnte Belinda und Rosie in der Küche reden hören.

»Hast du deinen Vater mal gesehen?«, fragte Belinda.

»Nächste Frage.«

Doch Belinda antwortete mit einer Feststellung. »Don scheint nett zu sein.«

Ausgezeichnet. Ich machte mich gut.

»Er ist nur ein Freund«, sagte Rosie.

Hätte sie die Anzahl meiner Freunde gekannt, hätte sie gewusst, dass sie mir ein riesiges Kompliment machte.

»Ach so«, meinte Belinda.

Rosie und Belinda kehrten zur selben Zeit ins Wohnzimmer zurück, als Eamonn mit seiner Arzttasche ankam. Belinda schloss daraus, dass ein medizinisches Problem vorlag, aber Eamonn erzählte ihr von dem Genographie-Projekt. Belinda war Krankenschwester und entnahm sein Blut mit professionellem Geschick.

Als ich Rosie das gefüllte Röhrchen gab, damit sie es in ihre Handtasche steckte, merkte ich, dass ihre Hände zitterten. Ich vermutete, dass sie wegen der unmittelbar bevorstehenden Bestätigung einer möglichen Vaterschaft nervös war. Es überraschte mich nicht, als sie darum bat, die DNA-Analyse umgehend durchzuführen. Dazu müsste ich das Labor zwar an einem Samstagabend aufschließen, aber immerhin wäre das Projekt erledigt.

Das Labor war leer: Auf dem gesamten Universitätsgelände führt die archaische Ansicht, nur montags bis freitags arbeiten zu können, zu einer unfassbaren Unterbenutzung der teuren Ausstattung. Die Universität testete gerade Analysegeräte, die überaus schnell klären können, ob eine verwandtschaftliche Eltern-Kind-Beziehung besteht. Und wir hatten eine ideale DNA-Probe. DNA kann aus vielen Quellen gewonnen werden, und für eine Analyse werden nur wenige Zellen benötigt, doch die Vorbereitungszeit kann sehr zeitaufwendig und komplex sein. Blut war einfach.

Das neue Gerät stand in einem kleinen Raum, der einmal eine Teestube gewesen war, mit Waschbecken und Kühlschrank. Einen Moment lang wünschte ich, er wäre eindrucksvoller gewesen – ein ungewöhnliches Eindringen von Ego in meine Gedankenwelt. Ich schloss den Kühlschrank auf und holte ein Bier heraus. Rosie hustete vernehmlich. Ich erkannte die Botschaft und holte für sie ebenfalls ein Bier.

Ich versuchte, Rosie während der Durchführung den Vorgang zu erklären, doch sie konnte nicht aufhören zu reden, auch nicht, als sie mit dem Wattestäbchen bei sich selbst einen Wangenabstrich nahm, um mir ihre DNA-Probe zu geben.

»Ich kann nicht glauben, dass das so einfach geht. So schnell. Ich glaube, irgendwie habe ich es immer gewusst. Als ich klein war, hat er mir häufig etwas mitgebracht.«

»Dieses Gerät ist für eine so einfache Aufgabe eigentlich viel zu spezialisiert.«

»Einmal kam er mit einem Schachspiel bei uns an. Phil hat mir immer so Mädchensachen geschenkt – Schmuckkästchen und solchen Mist. Ganz schön komisch für einen Fitnesstrainer, wenn man darüber nachdenkt.«

»Sie spielen Schach?«

»Eigentlich nicht. Aber darum geht es nicht. Eamonn hat anerkannt, dass ich Verstand habe. Er und Belinda haben nie eigene Kinder gehabt. Irgendwie hatte ich den Eindruck, dass er immer da war. Vielleicht war er sogar der beste Freund meiner Mutter. Aber ich habe nie darüber nachgedacht, dass er mein Vater sein könnte.«

»Er ist es nicht.«

Das Ergebnis war auf dem Computerbildschirm erschienen. Aufgabe erledigt. Ich packte die Sachen wieder zusammen.

»Wow«, sagte Rosie. »Haben Sie je daran gedacht, Trauerbegleiter zu werden?«

»Nein. Ich habe eine Reihe von Berufen in Erwägung gezogen, aber alle auf wissenschaftlichem Gebiet. Meine Fähigkeiten im zwischenmenschlichen Bereich sind nicht so stark ausgeprägt.«

Rosie brach in Gelächter aus. »Dann kriegen Sie jetzt einen Crash-Kurs in fortgeschrittener Trauerbegleitung.«

Wie sich herausstellte, hatte Rosie nur einen Witz gemacht,

da ihr Ansatz zur Trauerbewältigung ausschließlich in der Zufuhr von Alkohol bestand. Wir gingen ins *Jimmy Watson's* an der Lygon Street, nur einen kurzen Spaziergang entfernt, und wie an Wochenenden üblich, war es voller Akademiker. Wir setzten uns an die Bar, und ich war überrascht zu erfahren, dass Rosie als professionelle Getränkeserviererin nur wenig Kenntnis über Weine besaß. Vor ein paar Jahren hatte Gene vorgeschlagen, dass Wein das perfekte Thema für unverfängliche Gespräche sei, woraufhin ich gründlich darüber recherchierte. Ich besaß sämtliche Hintergrundinformationen zu allen Weinen, die regelmäßig in dieser Bar angeboten wurden. Wir tranken recht viel.

Wegen ihrer Nikotinsucht musste Rosie dann für einige Minuten nach draußen gehen. Das Timing war günstig, denn in diesem Moment kam ein Pärchen aus dem Innenhof herein und verließ das Lokal. Der Mann war Gene! Die Frau war nicht Claudia, aber ich erkannte sie wieder: Es war Olivia, die indische Vegetarierin von *Tisch für acht*. Keiner von beiden bemerkte mich, und sie gingen zu schnell an mir vorbei, als dass ich etwas hätte sagen können.

Meine Verwirrung darüber, dass ich die beiden zusammen gesehen hatte, trug sicher zu meiner nächsten Entscheidung bei. Ein Kellner kam und sagte: »Im Innenhof ist gerade ein Tisch für zwei frei geworden. Möchten Sie bei uns essen?«

Ich nickte. Ich würde die heutigen Einkäufe bis zum nächsten Samstag einfrieren und den daraus resultierenden Nährstoffverlust in Kauf nehmen müssen. Wiederum hatte mein Instinkt meine Logik außer Kraft gesetzt.

Rosies Reaktion auf unsere Tischzuweisung schien positiv. Zweifellos hatte sie Hunger, aber es war beruhigend zu wissen, dass ich keinen Fehler begangen hatte, was meistens dann passiert, wenn das andere Geschlecht involviert ist.

Das Essen war ausgezeichnet. Wir aßen frische Austern (nachhaltig produziert), Thunfisch-Sashimi (von Rosie ausgewählt und vermutlich nicht aus nachhaltiger Produktion), Auberginen-Mozzarella-Türmchen (Rosie), Kalbshirn (ich), Käse (gemeinsam) und eine Portion Passionsfrucht-Mousse (gemeinsam, auf zwei Schüsseln verteilt). Ich bestellte eine Flasche Marsanne, der hervorragend zu allem passte.

Rosie verbrachte einen Großteil des Essens damit, mir zu erklären, warum sie ihren biologischen Vater finden wolle. Ich sah kaum einen Grund dafür. In der Vergangenheit wäre die Kenntnis vielleicht sinnvoll gewesen, um das Risiko genetisch bedingter Krankheiten zu bestimmen, aber heutzutage konnte Rosie ihre DNA direkt analysieren lassen. In der Praxis schien ihr Stiefvater Phil die Vaterrolle ausgefüllt zu haben, auch wenn Rosie diesbezüglich zahlreiche Beschwerden anführte. Er sei ein Egoist, er verhalte sich ihr gegenüber inkonsequent, er leide unter Stimmungsschwankungen. Auch sei er streng gegen Alkohol eingestellt. Ich fand diese Haltung in jeder Hinsicht vertretbar, aber zwischen den beiden löste sie offenbar ständig Streit aus.

Rosies Motivation mutete rein emotional an, was ich psychologisch zwar nicht nachvollziehen konnte, doch für ihr persönliches Glück schien es von großer Bedeutung.

Nachdem Rosie ihren Teil der Mousse gegessen hatte, stand sie auf, »um Hände waschen zu gehen«. Das ließ mir Zeit zum Nachdenken, und ich stellte fest, dass ich kurz davor war, ein pannenfreies und in der Tat höchst unterhaltsames Abendessen mit einer Frau zu beschließen. Ich betrachtete dies als beachtliche Leistung und freute mich schon darauf, Gene und Claudia davon zu erzählen.

Ich schlussfolgerte, dass der heutige Mangel an Problemen auf drei Faktoren zurückzuführen war.

1. Ich befand mich in einem mir vertrauten Lokal. Mir war nie eingefallen, mit einer Frau – oder überhaupt jemandem – im *Jimmy Watson's* essen zu gehen, wo ich vorher bislang nur Wein getrunken hatte.
2. Wir hatten keine Verabredung im klassischen Sinn. Rosie kam – verständlicherweise – als potentielle Partnerin nicht in Frage, uns verband nur ein gemeinsames Projekt. Es war wie ein geschäftliches Treffen.
3. Ich war ziemlich alkoholisiert – und daher entspannt. Folglich konnte es auch sein, dass mir irgendwelche gesellschaftlichen Fehler nicht aufgefallen waren.

Zum Abschluss des Essens bestellte ich zwei Gläser Sambuca und fragte: »Wen testen wir als Nächstes?«

11

Neben Eamonn Hughes kannte Rosie nur zwei weitere »Freunde der Familie«, die mit Rosies Mutter den Abschluss des Medizinstudiums gefeiert hatten. Es erschien mir zwar unlogisch, dass jemand, der unerlaubt heimlich Sex mit der Mutter gehabt hatte, in Anbetracht von Phils Anwesenheit weiter Kontakt pflegte, aber man konnte das evolutionsbiologische Argument anführen, dass er die Trägerin seiner Gene gut versorgt wissen wollte. Im Prinzip war dies auch Rosies Argument.

Der erste Kandidat war Dr. Peter Enticott, der vor Ort lebte. Der andere, Alan McPhee, war an Prostatakrebs gestorben – für Rosie eine gute Sache, da sie die Veranlagung dazu mangels Prostata nicht geerbt haben konnte. Obwohl er Onkologe gewesen war, hatte er die Krankheit bei sich selbst nicht entdeckt, was nicht ungewöhnlich ist. Menschen versagen oft darin zu sehen, was sie unmittelbar selbst betrifft, während es für andere offensichtlich ist.

Zum Glück hatte er eine Tochter, mit der Rosie sich in jungen Jahren angefreundet hatte. Mit dieser Natalie vereinbarte Rosie ein Treffen in drei Tagen unter dem Vorwand, ihr neugeborenes Baby anzusehen.

Ich kehrte zu meinem normalen Tagesablauf zurück, doch das Vaterprojekt ging mir nicht aus dem Kopf. Ich plante die DNA-Entnahme genau – ich wollte keine Wiederholung des Tassenproblems riskieren. Außerdem hatte ich ein weiteres

Zusammentreffen mit der Dekanin, diesmal wegen des »Flunder-Zwischenfalls«.

Eine meiner Aufgaben besteht darin, Medizinstudenten Unterricht in Genetik zu erteilen. Im ersten Kurs des letzten Semesters meldete sich, kurz nachdem ich das erste Dia gezeigt hatte, ein Student ohne Angabe seines Namens zu Wort. Das Dia ist eine brillante und wunderschöne diagrammartige Darstellung der Evolution von Einzellern bis zur heutigen unfassbaren Vielfalt der Arten. Nur meine Kollegen im Fachbereich Physik können es mit der außergewöhnlichen Geschichte aufnehmen, die es erzählt. Ich verstehe nicht, wie manche Leute sich mehr für das Ergebnis eines Fußballspiels oder das Gewicht einer Schauspielerin interessieren können.

Dieser Student gehörte einer noch anderen Kategorie an.

»Professor Tillman, Sie benutzen das Wort ›Evolution‹.«

»Korrekt.«

»Ich denke, Sie sollten darauf hinweisen, dass Evolution nur eine Theorie ist.«

Es war nicht das erste Mal, dass ich eine derartige Frage – oder Feststellung – hörte. Aus Erfahrung wusste ich, dass ich die Überzeugung eines Studenten nicht ändern würde, die zweifellos auf religiösem Dogma beruhte. Ich konnte nur sicherstellen, dass der Student – oder die Studentin – von anderen angehenden Ärzten nicht ernst genommen wurde.

»Korrekt«, erwiderte ich, »aber Ihr Gebrauch des Wortes ›nur‹ ist irreführend. Evolution ist eine Theorie, die von überwältigender Beweislast gestützt wird. Wie beispielsweise auch die Erregertheorie bei Krankheiten. Man wird von Ihnen als Arzt erwarten, dass Sie sich auf Wissenschaft berufen. Es sei denn, Sie wollen als Wunderheiler gelten. In welchem Fall Sie im falschen Kurs wären.«

Es gab Gelächter. Wunderheiler protestierte.

»Ich spreche nicht von Wundern. Ich spreche von *wissenschaftlichem* Kreationismus.«

Es ertönten ein paar Stöhner. Sicher stammten viele der Studenten aus Kulturen, in denen Religionskritik nicht gern gehört wird. So wie in unserer. Nach einem früheren Zwischenfall war es mir verboten, mich über Religion zu äußern. Aber hier ging es um Wissenschaft. Ich hätte den Streit fortführen können, doch ich war nicht so unbedacht, mich von einem Studenten ablenken zu lassen. Meine Kursinhalte sind präzise auf die Dauer von fünfzig Minuten ausgearbeitet.

»Evolution ist eine Theorie«, sagte ich. »Es besteht keine andere Theorie über den Ursprung des Lebens, die in gleichem Maße von Wissenschaftlern anerkannt wird oder für die Medizin von Nutzen wäre. Daher werden wir in diesem Kurs davon ausgehen, das sie stimmt.« Ich war der Meinung, ich hätte die Situation gut gelöst, ärgerte mich jedoch, dass nicht ausreichend Zeit blieb, über die Pseudowissenschaftlichkeit von Kreationismus zu diskutieren.

Einige Wochen später, während ich im Universitätsclub zu Mittag aß, entdeckte ich die Möglichkeit, meine Haltung kurz und bündig zu veranschaulichen. Als ich zur Theke ging, sah ich eines der Mitglieder eine Flunder essen, die mitsamt Kopf serviert worden war. Nach einem etwas mühsamen Gespräch durfte ich das Fischskelett samt Kopf an mich nehmen, das ich einwickelte und in meinem Rucksack verstaute.

Vier Tage später hatte ich wieder Unterricht in dem Kurs. Ich machte Wunderheiler ausfindig und stellte ihm zunächst eine Frage: »Glauben Sie, dass Fische in ihrer momentanen Form von einem intelligenten Urheber geschaffen wurden?«

Die Frage schien ihn zu überraschen, vielleicht, weil seit seiner Frage zu dem Thema sieben Wochen vergangen waren. Doch er nickte.

Ich packte die Flunder aus. Sie hatte mittlerweile einen unangenehmen Geruch angenommen, aber Medizinstudenten sollten darauf vorbereitet sein, im Interesse der Wissenschaft mit unangenehmen organischen Objekten konfrontiert zu werden. Ich deutete auf den Kopf: »Beachten Sie bitte, dass die Augen nicht symmetrisch sind.« Tatsächlich hatten sich die Augen zersetzt, aber die Lage der Augenhöhlen war klar erkennbar. »Das kommt daher, dass sich die Flunder vom konventionellen Fisch mit Augen auf beiden Seiten des symmetrischen Schädels wegentwickelt hat. Evolutionsbedingt wanderte ein Auge langsam herum, aber nur so weit, dass es noch effektiv funktioniert. Die Evolution hat sich nicht die Mühe gemacht, auch hier eine Symmetrie zu schaffen. Ein intelligenter Schöpfer dagegen hätte sicher keinen so unperfekten Fisch geschaffen.« Ich legte Wunderheiler den Fisch hin, damit er ihn untersuchen könne, und setzte die Vorlesung fort.

Er wartete bis zum Beginn des neuen Semesters, um seine Beschwerde vorzubringen.

Bei unserem Gespräch deutete die Dekanin an, ich hätte versucht, Wunderheiler zu demütigen, obwohl ich nur die Absicht gehabt hatte, eine Meinungsverschiedenheit zu klären. Da er den Begriff »*wissenschaftlicher* Kreationismus« ohne Bezug zu einer Religion genannt habe, so argumentierte ich, hätte ich in keiner Weise irgendeinen Glauben geschmäht. Ich hätte lediglich eine Theorie gegen eine andere gesetzt. Und er könne gern Gegenbeispiele in den Kurs mitbringen.

»Don«, sagte die Dekanin, »wie immer haben Sie, formell betrachtet, nicht gegen irgendwelche Regeln verstoßen. Aber … Wie soll ich das ausdrücken? Wenn mir jemand sagen würde, ein Dozent habe einen toten Fisch in die Klasse gebracht und einem Studenten gegeben, der zuvor eine religiös motivierte Bemerkung gemacht hätte, würde ich sofort an Sie denken. Verstehen Sie, worauf ich hinauswill?«

»Sie sagen damit, dass ich in der Fakultät diejenige Person mit den unkonventionellsten Methoden bin. Und Sie wollen, dass ich konventioneller vorgehe. Dies scheint mir eine unvernünftige Aufforderung an einen Wissenschaftler.«

»Ich will nur nicht, dass Sie Menschen verletzen.«

»Die sich verletzt fühlen, weil ihre Theorie als unwissenschaftlich bewiesen wurde?«

Unser Gespräch endete zum wiederholten Mal damit, dass die Dekanin unzufrieden mit mir war, obwohl ich gegen keinerlei Regeln verstoßen hatte, und dass ich mir vornahm, mich noch mehr um »Anpassung« zu bemühen. Als ich das Büro verließ, hielt mich ihre Assistentin Regina zurück.

»Ich glaube, Sie haben sich noch nicht für den Fakultätsball angemeldet, Professor Tillman. Womöglich sind Sie der einzige Professor, der noch keine Karten gekauft hat.«

Auf der Fahrt nach Hause spürte ich ein beklemmendes Gefühl in der Brust und analysierte, dass es eine physische Reaktion auf die Forderung der Dekanin war. Wenn ich nicht in die Naturwissenschaftsabteilung einer Universität passte, so überlegte ich, würde ich nirgendwo hinpassen.

Natalie McPhee, Tochter des verstorbenen Dr. Alan McPhee, potentieller biologischer Vater von Rosie, lebte achtzehn Kilometer außerhalb der Stadt und damit nahe genug für eine Fahrradfahrt, aber Rosie entschied, dass wir das Auto nehmen sollten. Überrascht stellte ich fest, dass sie ein rotes Porsche-Cabrio fuhr.

»Der gehört Phil.«

»Ihrem ›Vater‹?« Ich setzte Anführungszeichen in die Luft.

»Ja. Er ist in Thailand.«

»Ich dachte, er mag Sie nicht. Und trotzdem leiht er Ihnen seinen Wagen?«

»So was macht er eben. Keine Liebe, nur Materielles.«

Tatsächlich war der Porsche das perfekte Fahrzeug, um es jemandem zu leihen, den man nicht mochte. Er war siebzehn Jahre alt und daher mit alter Emissionstechnologie ausgestattet, verbrauchte furchtbar viel Kraftstoff, bot wenig Beinfreiheit, viel Windgeräusch und eine defekte Klimaanlage. Rosie bestätigte meine Vermutung, dass der Wagen unzuverlässig und im Unterhalt sehr teuer war.

Als wir bei Natalie ankamen, fiel mir auf, dass ich die ganze Fahrt über die Defizite des Autos aufgezählt und ausgeführt hatte. Dadurch hatte ich zwar Smalltalk vermieden, Rosie aber nicht über die Methode der DNA-Gewinnung informiert.

»Ihre Aufgabe besteht darin, sie in ein Gespräch zu verwickeln, während ich die DNA hole.« Dies würde unserer beider Fähigkeiten optimal zum Einsatz bringen.

Allerdings zeigte sich bald, dass ich meinen Plan B würde anwenden müssen. Natalie wollte nichts trinken: Während der Stillzeit verzichtete sie auf Alkohol, und für Kaffee war es zu spät. Dies waren zwar vernünftige Entscheidungen, doch bot sich dadurch keine Möglichkeit, von einer Tasse oder einem Glas einen Abstrich zu nehmen.

Ich ging zu Plan B über.

»Darf ich Ihr Baby sehen?«

»Er schläft gerade«, sagte Natalie, »also müssen Sie ganz leise sein.«

Ich stand auf. Sie ebenfalls.

»Sagen Sie mir einfach, wo ich hingehen muss.«

»Ich komme mit Ihnen.«

Je stärker ich darauf bestand, das Baby allein sehen zu wollen, desto mehr war sie dagegen. Wir gingen in sein Zimmer, und wie sie es vorhergesagt hatte, schlief das Kind. Das war sehr ärgerlich, da ich mir eine Reihe von Plänen zurechtgelegt hatte, wie ich in nichtinvasiver Form eine DNA-Probe des Babys nehmen könnte, das natürlich auch mit Alan McPhee verwandt war. Leider hatte ich den Beschützerinstinkt der Mutter nicht berücksichtigt. Immer wenn ich einen Grund fand, den Raum zu verlassen, folgte mir Natalie. Es war äußerst unangenehm.

Schließlich entschuldigte sich Rosie, um zur Toilette zu gehen. Selbst wenn sie gewusst hätte, was zu tun gewesen wäre, hätte sie nicht zum Baby gehen können, da Natalie sich so platziert hatte, dass sie die Kinderzimmertür überwachen konnte. »Haben Sie von dem Genographie-Projekt gehört?«, fragte ich Natalie.

Sie hatte nicht und war auch nicht interessiert. Sie wechselte das Thema.

»Sie scheinen sich sehr für Babys zu interessieren.«

Hier hätte sich gewiss eine Möglichkeit ergeben, wenn ich sie nur zu nutzen gewusst hätte. »Ich interessiere mich für ihr Verhalten. Ohne den Einfluss eines anwesenden Elternteils.«

Sie sah mich komisch an. »Haben Sie irgendetwas mit Kindern zu tun? Ich meine Pfadfinder, Jugendgruppen …«

»Nein«, erwiderte ich. »Es ist unwahrscheinlich, dass ich für solch eine Aufgabe geeignet wäre.«

Rosie kehrte zurück, und das Baby begann zu schreien.

»Zeit zu stillen«, sagte Natalie.

»Wir sollten dann auch gehen«, meinte Rosie.

Fehlschlag! Wieder einmal war meine soziale Unfähigkeit das Manko gewesen. Mit höherer sozialer Kompetenz hätte ich sicher allein zum Baby vorstoßen können.

»Es tut mir leid«, sagte ich, während wir zu Phils untauglichem Auto zurückkehrten.

»Das muss es nicht.« Rosie griff in ihre Handtasche und zog ein Büschel Haare hervor. »Ich habe ihre Haarbürste geplündert.«

»Wir brauchen Haarwurzeln«, sagte ich. Aber es waren viele Haare, so dass mit großer Wahrscheinlichkeit auch ein paar Wurzeln daran hingen.

Rosie griff erneut in die Handtasche und zog eine Zahnbürste heraus. Ich brauchte einen Moment, um zu begreifen, was das bedeutete.

»Sie haben ihre Zahnbürste gestohlen?«

»Da war noch eine im Schrank. Es war sowieso Zeit, sie auszuwechseln.«

Ich war schockiert über den Diebstahl, aber nun würden wir fast mit Gewissheit eine brauchbare DNA-Probe zur Verfügung haben. Es war schwer, von Rosies Einfallsreichtum nicht beeindruckt zu sein. Und wenn Natalie ihre Zahnbürste nicht regelmäßig austauschte, hatte Rosie ihr sogar einen Gefallen getan.

Rosie wollte das Haar oder die Zahnbürste nicht sofort untersuchen. Erst wollte sie die DNA des letzten Kandidaten sammeln und dann beide Proben zusammen testen. Das war unlogisch. Falls Natalies Probe passte, würden wir keine weitere DNA-Probe brauchen. Aber Rosie schien das Konzept der Reihenfolgeplanung zur Minimierung von Kosten und Risiko nicht zu durchschauen.

Nach dem Problem mit dem Baby beschlossen wir, uns für Dr. Peter Enticott einen möglichst erfolgversprechenden Plan zurechtzulegen.

»Ich werde ihm sagen, dass ich über ein Medizinstudium nachdenke«, schlug Rosie vor. Dr. Enticott arbeitete an der medizinischen Fakultät der Deakin University.

Sie wollte sich mit ihm zum Kaffee verabreden, was die

Möglichkeit eines Tassenabstrichs bot, der momentan eine Fehlerquote von hundert Prozent aufwies. Ich fand es unwahrscheinlich, dass eine Barbedienung einen Professor überzeugen könne, sie habe die nötigen Voraussetzungen, um Medizin zu studieren. Rosie schien darüber beleidigt zu sein, und argumentierte, dass es ohnehin egal sei. Wir müssten ihn nur überreden, mit uns Kaffee zu trinken.

Ein größeres Problem war, welche Rolle ich dabei spielen sollte, denn Rosie glaubte nicht, dass sie die Sache allein durchziehen könne. »Sie sind mein Freund«, sagte sie. »Sie werden mein Studium finanzieren, also haben Sie natürlich ein Interesse an der Sache.« Sie sah mich scharf an. »Sie müssen es nicht übertreiben.«

An einem Mittwochnachmittag, an dem Gene mich als Revanche für den Asperger-Vortrag bei einer Vorlesung vertrat, fuhren wir in Phils Spielzeugauto zur Deakin University. Ich war schon mehrere Male zu Gastvorlesungen und gemeinsamen Forschungsprojekten dort gewesen. Ich kannte sogar ein paar Wissenschaftler der medizinischen Fakultät, jedoch nicht Peter Enticott.

Wir trafen uns in einer Freiluftcafeteria voller Medizinstudenten, die früh aus den Sommerferien zurückgekehrt waren. Rosie war erstaunlich! Sie sprach verständig über Medizin und sogar Psychiatrie, worin sie hoffte, sich zu spezialisieren, wie sie sagte. Sie behauptete, einen Hochschulabschluss in Verhaltenswissenschaften mit anschließender Forschungserfahrung zu besitzen.

Peter schien ganz fasziniert von der Ähnlichkeit zwischen Rosie und ihrer Mutter, die für unsere Zwecke irrelevant war. Dreimal unterbrach er Rosie, um auf ähnliche äußere Details hinzuweisen, und ich fragte mich, ob dies ein Zeichen für eine besondere Bindung zwischen ihm und Rosies Mutter sei – und somit eine Bestätigung seiner Vaterschaft. Genau wie in Eamonn Hughes' Wohnzimmer suchte ich nach äußerlichen Ähnlichkeiten zwischen Rosie und ihrem potentiellen Vater, konnte jedoch keine erkennen.

»Das klingt ja alles sehr gut, Rosie«, sagte Peter. »Mit dem Auswahlverfahren habe ich allerdings nichts zu tun – zumindest nicht offiziell.« Seine Wortwahl schien anzudeuten, dass eine inoffizielle und daher unethische Möglichkeit der Unterstützung bestand. War dies ein Zeichen für Nepotismus und folglich ein Hinweis, dass er Rosies Vater war?

»Dein akademischer Hintergrund ist super, aber du wirst den GAMSAT machen müssen.« Peter wandte sich an mich. »Ein Standard-Zulassungstest für angehende Medizinstudenten.«

»Den habe ich letztes Jahr gemacht«, kommentierte Rosie. »Vierundsiebzig.«

Peter war schwer beeindruckt. »Mit der Punktzahl kannst du nach Harvard gehen. Aber hier achten wir noch auf andere Dinge, also wenn du dich bewirbst, sag mir auf jeden Fall Bescheid.«

Ich hoffte, er würde nie auf einen Drink ins *Marquess of Queensbury* gehen.

Ein Kellner brachte die Rechnung. Als er Peters Tasse nehmen wollte, legte ich automatisch eine Hand darauf, um ihn zu stoppen. Der Kellner warf mir einen bösen Blick zu und nahm die Tasse trotzdem. Ich beobachtete, wie er sie zu einem Tablettwagen brachte und zwischen anderes Geschirr stellte.

Peter sah auf sein Handy. »Ich muss los«, sagte er. »Aber wo wir uns jetzt wiedergesehen haben, bleib doch bitte in Kontakt.«

Als Peter ging, konnte ich erkennen, dass der Kellner den Tablettwagen im Blick behielt.

»Sie müssen ihn ablenken«, sagte ich Rosie.

»Holen Sie einfach die Tasse«, zischte Rosie zurück.

Ich ging zu dem Wagen. Der Kellner beobachtete mich, aber als ich den Wagen erreichte, drehte er den Kopf in Rosies Richtung und setzte sich eilig zu ihr in Bewegung. Ich schnappte die Tasse.

Wir trafen uns am Auto, das in einiger Entfernung abgestellt war. Der Weg dorthin gab mir Zeit, mich damit auseinanderzusetzen, dass ich mich unter dem Zwang, ein Ziel zu erreichen, des Diebstahls schuldig gemacht hatte. Sollte ich der Cafeteria einen Scheck schicken? Was war so eine Tasse wert? Sicher wurden dort ständig Tassen zerbrochen, wenn auch unabsichtlich. Wenn jeder eine Tasse stahl, würde die Cafeteria finanziell vermutlich unrentabel werden.

»Haben Sie die Tasse?«

Ich hielt sie hoch.

»Ist es die richtige?«

Ich bin nicht gut in nonverbaler Kommunikation, aber ich glaube, ich konnte ihr visuell bedeuten, dass ich zwar ein gemeiner Dieb, keinesfalls aber ein schlechter Beobachter war.

»Haben Sie die Rechnung bezahlt?«, wollte ich wissen.

»So habe ich ihn ja abgelenkt.«

»Indem Sie die Rechnung bezahlten?«

»Nein, man bezahlt am Schalter. Ich bin einfach abgehauen.«

»Wir müssen zurückgehen.«

»Scheiß drauf«, sagte Rosie, während wir in den Porsche stiegen und losdüsten.

Was passierte nur mit mir?

12

Wir fuhren Richtung Universität zum Labor. Das Vaterprojekt näherte sich seinem Ende. Das Wetter war lau, auch wenn sich am Horizont dunkle Wolken zeigten, und Rosie öffnete das Verdeck. Ich zerbrach mir immer noch den Kopf wegen des Diebstahls.

»Grämen Sie sich immer noch wegen dieser Rechnung, Don?«, schrie Rosie über den Fahrtwind hinweg. »Sie sind echt zum Schießen! Wir stehlen DNA, und Sie machen sich Sorgen wegen ein paar Tassen Kaffee.«

»Es ist nicht illegal, DNA-Proben zu nehmen«, schrie ich zurück. Das stimmte, wobei wir im Vereinigten Königreich den Erlass zu menschlichem Gewebe von 2004 gebrochen hätten. »Wir sollten zurückfahren.«

»Höchst ineffiziente Zeitverschwendung«, erwiderte Rosie mit seltsamer Stimme, als wir an einer roten Ampel hielten und uns kurzzeitig normal unterhalten konnten. Sie lachte, und ich merkte, dass sie mich imitierte. Ihre Aussage war korrekt, aber es ging um ein moralisches Problem, und moralisches Handeln sollte über allem anderen stehen.

»Entspannen Sie sich«, sagte sie. »Es ist ein wunderschöner Tag, wir werden herausfinden, wer mein Vater ist, und ich werde einen Scheck schicken, um den Kaffee zu bezahlen. *Versprochen.*« Sie sah mich an. »Wissen Sie eigentlich, wie das geht – entspannen? Können Sie einfach nur Spaß haben?«

Die Frage war zu komplex, als dass ich sie nach dem erneuten Anfahren über das Windgeräusch hinweg hätte beantworten können. Spaß zu haben führt nicht zu allumfassender Zufriedenheit. Das haben Studien lückenlos bewiesen.

»Sie haben die Ausfahrt verpasst«, sagte ich.

»Korrekt«, antwortete sie wieder mit dieser Automatenstimme. »Wir fahren zum Strand.« Als ich protestierte, redete sie laut dagegen. »Ich höre Sie nicht, ich höre Sie nicht.«

Dann stellte sie Musik an – sehr laute Rockmusik – und konnte mich tatsächlich nicht mehr hören. Ich wurde entführt! Wir fuhren vierundneunzig Minuten lang. Ich konnte den Tachometer nicht sehen und war es nicht gewöhnt, in einem offenen Fahrzeug zu sitzen, aber ich schätzte, dass wir durchweg die Geschwindigkeitsbegrenzung überschritten.

Schräge Musik, Wind, Todesgefahr – ich versuchte, den mentalen Zustand heraufzubeschwören, den ich bei Zahnarztbesuchen einnehme.

Endlich hielten wir auf einem Parkplatz nahe dem Strand. An einem Nachmittag unter der Woche war er fast leer.

Rosie sah mich an. »Bitte lächeln! Wir gehen spazieren, fahren zum Labor, dann bringe ich Sie nach Hause. Und Sie sehen mich nie wieder.«

»Können wir nicht gleich nach Hause fahren?«, fragte ich und merkte, dass ich wie ein Kind klang. Ich ermahnte mich, dass ich ein erwachsener Mann sei, zehn Jahre älter und viel erfahrener als die Person neben mir, und dass sie einen Grund haben musste, so zu handeln. Ich fragte danach.

»Ich bin kurz davor herauszufinden, wer mein Vater ist. Ich muss einen klaren Kopf bekommen. Könnten wir also bitte eine halbe Stunde spazieren gehen, und Sie tun so, als wären Sie ein normales menschliches Wesen, und hören mir zu?«

Ich war nicht sicher, wie ich ein normales menschliches

Wesen imitieren sollte, doch in den Spaziergang willigte ich ein. Es war offensichtlich, dass Rosie von Gefühlen übermannt wurde, und ich respektierte ihren Versuch, sie in den Griff zu bekommen. Wie sich herausstellte, sprach sie kaum ein Wort. Das machte den Spaziergang recht angenehm – es war fast dasselbe, wie allein zu spazieren.

Als wir uns bei der Rückkehr dem Wagen näherten, fragte Rosie: »Was für Musik mögen Sie denn?«

»Warum?«

»Das, was ich auf der Herfahrt gespielt habe, hat Ihnen nicht gefallen, oder?«

»Korrekt.«

»Also sind Sie auf der Rückfahrt dran. Aber von Bach habe ich nichts.«

»Eigentlich höre ich gar keine Musik«, entgegnete ich. »Bach war ein Experiment, das nicht funktioniert hat.«

»Sie können nicht durchs Leben gehen, ohne irgendwelche Musik zu hören.«

»Ich höre einfach nicht hin. Ich bevorzuge es, Informationen zu hören.«

Es herrschte lange Zeit Stille. Wir kamen zum Auto.

»Haben Ihre Eltern Musik gehört? Brüder, Schwestern?«

»Meine Eltern haben Rockmusik gehört. Vor allem mein Vater. Aus der Zeit, in der er jung war.«

Wir stiegen ins Auto, und Rosie öffnete wieder das Verdeck. Sie tippte auf ihrem Handy herum, das sie als Abspielgerät benutzte.

»Trip in die Vergangenheit«, sagte sie dann und schaltete die Lautsprecher ein.

Ich wollte mich gerade wieder in meinen Zahnarztmodus versenken, als mir bewusst wurde, wie sehr Rosies Worte zutrafen. Ich kannte diese Musik. Sie war der Hintergrund meiner Jugend gewesen. Plötzlich saß ich wieder hinter verschlossener Tür in meinem Zimmer, schrieb in BASIC auf meinen Heimcomputer der letzten Generation und hörte aus der Ferne dieses Lied.

»Diesen Song kenne ich!«

Rosie lachte. »Wenn nicht, wäre das der endgültige Beweis gewesen, dass Sie vom Mars sind.«

Während ich in einem roten Porsche mit wunderhübscher Fahrerin zu diesem Lied Richtung Stadt zurücksauste, hatte ich das Gefühl, auf der Schwelle zu einer anderen Welt zu stehen. Ich erkannte das Gefühl wieder, das noch stärker wurde, als es zu regnen begann und das Verdeck streikte, so dass wir es nicht hochfahren konnten. Es war dasselbe Gefühl, das ich beim Anblick der Stadt nach dem Balkonessen gehabt hatte und dann erneut, als Rosie mir ihre Telefonnummer aufschrieb. Eine andere Welt, ein anderes Leben – nah und doch unerreichbar.

Die so schwer greifbare … *Sat-is-fac-tion.*

Als wir die Universität erreichten, dunkelte es bereits, und wir waren beide durchnässt. Mit Hilfe des Handbuchs war ich in der Lage, das Verdeck manuell zu schließen.

Im Labor öffneten wir zwei Flaschen Bier (diesmal war kein Hustensignal nötig gewesen), und Rosie klickte ihre gegen meine.

»Prost«, sagte sie. »Gut gemacht.«

»Versprechen Sie, dem Café einen Scheck zu schicken?«

»Was auch immer. Versprochen.« Gut.

»Sie waren brillant«, sagte ich. Ich hatte das schon seit einiger Zeit kundtun wollen. Rosies Auftritt als angehende Medizinstudentin war beeindruckend gewesen. »Aber warum haben Sie bei dem Zugangstest eine so hohe Punktzahl angegeben?«

»Was meinen Sie?«

Ich erklärte, dass ich nicht gefragt hätte, wenn ich die Antwort hätte herleiten können.

»Weil ich nicht dumm erscheinen wollte.«

»Vor Ihrem potentiellen Vater?«

»Ja. Vor ihm. Vor jedem. Ich bin es ziemlich leid, dass gewisse Leute mich für dumm halten.«

»Ich finde, Sie sind bemerkenswert intelligent ...«

»Sagen Sie es nicht.«

»Was?«

»Für eine Bedienung. Das wollten Sie doch sagen, oder?«

Rosies Vermutung war korrekt.

»Meine Mutter war Ärztin. Mein Vater auch, was die Gene betrifft. Und man muss keinen Doktortitel haben, um klug zu sein. Ich habe Ihr Gesicht gesehen, als ich sagte, ich hätte vierundsiebzig Punkte im GAMSAT. Sie haben gedacht: ›Er wird nicht glauben, dass diese Frau so klug ist.‹ Aber er hat es geglaubt. Also legen Sie Ihre Vorurteile ab.«

Dies war eine durchaus berechtigte Kritik. Ich hatte wenig Kontakt zu Menschen außerhalb des akademischen Bereichs, und meine Vermutungen über den Rest der Welt gründeten vor allem auf Filmen und Fernsehserien, die ich als Kind verfolgt hatte. Ich sah ein, dass die Charaktere aus *Verschollen zwischen fremden Welten* und *Raumschiff Enterprise* möglicherweise nicht repräsentativ für die Menschheit im Allgemeinen waren. Und Rosie passte ganz gewiss nicht in mein Schema einer Barfrau. Es war gut möglich, dass viele andere meiner Vermutungen über Menschen ebenso falsch waren. Das überraschte mich nicht.

Das DNA-Analysegerät war bereit.

»Welcher ist Ihnen lieber?«, fragte ich.

»Egal. Ich will keine Entscheidungen treffen.«

Ich merkte, dass sie sich auf die Reihenfolge des Testens bezog und nicht auf die Wahl eines Vaters. Ich verdeutlichte meine Frage.

»Ich weiß es nicht«, meinte sie darauf. »Ich habe den ganzen Nachmittag darüber nachgedacht. Alan ist tot, was Scheiße wäre. Und Natalie wäre dann meine Schwester, was ich, ehrlich gesagt, ziemlich schräg fände. Aber es wäre eine Art Abschluss, falls das einen Sinn ergibt. Peter gefällt mir, aber eigentlich weiß ich gar nichts über ihn. Wahrscheinlich hat er Familie.«

Mir fiel wieder einmal auf, dass dieses Vaterprojekt nicht gut durchdacht gewesen war. Rosie hatte den Nachmittag damit verbracht, unerwünschte Gefühle zu verdrängen, und dennoch schien die Motivation für dieses Projekt rein emotional zu sein.

Ich nahm zunächst die Probe von Peter Enticott, da ich für die Haare aus Natalies Bürste mehr Vorbereitung bräuchte. Keine Übereinstimmung.

In dem Haarbüschel hatte ich mehrere Wurzeln gefunden, also wäre es nicht nötig gewesen, die Zahnbürste zu stehlen. Während ich sie aufbereitete, überlegte ich, dass Rosies erste beiden Kandidaten, einschließlich Eamonn Hughes, den sie für sehr wahrscheinlich gehalten hatte, nicht die Richtigen gewesen waren. Meine Prognose lautete, dass Alans Tochter ebenfalls nicht passen würde.

Ich hatte recht. Ich achtete darauf, Rosies Reaktion zu verfolgen. Sie wirkte sehr traurig. Wie es aussah, würden wir uns wieder betrinken müssen.

»Denken Sie dran«, sagte sie, »dass die Probe nicht von ihm ist, sondern von seiner Tochter.«

»Das habe ich bereits eingerechnet.«

»Ja, natürlich. Dann war's das.«

»Aber wir haben das Problem nicht gelöst.« Als Wissenschaftler bin ich es nicht gewohnt, bei Schwierigkeiten einfach aufzugeben.

»Das werden wir auch nicht«, erwiderte Rosie. »Wir haben alle getestet, die ich von denen kenne, die in Frage kommen.«

»Schwierigkeiten sind unvermeidbar«, sagte ich. »Große Projekte setzen Ausdauer voraus.«

»Sparen Sie sich die für etwas auf, das Ihnen was bedeutet.«

Warum konzentrieren wir uns auf gewisse Dinge und vernachlässigen dafür andere? Wir riskieren unser Leben, um einen Menschen vor dem Ertrinken zu retten, geben aber keine Spende, die Dutzende von Kindern vor dem Verhungern retten könnte. Wir installieren lieber Sonnenkollektoren, weil sie Strom ohne direkte CO_2-Emission erzeugen – wobei die gesamte CO_2-Bilanz unter Einbeziehung von Herstellung und Installation möglicherweise negativ ist –, als in umweltfreundlichere Infrastrukturprojekte zu investieren.

Ich halte meine eigenen Entscheidungen auf diesen Gebieten für rationaler als die der meisten Menschen, aber auch mir unterlaufen solche Fehler. Wir sind genetisch darauf programmiert, auf Stimuli in unserer unmittelbaren Umgebung zu reagieren. Komplexe Themen zu berücksichtigen, die wir nicht direkt wahrnehmen, erfordert den Einsatz von logischem Denken, was weniger stark ausgeprägt ist als der Instinkt.

Dies schien mir die wahrscheinlichste Erklärung für mein fortgesetztes Interesse am Vaterprojekt zu sein. Rational betrachtet, gab es wichtigere Einsatzmöglichkeiten für meine wissenschaftlichen Fähigkeiten, aber mein Instinkt trieb mich dazu, Rosie bei ihrem dringender erscheinenden Problem zu helfen. Während wir vor Rosies Nachtschicht im *Jimmy Watson's* je ein Glas Muddy Water Pinot Noir tranken, versuchte ich sie zu einer Fortführung des Projekts zu überreden, doch sie argumentierte durchaus vernünftig, dass nun für alle Teilnehmer im Abschlussjahrgang ihrer Mutter die Wahrscheinlichkeit bestand, ihr Vater zu sein. Sie schätzte, es müsse sich um mehr als hundert Studierende gehandelt haben, von denen aufgrund der vor dreißig Jahren noch fester verwurzelten Geschlechterrollen die männlichen sicher in der Überzahl gewesen seien. Der Aufwand, weit über fünfzig Ärzte zu finden und ihnen DNA-Proben zu entlocken – wobei viele von ihnen bestimmt in anderen Städten oder Ländern lebten –, sei unverhältnismäßig. Rosie meinte, *so* wichtig sei es ihr dann auch wieder nicht.

Sie bot an, mich nach Hause zu fahren, doch ich beschloss, zu bleiben und weiterzutrinken.

13

Bevor ich das Vaterprojekt aufgeben würde, beschloss ich, Rosies Schätzung der möglichen Vaterkandidaten zu überprüfen. Mir fiel ein, dass einige Möglichkeiten leicht auszuschließen wären. In den Medizinkursen, in denen ich unterrichte, sind viele ausländische Studenten. Rosies auffallend heller Haut nach zu urteilen, war es unwahrscheinlich, dass ihr Vater Chinese, Vietnamese, Schwarzer oder Inder war.

Anhand der drei Namen, die ich kannte, startete ich eine Basisrecherche im Internet nach dem betreffenden medizinischen Abschlussjahrgang.

Die Ergebnisse übertrafen meine Erwartungen, aber das Lösen von Problemen erfordert häufig auch ein Quäntchen Glück. Ich war nicht überrascht, dass Rosies Mutter ihren Doktor an meiner eigenen Universität gemacht hatte. Zu der Zeit hatte es in Melbourne überhaupt nur zwei medizinische Fakultäten gegeben.

Ich fand zwei relevante Fotos. Das eine war ein formelles Foto des Abschlussjahrgangs mit den Namen der einhundertvierundsechzig Absolventen. Das andere war auf der Feier aufgenommen worden, ebenfalls mit Namen. Dort waren nur einhundertvierundzwanzig Gesichter zu sehen, weil vermutlich nicht alle teilgenommen hatten. Da der Gen-Erwerb auf der Party oder kurz danach stattgefunden hatte, müssten wir uns um die Nichtteilnehmer keine Sorgen machen. Ich stellte sicher, dass die einhundertvierundzwanzig Namen eine Teilmenge der einhundertvierundsechzig waren.

Ich hatte durchaus erwartet, dass meine Suche zu einer Liste von Absolventen und wahrscheinlich einem Foto führen würde. Ein unerwarteter Bonus war ein »Was ist aus ihnen geworden«-Forum. Doch der größte Glücksfall bestand in dem Hinweis, dass zum dreißigsten Jubiläum ein Ehemaligentreffen angesetzt war. Der Termin lag nur drei Wochen entfernt. Wir würden uns schnell etwas überlegen müssen.

Ich aß zu Hause zu Abend und fuhr anschließend mit dem Fahrrad zum *Marquess of Queensbury*. Katastrophe! Rosie arbeitete heute nicht! Der Barkeeper informierte mich, dass Rosie nur an drei Abenden der Woche Dienst hatte, was mir für ein adäquates Einkommen als unzureichend erschien. Vielleicht hatte sie tagsüber noch eine andere Arbeitsstelle. Abgesehen von ihrem Job, dem Wunsch, ihren Vater zu finden, und ihrem Alter, das dem dreißigjährigen Jubiläum der Abschlussfeier zufolge neunundzwanzig sein musste, wusste ich über Rosie sehr wenig. Ich hatte Gene nicht gefragt, woher er sie kannte. Ich wusste noch nicht einmal den Mädchennamen ihrer Mutter, um sie auf dem Foto zu identifizieren.

Der Barkeeper war freundlich, also bestellte ich ein Bier und ein paar Nüsse und ging die Notizen durch, die ich mitgebracht hatte.

Auf dem Foto der Abschlussfeier waren dreiundsechzig Männer zu sehen, womit es nur zwei mehr waren als Frauen, was Rosies Diskriminierungsbehauptung widersprach. Einige davon waren eindeutig keine Weißen, jedoch nicht so viele, wie ich erwartet hatte. Vor dreißig Jahren war der Zustrom chinesischer Studenten noch nicht so groß gewesen wie heute. Die Anzahl der möglichen Kandidaten war zwar immer noch hoch, aber bei der anstehenden Jubiläumsfeier böte sich die

Gelegenheit, eine große Charge von Proben auf einmal zu gewinnen.

Inzwischen hatte ich gefolgert, dass das *Marquess of Queensbury* eine Schwulenbar war. Bei meinem ersten Besuch hatte ich die sozialen Interaktionen nicht wahrgenommen, da ich zu sehr darauf konzentriert gewesen war, Rosie zu finden und das Vaterprojekt zu initiieren, doch diesmal konnte ich die Umgebung detaillierter analysieren. Es erinnerte mich an den Schachclub, dem ich zu Schulzeiten angehört hatte – Menschen, die über ein gemeinsames Interesse zueinanderfinden. Es war der einzige Club gewesen, dem ich je angehört hatte, abgesehen vom Universitätsclub, der jedoch eher in die Kategorie Restaurant fällt.

Ich hatte keine schwulen Freunde, aber das war auf meine allgemein geringe Zahl von Freundschaften zurückzuführen und nicht auf irgendwelche Vorurteile. Vielleicht war Rosie homosexuell? Sie arbeitete in einer Bar für Homosexuelle, in der allerdings alle Kunden männlich waren. Ich fragte den Barkeeper danach. Er lachte.

»Na, bei der wünsch ich viel Glück«, sagte er. Das beantwortete zwar nicht meine Frage, aber er war schon zum nächsten Gast weitergegangen.

Als ich am folgenden Tag mein Essen im Universitätsclub beendet hatte, kam Gene in Begleitung einer Frau herein, die ich von der Singles-Party kannte – Fabienne, die sexhungrige Wissenschaftlerin. Wie es aussah, hatte sie eine Lösung für ihr Problem gefunden. Wir trafen am Eingang aufeinander.

Gene zwinkerte mir zu und sagte: »Don, das ist Fabienne. Sie kommt aus Belgien, und wir werden uns über Möglichkeiten der Zusammenarbeit austauschen.« Er zwinkerte erneut und ging schnell weiter.

Belgien. Ich hatte angenommen, Fabienne stamme aus Frankreich. Belgien erklärte alles, denn Frankreich hatte Gene bereits.

Als Rosie um 21:00 Uhr die Türen des *Marquess of Queensbury* öffnete, stand ich schon draußen und wartete.

»Don.« Sie sah mich überrascht an. »Ist alles in Ordnung?«

»Ich habe ein paar Informationen.«

»Dann aber schnell.«

»Das geht nicht schnell, es gibt viele Details.«

»Tut mir leid, Don, mein Boss ist hier. Ich bekomme Ärger. Ich brauche diesen Job.«

»Wann haben Sie Schluss?«

»Um drei.«

Ich konnte es nicht fassen! Welcher Arbeit gingen Rosies Gäste nach? Vielleicht arbeiteten sie alle in Bars, die um 21:00 Uhr öffneten und hatten vier Abende pro Woche frei – eine unsichtbare nächtliche Subkultur, die Ressourcen nutzte, die anderweitig brachliegen würden! Ich atmete tief durch und traf eine schwere Entscheidung.

»Dann komme ich wieder.«

Ich fuhr nach Hause, ging ins Bett und stellte den Wecker auf 2:30 Uhr. Ich strich das Joggen, das ich morgens mit Gene eingeplant hatte, um eine Stunde wettzumachen. Ich würde auch Karate ausfallen lassen.

Um 2:50 Uhr radelte ich durch die inneren Vororte. Es war keine ganz unangenehme Erfahrung. Tatsächlich konnte ich große Vorteile darin erkennen, wenn auch ich nachts arbeiten würde. Leere Labore. Keine Studenten. Schnelleres Internet. Keine Kontakte mit der Dekanin. Könnte ich eine rein wissenschaftliche Arbeitsstelle finden, ohne Lehrauftrag, wäre das durchaus machbar. Vielleicht könnte ich auch per Videoschaltung an einer Universität in einer anderen Zeitzone Vorlesungen halten.

Um exakt 3:00 Uhr traf ich an Rosies Arbeitsstelle ein. Die Tür war zu, und ein »Geschlossen«-Schild hing davor. Ich klopfte laut. Rosie kam zur Tür.

»Ich bin k.o.«, sagte sie. Das war kaum überraschend. »Kommen Sie rein – ich bin fast fertig.«

Offensichtlich schloss die Bar um 2:30 Uhr, aber Rosie musste danach noch saubermachen.

»Wollen Sie ein Bier?«, fragte sie. Ein Bier! Um drei Uhr morgens! Absurd.

»Ja, bitte.«

Ich setzte mich an die Theke und sah ihr beim Saubermachen zu. Die Frage, die ich mir am vorigen Tag an genau diesem Platz gestellt hatte, fiel mir ein.

»Sind Sie lesbisch?«

»Sind Sie hergekommen, um mich das zu fragen?«

»Nein, die Frage ist unabhängig vom Grund meines Besuchs.«

»Gut zu wissen, um drei Uhr morgens allein in einer Bar mit einem Fremden.«

»Ich bin kein Fremder.«

»Wie man's nimmt«, erwiderte sie und lachte. Ich hatte immer noch keine Antwort auf die Lesbenfrage bekommen. Rosie machte sich ebenfalls ein Bier auf. Ich holte den Aktenordner und zog das Foto der Abschlussfeier heraus.

»Ist das die Feier, auf der Ihre Mutter schwanger wurde?«

»Scheiße. Wo haben Sie das denn her?«

Ich erklärte ihr meine Nachforschungen. »Alle Namen sind aufgelistet. Dreiundsechzig Männer, neunzehn davon Nicht-Weiße, was durch Betrachtung und Namensabgleich festgestellt werden konnte. Drei sind bereits ausgeschlossen.«

»Sie machen Witze. Wir testen doch nicht … einunddreißig Männer!«

»Einundvierzig.«

»Wie auch immer. Ich habe für keinen von ihnen einen Vorwand für ein Treffen.«

Ich erzählte ihr von der Jubiläumsfeier.

»Da besteht allerdings ein kleines Problem«, sagte Rosie. »Wir sind nicht eingeladen.«

»Korrekt«, entgegnete ich. »Das Problem ist klein und bereits gelöst. Es wird Alkohol ausgeschenkt.«

»Und?«

Ich deutete auf die Ansammlung von Flaschen auf den Regalen hinter der Theke. »Ihre Dienste werden benötigt.«

»Sie verarschen mich wohl.«

»Könnten Sie sich dort nicht für den Service bewerben?«

»Moment, Moment … Das wird ja immer verrückter. Sie denken, wir sollen zu der Party gehen und von den Gläsern der Leute Abstriche nehmen? Oh, Mann!«

»Nicht wir. Sie. Ich habe nicht die nötigen Kenntnisse. Aber sonst: korrekt.«

»Vergessen Sie's.«

»Ich dachte, Sie wollen wissen, wer Ihr Vater ist.«

»Das hab ich Ihnen doch gesagt«, erwiderte sie. »*So* sehr nun auch wieder nicht.«

Zwei Tage später erschien Rosie an meiner Wohnung. Es war 20:47 Uhr, und ich reinigte gerade das Badezimmer, da Eva, die kurzberockte Putzfrau, wegen Krankheit abgesagt hatte. In meinem Badezimmerreinigungsoutfit, bestehend aus Shorts, Chirurgenstiefeln und Handschuhen, aber ohne T-Shirt, betätigte ich den Türsummer

»Wow.« Sie starrte mich einen Moment lang an. »Das

kommt vom Kampfsporttraining, oder?« Sie schien sich auf meine Brustmuskulatur zu beziehen. Dann sprang sie plötzlich auf und ab wie ein Kind.

»Wir haben den Auftrag! Ich habe die Agentur ausfindig gemacht und ihnen Dumpingpreise angeboten, und sie haben gesagt: Okay, okay, aber verraten Sie es niemandem. Wenn das vorbei ist, werde ich die Typen bei der Gewerkschaft melden.«

»Ich dachte, Sie wollten das nicht tun.«

»Hab meine Meinung geändert.« Sie reichte mir ein fleckiges Taschenbuch. »Lernen Sie das auswendig. Ich muss arbeiten.« Damit drehte sie sich um und ging.

Ich betrachtete das Buch: *Barmixers Begleiter: Der vollständige Führer zum Mischen und Servieren von Longdrinks, Cocktails und anderen Mixgetränken.* Offensichtlich waren dort die Aufgaben spezifiziert, die ich zu verrichten hätte. Bevor ich das Badezimmer fertigputzte, lernte ich die ersten Rezepte auswendig. Ich ließ mein Aikido-Training ausfallen, um weitere Rezepte zu lernen, und während ich mich zum Schlafengehen bereitmachte, ging mir auf, dass die Dinge tatsächlich immer verrückter wurden. Es war nicht das erste Mal, dass in meinem Leben Chaos ausbrach, und ich hatte eine Vorgehensweise entwickelt, um mit Problemen und den daraus folgenden Störungen meines rationalen Denkens umzugehen. Ich rief Claudia an.

Sie konnte mich am nächsten Tag treffen. Da ich offiziell nicht zu ihren Patienten gehöre, mussten wir unser Gespräch in einem Café führen anstatt in ihrer Praxis. Und ich bin derjenige, dem ständig mangelnde Flexibilität vorgeworfen wird!

Ich umriss die Situation unter Auslassung des Vaterprojekts, da ich die heimliche DNA-Gewinnung nicht offenlegen wollte, die Claudia möglicherweise für unethisch hielte. Stattdessen erzählte ich, Rosie und ich interessierten uns für dieselben Filme.

»Hast du mit Gene darüber gesprochen?«, wollte Claudia wissen.

Ich sagte, Gene habe Rosie als Kandidatin für das Ehefrauprojekt vorgeschlagen und werde mir sicher nur raten, mit ihr Sex zu haben. Ich erklärte, dass Rosie als Partnerin völlig ungeeignet sei, Gene aber vermutlich der Illusion erliege, ich sei in dieser Hinsicht an ihr interessiert. Ich äußerte meine Befürchtung, Rosie könne in unserem gemeinsamen Interesse einen Vorwand meinerseits sehen, dass ich an ihr interessiert sei. Ich hätte einen riesigen gesellschaftlichen Fehler begangen, indem ich sie nach ihrer sexuellen Orientierung fragte, was diesen Eindruck noch verstärkt haben könne.

Allerdings hatte Rosie das Ehefrauprojekt nie erwähnt. Zuerst waren wir vom Jackett-Zwischenfall abgelenkt gewesen, und danach hatte sich alles ganz ungeplant weiterentwickelt. Doch ich sah die Gefahr, irgendwann ihre Gefühle verletzen zu müssen, wenn ich ihr sagte, dass sie bereits nach dem ersten Treffen als mögliche Ehefrau eliminiert worden war.

»Das ist es also, was dir Sorgen macht?«, meinte Claudia. »Dass du ihre Gefühle verletzt?«

»Korrekt.«

»Aber das ist wunderbar, Don!«

»Inkorrekt. Das ist ein großes Problem.«

»Ich meine, dass du dir über ihre Gefühle Gedanken machst. Und du genießt eure gemeinsame Zeit?«

»Sehr sogar«, antwortete ich und erkannte es erst in diesem Moment.

»Und sie? Genießt sie es auch?«

»Vermutlich. Aber sie hat sich für das Ehefrauprojekt beworben.«

»Mach dir da mal keine Sorgen«, entgegnete Claudia. »Sie klingt ganz schön robust. Hab einfach nur Spaß.«

Am nächsten Tag passierte etwas Seltsames. Zum ersten Mal überhaupt bat mich Gene, in sein Büro zu kommen. Sonst war ich immer derjenige, der unsere Gespräche und Treffen initiierte, doch infolge des Vaterprojekts hatte es eine längere Pause gegeben.

Genes Büro ist größer als meines, was an seinem höheren Status liegt und nicht etwa an seinem Bedürfnis nach mehr Platz. Die Schöne Helena ließ mich ein, da Gene bei einem anderen Termin offenbar noch aufgehalten wurde. Ich nahm die Gelegenheit wahr, seine Weltkarte nach bunten Stecknadelköpfen in Indien und Belgien abzusuchen. Ich war ziemlich sicher, dass die indische Stecknadel schon vorhanden gewesen war, aber möglicherweise war Olivia gar keine Inderin. Sie hatte gesagt, sie sei Hindu, also konnte sie auch aus Bali oder Fidschi oder irgendeinem anderen Land mit hinduistischer Bevölkerung stammen. Gene ging von Nationalitäten aus und nicht von ethnischen Bevölkerungsgruppen, so wie Reisende die Länder zählen, die sie besucht haben. Wie vorauszusehen, war Nordkorea weiterhin ohne Markierung.

Gene kam und wies die Schöne Helena an, uns Kaffee zu holen. Wir setzten uns wie zu einer Konferenz an seinen Tisch.

»Also«, begann Gene, »du hast mit Claudia gesprochen.« Darin bestand einer der Nachteile, dass ich kein offizieller Klient von Claudia war: Ich stand nicht unter dem Schutz der Vertraulichkeit. »Dem habe ich entnommen, dass du Rosie getroffen hast. Wie vom Experten vorausgesagt.«

»Ja«, antwortete ich, »aber nicht in Bezug auf das Ehefrauprojekt.« Gene ist mein bester Freund, doch auch ihm gegenüber hatte ich Bedenken, Informationen über das Vaterprojekt preiszugeben. Zum Glück ging er nicht weiter darauf ein, weil er wohl dachte, ich hätte Rosie gegenüber sexuelle Intentionen. Tatsächlich war ich überrascht, dass er das Thema nicht augenblicklich ansprach.

»Was weißt du über Rosie?«, fragte er.

»Nicht sehr viel«, antwortete ich wahrheitsgemäß. »Wir haben uns kaum persönlich unterhalten. Unsere Gespräche bezogen sich auf externe Angelegenheiten.«

»Verschon mich«, sagte Gene. »Du weißt aber, was sie tut … wo sie ihre Zeit verbringt, oder?«

»Sie ist eine Barfrau.«

»Okay«, meinte Gene. »Und das ist alles, was du weißt?«

»Sie mag ihren Vater nicht besonders.«

Aus unerfindlichem Grund lachte Gene. »Da ist er bestimmt kein Robinson Crusoe.« Das erschien mir als eine absurde Aussage bezüglich Rosies Vaterschaft, bis mir einfiel, dass der Hinweis auf den fiktiven Schiffbrüchigen hier als Metapher für »nicht allein« oder in diesem Kontext für »nicht allein darin, dass er von Rosie nicht gemocht wird« stehen könnte. Gene musste meinen verstörten Gesichtsausdruck bemerkt haben, während ich darüber nachdachte, und führte aus: »Die Liste der Männer, die Rosie mag, ist nicht gerade lang.«

»Ist sie lesbisch?«

»Könnte sein«, meinte Gene. »Denk doch nur, wie sie sich anzieht!«

Genes Kommentar bezog sich wohl auf die Art von Kleidung, die sie getragen hatte, als sie das erste Mal in mein Büro gekommen war. Aber für ihre Arbeit in der Bar kleidete sie sich konventionell, und bei unseren DNA-Jagden hatte sie unauffällige Jeans und Oberteile getragen. Am Abend des Jackett-Zwischenfalls war sie unkonventionell, aber extrem attraktiv gekleidet gewesen.

Vielleicht hatte sie in der Umgebung, in der Gene sie kennengelernt hatte, keine Paarungssignale aussenden wollen – in einer Bar oder einem Restaurant. Frauenkleidung ist häufig dazu angetan, die sexuelle Attraktivität der Trägerin zu erhöhen, um einen Partner zu finden. Wenn Rosie nicht nach einem Partner suchte, schien es mir vollkommen vernünftig, dass sie sich anders kleidete. Es gab viele Dinge, die ich Gene gern über Rosie gefragt hätte, doch ich ahnte, dass solche Fragen ein Interesse implizieren könnten, das Gene falsch auslegen würde. Eine kritische Frage gab es aber.

»Warum wollte sie am Ehefrauprojekt teilnehmen?«

Gene zögerte einen Moment. »Wer weiß?«, sagte er dann. »Ich glaube nicht, dass sie ein gänzlich hoffnungsloser Fall ist, aber erwarte einfach nicht zu viel. Sie hat viele Probleme. Vergiss dein übriges Leben nicht.«

Genes Ratschlag war überraschend scharfsinnig. Wusste er, wie viel Zeit ich mit dem Cocktailbuch verbrachte?

14

Mein Name ist Don Tillman, und ich bin Alkoholiker. Ich formulierte die Worte in meinem Kopf, sprach sie aber nicht laut aus – nicht, weil ich zu betrunken war (und das war ich), sondern weil mir schien, dass sie wahr würden, wenn ich sie sagte, und ich dann keine andere Wahl hätte, als den vernünftigen Weg einzuschlagen, der darin bestände, für immer mit dem Trinken aufzuhören.

Meine Alkoholisierung war eine Folge des Vaterprojekts, vor allem der Notwendigkeit, Kompetenz als Getränkekellner zu erwerben. Ich hatte, wie in dem Handbuch für Barmixer empfohlen, einen Cocktail-Shaker, Zesteur, Gläser, Oliven, Zitronen und reichlich Spirituosen gekauft, um die mechanische Komponente der Zubereitung zu üben. Das Ganze war überraschend komplex, und ich bin kein von Natur aus fingerfertiger Mensch. Tatsächlich bin ich mit Ausnahme von Klettern, was ich seit meiner Studienzeit nicht mehr gemacht habe, sowie Kampfsport bei den meisten Sportarten schwerfällig und inkompetent. Mein Geschick in Karate und Aikido ist das Ergebnis beträchtlichen Trainings über einen sehr langen Zeitraum.

Zunächst übte ich Genauigkeit, dann Geschwindigkeit. Um 23:07 Uhr war ich erschöpft und entschied, es wäre jetzt interessant, die Cocktails auf ihre Qualität hin zu prüfen. Ich mixte einen klassischen Martini, einen Wodka-Martini, eine Margarita und einen Cocksucking Cowboy – Cocktails, die laut Buch zu den beliebtesten gehörten. Alle waren exzellent und schmeckten sehr viel unterschiedlicher als verschiedene Eiscremesorten. Für die Margarita hatte ich mehr Limonensaft gepresst als nötig, und so mixte ich eine zweite, um ihn nicht zu vergeuden.

Wissenschaftliche Studien belegen immer wieder, dass die gesundheitlichen Risiken die Vorteile des Alkoholtrinkens überwiegen. Ich halte dagegen, dass die Vorteile für meine *mentale* Gesundheit die Risiken durchaus rechtfertigen. Alkohol scheint mich zu beruhigen und gleichzeitig zu euphorisieren – eine paradoxe, aber angenehme Kombination. Und er reduziert mein Unbehagen in gesellschaftlichen Situationen.

Normalerweise steuere ich meinen Konsum mit Bedacht und plane jede Woche zwei Tage Abstinenz ein, wobei das Vaterprojekt dazu geführt hatte, dass diese Regel einige Male gebrochen worden war. Die Menge meines Alkoholkonsums weist mich noch nicht als Alkoholiker aus. Allerdings vermute ich, meine starke Abneigung gegen das Aufhören könnte das tun.

Das Massen-DNA-Sammlungs-Unterprojekt ging zufriedenstellend voran, indem ich mich mit der erforderlichen Geschwindigkeit durch das Cocktailbuch arbeitete. Im Gegensatz zur allgemein verbreiteten Meinung zerstört Alkohol keine Gehirnzellen.

Als ich mich zum Schlafengehen fertigmachte, spürte ich ein starkes Bedürfnis, Rosie anzurufen, um ihr von meinen Fortschritten zu berichten. Rational betrachtet, war das überhaupt nicht nötig, denn es ist verschwendete Energie, zu berichten, ein Projekt verlaufe nach Plan, was ja der normalen Grundannahme entspricht. Die Vernunft siegte. Gerade noch.

Achtundzwanzig Minuten vor der Jubiläumsfeier trafen Rosie und ich uns zum Kaffee. Meinem erstklassigen akademischen Abschluss und Doktortitel konnte ich nun das gesetzlich vorgeschriebene »Zertifikat zum verantwortlichen Ausschank alkoholischer Getränke« hinzufügen. Die Prüfung per Internet war nicht schwer gewesen.

Rosie trug bereits ihre Bedienungskluft und hatte für mich ein männliches Äquivalent dabei.

»Ich habe das schon früh organisiert und gewaschen«, sagte sie. »Ich wollte keine Karatevorführung riskieren.«

Offenbar spielte sie auf den Jackett-Zwischenfall an, obwohl die angewandte Kampfsportart Aikido gewesen war.

Für die DNA-Proben hatte ich alles gut vorbereitet – Reißverschlussbeutel, Stofftüchlein und selbstklebende Etiketten mit den bereits aufgedruckten Namen der Jahrgangsabsolventen. Rosie bestand darauf, dass wir von denen, die damals nicht auf der Feier gewesen waren, keine Proben brauchten, also strich ich ihre Namen durch. Sie schien überrascht, dass ich ihre Namen auswendig wusste, aber ich hatte mir vorgenommen, keine Fehler aus Mangel an Wissen zu begehen.

Die Jubiläumsfeier wurde in einem Golfclub abgehalten, was mir seltsam erschien, aber ich entdeckte, dass die Räumlichkeiten eher für Essen und Trinken gedacht waren als fürs Golfspielen. Ich entdeckte ebenfalls, dass wir weit überqualifiziert waren. Es gab normales Thekenpersonal, das für die Zubereitung der Getränke zuständig war. Unsere Aufgabe bestand lediglich darin, Bestellungen aufzunehmen, Getränke zu servieren und, das Wichtigste, die leeren Gläser einzusammeln. Die Stunden, die ich mit dem Training meiner Fertigkeiten als Barmixer zugebracht hatte, waren anscheinend vergeudet gewesen.

Nach und nach trafen die Gäste ein, und ich erhielt ein Tablett mit Getränken, die ich verteilen sollte. Sofort erkannte ich ein Problem. Keine Namensschilder! Wie sollten wir die DNA-Spender identifizieren? Ich machte Rosie ausfindig, die das Problem ebenfalls erfasst, aufgrund ihrer Erfahrung in gesellschaftlichen Situationen aber schon eine Lösung parat hatte.

»Sagen Sie einfach ›Hallo, ich bin Don und heute Abend für Sie zuständig, Doktor …‹« Sie demonstrierte, wie man den Eindruck vermittelte, der Satz sei nicht vollständig, um dadurch das Gegenüber zu verleiten, seinen Namen zu nennen. Erstaunlicherweise funktionierte es in 72,5 Prozent aller Fälle. Ich erkannte, dass ich bei den Frauen ebenso verfahren musste, um nicht als sexistisch zu gelten.

Eamonn Hughes und Peter Enticott, die bereits ausgeschiedenen Kandidaten, trafen ein. Als Freund der Familie musste Eamonn von Rosies Beruf gewusst haben, und sie erklärte ihm, ich würde hin und wieder abends arbeiten, um mein Akademikereinkommen aufzubessern. Peter Enticott erzählte sie, sie arbeite Teilzeit als Bedienung, um ihr Doktorstudium zu finanzieren. Vielleicht nahmen beide an, wir hätten uns beim Kellnern kennengelernt.

Tatsächlich erwies sich das heimliche Abwischen der Gläser für Abstriche als das größte Problem. Von jedem Tablett leerer Gläser, das ich zur Theke brachte, konnte ich höchstens eine Probe nehmen. Rosie hatte sogar noch mehr Schwierigkeiten.

»Ich kann mir nicht alle Namen merken«, klagte sie, als wir jeder mit einem Getränketablett in der Hand aneinander vorbeigingen. Es wurde immer voller im Saal, und sie wirkte emotional belastet. Manchmal vergesse ich, dass viele Menschen mit den Grundtechniken zum Einprägen von Daten nicht vertraut sind. Der Erfolg des Unterprojekts lag wohl allein in meinen Händen.

»Es wird genug Gelegenheiten geben, wenn sie erst einmal sitzen«, erwiderte ich. »Es besteht kein Grund zur Sorge.«

Ich begutachtete die für das Essen gedeckten Tische: pro Tisch zehn Plätze und zwei mit elf Plätzen, und berechnete die Anzahl der Teilnehmenden auf zweiundneunzig, allerdings inklusive Frauen. Ehe- oder Lebenspartner waren nicht eingeladen worden. Es bestand das minimale Risiko, dass Rosies Vater ein Transsexueller war, und ich nahm mir vor, die Frauen auf Anzeichen von Maskulinität hin zu überprüfen und alle zu testen, die mir dahingehend verdächtig erschienen. Insgesamt jedoch waren die Zahlen vielversprechend.

Als die Gäste Platz nahmen, änderte sich der Serviermodus vom Angebot einer begrenzten Getränkeauswahl zur Entgegennahme von Bestellungen. Dieses Arrangement war ungewöhnlich. Normalerweise hätten wir einfach Flaschen mit Wein, Bier und Wasser zu den Tischen gebracht, aber da dies eine gehobene Veranstaltung war, nahm der Club Bestellungen entgegen, und wir waren angehalten worden, »das Beste vom Besten« anzubieten, wohl, um den Profit des Clubs zu steigern. Ich kalkulierte, dass, wenn ich hier erfolgreich wäre, mir mögliche andere Fehler vielleicht vergeben würden.

Ich ging zu einem Tisch mit elf Personen. Sieben der Gäste hatte ich mich bereits vorgestellt und im Gegenzug sechs Namen erhalten.

Ich begann bei einer Frau, deren Namen ich schon kannte.

»Seid gegrüßt, Dr. Collie. Was kann ich Ihnen zu trinken bringen?«

Sie sah mich seltsam an, und einen Moment lang dachte ich, ich hätte bei der Wort-Assoziations-Methode einen Fehler begangen und ihr Name sei vielleicht Dobermann oder Pudel. Aber sie korrigierte mich nicht.

»Nur einen Weißwein, danke.«

»Ich empfehle eine Margarita. Der beliebteste Cocktail der Welt.«

»Sie servieren auch Cocktails?«

»Korrekt.«

»In diesem Fall«, sagte sie, »hätte ich gern einen Martini.«

»Standard?«

»Ja, danke.« Das war leicht.

Ich wandte mich an den noch nicht identifizierten Mann neben ihr und versuchte Rosies Namenshervorlockungstrick. »Seid gegrüßt, ich heiße Don und bin heute Abend für Sie zuständig, Dr. …«

»Sie servieren Cocktails, sagten Sie?«

»Korrekt.«

»Haben Sie einen Rob Roy?«

»Natürlich.«

»Tja, dann bringen Sie mir doch einen.«

»Sweet, dry oder perfect?«

Einer der Männer gegenüber lachte. »Hau rein, Brian.«

»Perfect«, sagte der Mann, den ich nun als Dr. Brian Joyce identifizierte. Es gab zwei Brians, doch den anderen hatte ich bereits begrüßt.

Dr. Walsh (weiblich, keine Anzeichen von Transsexualität) bestellte eine Margarita.

»Standard, Premium, Erdbeer, Mango, Melone oder Salbei-Ananas?«, erkundigte ich mich.

»Salbei-Ananas? Warum nicht?«

Mein nächster Gast war der einzige noch nicht identifizierte Mann, der auf Brians Bestellung hin gelacht hatte. Er hatte schon vorher nicht auf den Namenshervorlockungstrick reagiert, und ich entschied, ihn nicht zu wiederholen.

»Was hätten Sie gern?«, fragte ich ihn.

»Ich nehme einen doppelt gestockten kurdistanischen

Sailmaker mit linksdrehender Zitronenschale«, sagte er. »Geschüttelt, nicht gerührt.«

Dieses Getränk war mir unbekannt, doch ich nahm an, die Profis hinter der Bar würden es kennen.

»Ihr Name, bitte?«

»Entschuldigung?«

»Ich brauche Ihren Namen. Damit es keine Verwechslungen gibt.«

Es herrschte Schweigen. Dr. Jenny Broadhurst neben ihm sagte: »Er heißt Rod.«

»Dr. Roderick Broadhurst, korrekt?«, erwiderte ich zur Bestätigung. Die Regel, keine Partner mitzubringen, galt natürlich nicht für Ärzte, die mit jemandem aus dem eigenen Abschlussjahrgang zusammen waren. Sieben solcher Paare waren anwesend, und es war davon auszugehen, dass Jenny neben ihrem Ehepartner saß.

»Was …«, begann Rod, aber Jenny schnitt ihm das Wort ab.

»Sehr korrekt. Ich bin Jenny, und ich nehme auch eine Salbei-Ananas-Margarita, bitte.« Sie drehte sich zu Rod. »Willst du hier das Arschloch spielen? Was soll das mit dem Sailmaker? Leg dich mit jemandem an, dessen Satz an Synapsen deinem eigenen entspricht.«

Rod sah erst sie an, dann mich. »Tut mir leid, Kumpel, ich hab Sie nur verarscht. Ich bekomme einen Martini. Standard.«

Die restlichen Namen und Bestellungen konnte ich ohne weitere Schwierigkeiten aufnehmen. Mir war klar, dass Jenny ihrem Mann diskret hatte mitteilen wollen, dass ich unintelligent sei, vermutlich wegen meiner Rolle als Kellner. Sie hatte einen geschickten sozialen Trick benutzt, den ich mir für die Zukunft merkte, doch war ihr ein faktischer Fehler unterlaufen, den Rod nicht korrigiert hatte. Vielleicht würden er oder sie aufgrund dieses Missverständnisses eines

Tages einen medizinischen oder wissenschaftlichen Fehler begehen.

Bevor ich zur Bar zurückkehrte, meldete ich mich also noch einmal zu Wort.

»Es besteht bei Primaten kein wissenschaftlich nachgewiesener Zusammenhang zwischen Zahl der Synapsen und Intelligenz. Ich empfehle den Artikel von Williams und Herrup im *Annual Review of Neuroscience.*« Ich hoffte, sie könnten daraus etwas lernen.

An der Bar führten die Cocktailbestellungen zu einiger Verwirrung. Nur eine der drei Bediensteten am Ausschank wusste, wie man einen Rob Roy zubereitete, und dann auch nur den konventionellen. Ich erklärte ihr die »Perfect«-Variante. Dann gab es ein Problem mit den Zutaten für die Salbei-Ananas-Margarita. Sie hatten Ananas (aus der Dose – im Buch stand zwar »wenn möglich, frisch«, doch ich entschied, es wäre akzeptabel), aber keinen Salbei. Ich ging in die Küche, wo man mir noch nicht einmal *getrockneten* Salbei anbieten konnte. Offensichtlich war dies keine wie im Handbuch für Barmixer beschriebene »gut ausgestattete und für jedes Ereignis gerüstete Bar«. Das Küchenpersonal war zudem schwer beschäftigt, aber wir einigten uns auf Korianderblätter, und ich machte schnell eine Bestandsaufnahme der Bar, um weitere Probleme dieser Art zu vermeiden.

Rosie nahm ebenfalls Getränkebestellungen entgegen. Wir hatten noch nicht die Phase erreicht, in der wir Gläser einsammeln konnten, und einige Leute schienen ausgesprochen langsam zu trinken. Mir fiel ein, dass unsere Chancen mit zunehmendem Getränkeumsatz steigen würden. Leider durfte ich nicht zum schnelleren Konsumieren von Getränken ermuntern, da dies meine Pflichten als Inhaber des »Zertifikats zum verantwortlichen Ausschank alkoholischer Getränke« verletzt hätte. Ich beschloss, einen Mittelweg zu fahren, indem ich die Gäste hin und wieder an die Verfügbarkeit einiger köstlicher Cocktails erinnerte.

Während ich Bestellungen aufnahm, bemerkte ich einen Wandel in der Dynamik des gesellschaftlichen Netzwerks, was auch an Rosies Gesicht abzulesen war, als sie an mir vorbeiging.

»Tisch fünf will mir seine Bestellungen nicht geben. Sie warten lieber auf Sie.« Wie es aussah, wollte fast jeder Gast lieber einen Cocktail als Wein, und die Besitzer des Clubs wären mit den Umsatzergebnissen sicher zufrieden. Leider war die Anzahl der Bediensteten offenbar daran bemessen worden, dass die meisten Gäste Bier oder Wein bestellen würden, so dass man hinter der Bar Schwierigkeiten hatte mitzuhalten. Die Kenntnisse im Cocktailmixen waren überraschend gering, und bald musste ich zusammen mit den Bestellungen auch die Rezepte diktieren.

Die Lösung beider Probleme war einfach. Rosie ging zur Unterstützung hinter die Theke, und ich nahm alle Bestellungen allein entgegen. Ein gutes Gedächtnis war von großem Vorteil, da ich nichts aufschreiben musste und nicht auf das Aufnehmen nur eines Tisches beschränkt war. Ich nahm Bestellungen für den ganzen Saal entgegen und lieferte sie in regelmäßigen Abständen an der Theke ab. Wenn Leute »Zeit zum Nachdenken« brauchten, wechselte ich einfach den Tisch und kehrte später zurück, anstatt zu warten. Tatsächlich ging ich nicht, sondern rannte, und ich erhöhte meine Sprechgeschwindigkeit auf das verstehbare Maximum. Dieses Vorgehen war äußerst effizient und schien bei den Gästen gut anzukommen, die gelegentlich sogar applaudierten, wenn ich in der Lage war, ein Getränk bestimmten Bedürfnissen gemäß zu empfehlen oder alle Bestellungen eines Tisches laut zu rekapitulieren, wenn Sorge bestand, ich hätte nicht alles mitbekommen.

Mittlerweile hatten manche Gäste auch ausgetrunken, und zwischen Essbereich und Bar konnte ich meist von bis zu drei der Gläser Proben nehmen. Die übrigen ließ ich an der Theke auf dem Tablett stehen und informierte Rosie über die Namen der zugehörigen Gäste.

Sie wirkte ein wenig gestresst. Ich dagegen amüsierte mich prächtig. Ich besaß die Geistesgegenwart, vor dem Servieren der Desserts den Bestand an Sahne zu überprüfen. Die Menge war vermutlich unzureichend für die Anzahl der Cocktails, die ich zur Ergänzung der Mango-Mousse und des karamellgetränkten Dattelkuchens verkaufen wollte. Rosie eilte in die Küche, um mehr zu holen. Als ich an die Bar zurückkehrte, rief mir einer der Mixer zu: »Ich hab den Boss am Telefon, er bringt mehr Sahne. Brauchen Sie sonst noch etwas?« Ich musterte die Regale und überschlug anhand der »zehn beliebtesten Dessertcocktails« die Mengen.

»Brandy, Galliano, Crème de Menthe, Cointreau, Advocaat, brauner Rum, weißer Rum.«

»Langsam, langsam«, mahnte er.

Doch ich konnte nicht mehr langsam. Ich war, wie man so schön sagt, richtig in Fahrt.

15

Der Boss, ein Mann mittleren Alters (geschätzter BMI: siebenundzwanzig), kam mit den angeforderten Zutaten pünktlich zur Nachspeise und reorganisierte die Thekenabläufe. Das Bedienen zum Dessert machte riesigen Spaß, obwohl die Bestellungen über den Geräuschpegel hinweg schwer zu verstehen waren. Ich verkaufte vorrangig Cocktails auf Sahnebasis, die die meisten Gäste nicht kannten, aber begeistert bestellten.

Während die Speisenkellner die Dessertteller abräumten, kalkulierte ich grob unsere Ausbeute. Vieles hing von Rosie ab, aber ich schätzte, wir besaßen Proben von mindestens fünfundachtzig Prozent der männlichen Gäste. Das war gut, entsprach jedoch nicht einer optimalen Nutzung der Gelegenheit. Nachdem ich mittlerweile die Namen aller Gäste kannte, folgerte ich, dass nur zwölf der in Frage kommenden männlichen Weißen nicht zur Feier erschienen waren. Zu diesen zwölf zählte auch der verstorbene Alan McPhee, der aber mittels der Haaranalyse seiner Tochter bereits ausgeschlossen war.

Ich ging zur Bar, und Dr. Ralph Browning folgte mir. »Könnte ich noch einen Cadillac bekommen? Das war der beste Drink, den ich je getrunken habe.«

Das Thekenpersonal packte bereits zusammen, aber der Boss bat Rosie: »Mixen Sie dem Mann einen Cadillac.«

Jenny und Rod Broadhurst stellten sich ebenfalls zu uns an die Theke. »Machen Sie drei daraus«, sagte Rod.

Die anderen Bediensteten umringten den Besitzer, und es gab eine kurze Diskussion.

»Die Damen müssen leider gehen«, sagte der Boss und zuckte mit den Schultern. Er wandte sich an Rosie: »Doppelter Stundenlohn?«

Währenddessen hatten die anderen Gäste schon eine Traube um die Bar gebildet und hoben die Hand, um Bestellungen aufzugeben.

Rosie servierte Dr. Browning einen Cadillac und drehte sich zum Boss. »Tut mir leid, aber ich brauche wenigstens zwei Helfer. Bei hundert Leuten kann ich die Bar nicht allein bewältigen.«

»Ich und er«, sagte der Boss und deutete auf mich.

Endlich bekam ich die Chance, meine Kenntnisse im Cocktailmixen einzusetzen. Rosie hob die Thekenklappe an und ließ mich durchgehen.

Dr. Miranda Bell winkte. »Dasselbe noch mal, bitte.«

Über den Lärm hinweg rief ich Rosie zu: »Miranda Bell. Alabama Slammer. Je ein Teil Schlehenlikör, Whisky, Galliano, Triple Sec, Orangensaft, garniert mit Orangenscheibe und Kirsche.«

»Triple Sec ist aus«, rief Rosie zurück.

»Ersetzen Sie's mit Cointreau und reduzieren die Menge um zwanzig Prozent.«

Dr. Lucas leerte sein Glas und hob einen Finger. Noch einen.

»Gerry Lucas. Leeres Glas«, rief ich laut.

Rosie nahm das Glas. Ich hoffte, sie würde merken, dass wir von diesem Mann noch keine Probe hatten.

»Noch einmal einen Anal Probe für Dr. Lucas.«

»Verstanden«, kam es aus der Küche. Exzellent! Sie hatte daran gedacht, einen Abstrich zu nehmen.

Dr. Martin van Krieger rief uns zu: »Gibt es einen Cocktail mit Galliano und Tequila?«

Die Menge verstummte. Diese Art von Frage war während des Essens häufig gestellt worden, und die Gäste schienen jedes Mal von meiner Antwort beeindruckt gewesen zu sein. Ich dachte eine Weile nach.

Martin rief: »Ist nicht so schlimm, wenn nicht.«

»Ich sortiere gerade meine interne Datenbank neu«, erklärte ich die Verzögerung. Es dauerte noch einen Moment. »Mexican Gold oder Freddy Fudpucker.« Die Menge applaudierte.

»Jeweils einen«, sagte er.

Rosie wusste, wie man einen Freddy Fudpucker mixte, und ich gab dem Boss das Rezept für den Mexican Gold.

Auf diese Weise machten wir weiter und ernteten großen Erfolg. Ich beschloss, die Gelegenheit zu nutzen und Proben von allen anwesenden männlichen Ärzten zu nehmen, einschließlich derer, die ich aufgrund ihrer inkompatiblen ethnischen Erscheinung aussortiert hatte. Um 1:22 Uhr war ich sicher, alle Männer bis auf einen getestet zu haben. Es wurde Zeit, die Initiative zu ergreifen.

»Dr. Anwar Khan, bitte vortreten.« Das war ein Ausdruck, den ich im Fernsehen gehört hatte, und ich hoffte, er vermittelte die nötige Autorität.

Dr. Khan hatte die ganze Zeit aus seinem Wasserglas getrunken und brachte es zur Theke mit. »Sie haben den ganzen Abend kein Getränk bestellt«, sagte ich.

»Ist das ein Problem? Ich trinke keinen Alkohol.«

»Sehr weise«, erwiderte ich, auch wenn ich selbst mit einer offenen Flasche Bier ein schlechtes Beispiel abgab. »Ich empfehle eine Virgin Colada oder eine Virgin Mary oder eine Virgin …«

In diesem Moment legte Dr. Eva Gold ihren Arm um

Dr. Khan. Sie war ganz offensichtlich alkoholisiert. »Sei locker, Anwar.«

Dr. Khan sah erst zu ihr, dann in die Runde, in der meiner Einschätzung nach alle Personen Anzeichen starker Alkoholisierung zeigten.

»Was soll's, zum Teufel«, sagte er. »Geben Sie mir die Jungfrauen.«

Er stellte sein leeres Glas auf die Theke.

Ich blieb sehr lange im Golfclub. Die letzten Gäste gingen um 2:32 Uhr, zwei Stunden und zwei Minuten nach dem festgesetzten Veranstaltungsende. Rosie, der Boss und ich hatten bis dahin noch einhundertdreiundvierzig Cocktails gemixt und die beiden außerdem einige Flaschen Bier verkauft, die ich mir jedoch nicht weiter gemerkt hatte.

»Ihr könnt jetzt gehen«, sagte der Boss. »Den Rest räumen wir am Morgen auf.« Er streckte mir seine Hand entgegen, und ich schüttelte sie, wie es Brauch war, auch wenn es mir für eine Vorstellung ziemlich spät schien. »Amghad«, sagte er. »Gute Arbeit, Leute.«

Rosie gab er nicht die Hand, aber er sah sie an und lächelte. Mir fiel auf, dass sie müde wirkte. Ich hatte immer noch viel Energie.

»Haben Sie noch Zeit für einen Drink?«, fragte Amghad.

»Ausgezeichnete Idee.«

»Ihr macht wohl Witze«, meinte Rosie. »Ich gehe. Die Sachen sind in Ihrer Tasche, Don. Soll ich Sie nicht mitnehmen?«

Ich hatte mein Fahrrad dabei und über den Abend verteilt nur drei Flaschen Bier getrunken. Mein geschätzter Alkoholpegel lag weit unter dem gesetzlich erlaubten Maximum, selbst wenn ich jetzt noch ein Getränk mit Amghad nähme. Rosie verabschiedete sich.

»Wonach steht Ihnen der Sinn?«

»Bitte?«

»Was wollen Sie trinken?«

Natürlich. Aber warum, warum, warum können die Leute nicht einfach sagen, was sie meinen?

»Bier, bitte.«

Amghad öffnete zwei Flaschen Ale, und wir stießen an.

»Wie lange machen Sie das schon?«, wollte er wissen.

Obwohl für das Vaterprojekt einige Unaufrichtigkeiten nötig gewesen waren, fühlte ich mich damit nicht wohl.

»Das war heute mein erster Abend auf diesem Gebiet«, antwortete ich wahrheitsgemäß. »Habe ich Fehler gemacht?«

Amghad lachte. »Ein echter Witzbold. Hören Sie«, meinte er dann, »dieses Lokal ist okay, aber es gibt meist nur Steak und Bier und mittelklassigen Wein. Heute war eine Ausnahme, und das vor allem Ihretwegen.« Er trank einen Schluck Bier und sah mich eine Weile schweigend an. »Ich habe mir überlegt, in der Innenstadt was aufzumachen – eine kleine Cocktailbar mit einem gewissen Flair … New-York-Feeling … aber mit etwas Besonderem hinter der Bar, wenn Sie wissen, was ich meine. Falls Sie also interessiert sind …«

Er bot mir einen Job an! Gemessen an meiner limitierten Erfahrung, war das sehr schmeichelhaft, und mein spontaner irrationaler Gedanke war, dass ich wünschte, Rosie wäre noch da, um es mitzubekommen.

»Vielen Dank, aber ich habe schon einen Job.«

»Ich spreche nicht von einem Job. Ich spreche von einer geschäftlichen Beteiligung.«

»Nein, danke«, wiederholte ich. »Es tut mir leid. Aber ich denke, Sie würden mich dafür doch noch ungeeignet finden.«

»Vielleicht, aber eigentlich habe ich ein gutes Gespür für

Menschen. Rufen Sie mich an, wenn Sie es sich anders überlegen. Ich habe keine Eile.«

Der folgende Tag war Sonntag.

Rosie und ich verabredeten uns für 15:00 Uhr am Labor. Erwartungsgemäß kam sie zu spät, und ich hatte bereits mit der Arbeit begonnen. Ich vergewisserte mich, dass wir Proben von allen männlichen Gästen der Jubiläumsfeier gesammelt hatten, was bedeutete, dass wir gleich alle außer elf getestet haben würden.

Rosie trug eine enge blaue Jeans und ein weißes T-Shirt und ging sofort zum Kühlschrank. »Kein Bier, ehe nicht alle Proben getestet sind«, sagte ich.

Die Arbeit dauerte eine ganze Weile, und ich brauchte zusätzliche Chemikalien aus dem Hauptlabor.

Um 19:06 Uhr fuhr Rosie los, um Pizza zu holen – eine ungesunde Wahl, aber ich hatte am Vorabend kein Abendessen zu mir genommen und schätzte, dass mein Körper die extra Kalorien verarbeiten könnte. Als sie zurückkam, analysierte ich gerade die viertletzte Probe. Während wir die Pizzakartons öffneten, klingelte mein Handy. Ich wusste sofort, wer dran war.

»Du bist zu Hause nicht drangegangen«, sagte meine Mutter, »ich habe mir Sorgen gemacht.« Das war eine nachvollziehbare Reaktion, da ihr sonntäglicher Anruf fest zu meinem Wochenplan gehört. »Wo bist du?«

»Bei der Arbeit.«

»Geht es dir gut?«

»Ja.«

Es war mir peinlich, dass Rosie einem privaten Gespräch lauschte, und ich antwortete so knapp wie möglich, um es schnell zu beenden. Rosie begann zu lachen – zum Glück nicht so laut, dass meine Mutter es hören konnte – und Grimassen zu schneiden.

»Ihre Mutter?«, fragte sie, als ich schließlich auflegte.

»Korrekt. Wie haben Sie das erraten?«

»Sie haben sich angehört wie der typische Sechzehnjährige, der mit seiner Mutter telefoniert, während seine ...« Sie hielt inne. Mein Verdruss war wohl offensichtlich. »Oder wie ich, wenn ich mit Phil spreche.«

Es war interessant, dass auch Rosie Gespräche mit einem Elternteil schwierig fand. Meine Mutter ist ein guter Mensch, aber sehr begierig darauf, persönliche Informationen mitzuteilen. Rosie nahm sich ein Stück Pizza und betrachtete den Computerbildschirm.

»Ich schätze, es gibt nichts Neues.«

»Es gibt viel Neues. Fünf weitere Kandidaten sind eliminiert, vier haben wir noch. Einschließlich dieser hier.« Das Ergebnis war erschienen, während ich telefoniert hatte: »Anwar Khan: streichen.«

Rosie brachte die Liste auf den neuesten Stand. »Allah sei gepriesen.«

»Die komplizierteste Getränkebestellung der Welt«, erinnerte ich sie. Dr. Khan hatte fünf verschiedene Cocktails bestellt, um seine vorherige Abstinenz zu kompensieren. Am Ende war er Arm in Arm mit Dr. Gold gegangen.

»O ja, und ich hab mich auch noch vertan und Rum in seine Virgin Colada gemixt.«

»Sie haben ihm Alkohol gegeben?« Das war mit Sicherheit eine Verletzung seiner persönlichen oder religiösen Regeln.

»Vielleicht entgehen ihm jetzt seine zweiundsiebzig Jungfrauen.«

Diese religiöse Theorie war mir vertraut. Wie mit der Dekanin vereinbart, ist meine offizielle Haltung gegenüber nichtwissenschaftlichen Überzeugungen die, dass ich sie alle als gleichwertig ansehe. Diese jedoch fand ich seltsam.

»Es erscheint mir irrational«, sagte ich, »dass man Jungfrauen will. Eine Frau mit sexuellen Erfahrungen ist einer Anfängerin doch sicher vorzuziehen.«

Rosie lachte und öffnete zwei Bierflaschen. Dann starrte sie mich auf eine Weise an, in der ich andere nicht ansehen darf. »Erstaunlich. Sie. Sie sind der erstaunlichste Mensch, den ich je kennengelernt habe. Ich weiß nicht, warum Sie das alles tun, aber danke.« Sie klickte ihre Flasche gegen meine und trank.

Die Anerkennung tat gut, aber dies war genau die Situation, deretwegen ich mir Sorgen gemacht hatte, als ich mit Claudia sprach. Rosie fragte sich, was meine Motive seien. Sie hatte sich für das Ehefrauprojekt beworben und in dieser Hinsicht vermutlich gewisse Erwartungen. Es war an der Zeit, ehrlich zu sein.

»Vermutlich glauben Sie, es ist, um eine romantische Beziehung einzugehen«, sagte ich.

»Der Gedanke ist mir tatsächlich kurz in den Sinn gekommen.«

Vermutung bestätigt.

»Es tut mir außerordentlich leid, wenn ich einen falschen Eindruck erweckt habe.«

»Was meinen Sie?«, fragte Rosie.

»Ich bin an Ihnen als Partnerin nicht interessiert. Ich hätte es Ihnen früher sagen sollen, aber Sie sind vollkommen ungeeignet.« Ich versuchte, Rosies Reaktion einzuschätzen, aber das Lesen von Gesichtsausdrücken gehört nicht zu meinen Stärken.

»Nun, dann wird es Sie freuen zu hören, dass ich damit klarkomme. Ich halte Sie auch für ziemlich ungeeignet«, erwiderte sie.

Was für eine Erleichterung! Ich hatte ihre Gefühle nicht verletzt. Eine Frage blieb jedoch unbeantwortet.

»Warum haben Sie sich dann für das Ehefrauprojekt beworben?« Ich meinte das im weitesten Sinn, denn Gene hatte ihre Bewerbung ja ohne Fragebogen angenommen. Ihre Antwort verriet allerdings einen sehr viel schwerwiegenderen Grad des Missverständnisses.

»Welches Ehefrauprojekt?«, fragte sie nach, als hätte sie nie davon gehört.

»Gene hat Sie als Kandidatin für das Ehefrauprojekt zu mir geschickt. Als ›Wildcard‹, also ohne dass Sie den Fragebogen ausgefüllt haben.«

»Er hat was?«

»Sie haben nichts vom Ehefrauprojekt gehört?«, erkundigte ich mich nun und versuchte, den richtigen Ansatzpunkt zu finden.

»Nein«, antwortete sie mit einer Stimme, mit der man üblicherweise Kinder über etwas belehrt. »Ich habe nichts vom Ehefrauprojekt gehört. Aber das werde ich jetzt – in allen Einzelheiten.«

»Natürlich«, sagte ich. »Aber zeitgleich sollten wir Pizza und Bier konsumieren.«

»Natürlich«, sagte Rosie.

Ich erklärte ihr das Ehefrauprojekt im Detail, einschließlich der Überarbeitung des Fragebogens mit Gene und meiner Feldstudien mittels Partnervermittlungsorganisationen. Als wir die letzten Pizzastücke aßen, war ich fertig. Rosie hatte keine Fragen gestellt, nur hin und wieder »Du meine Güte« und »Ach, du Scheiße« kommentiert.

»Also«, sagte sie dann. »Läuft es denn immer noch? Das Ehefrauprojekt?«

Ich erklärte, das Projekt sei theoretisch noch aktuell, nur

habe es mangels qualifizierter Kandidatinnen keinen Fortschritt gegeben.

»Was für eine Schande«, meinte Rosie. »Die perfekte Frau hat noch nicht eingecheckt.«

»Ich nehme an, dass es mehr als eine Kandidatin gibt, die den geforderten Kriterien entspricht«, erwiderte ich, »aber das ist wie bei der Suche nach einem Knochenmarkspender. Es melden sich nicht genug.«

»Tja, dann kann ich nur hoffen, dass ausreichend Frauen ihre Bürgerpflicht erkennen und am Test teilnehmen.«

Das war ein interessanter Kommentar. Ich war nicht der Meinung, dass es eine Pflicht sei. Wenn ich in den letzten Wochen über das Ehefrauprojekt nachgedacht hatte, war ich eher traurig gewesen, dass es so viele Frauen gab, die nach Partnern suchten und verzweifelt genug waren, am Testverfahren teilzunehmen, auch wenn nur eine geringe Chance bestand, dass sie den Anforderungen entsprachen.

»Der Test ist ganz und gar freiwillig«, erwiderte ich.

»Wie großzügig von Ihnen. Aber denken Sie mal über Folgendes nach: Jede Frau, die sich dem Fragebogentest unterwirft, lässt sich als Objekt behandeln. Nun können Sie zwar sagen, sie hätte sich das ja selbst ausgesucht. Aber wenn Sie sich mal zwei Minuten Zeit nehmen, um darüber nachzudenken, wie sehr unsere Gesellschaft Frauen dazu zwingt, sich selbst als Objekt zu sehen, sagen Sie das vielleicht nicht mehr. Was mich interessiert, ist: Wollen Sie wirklich eine Frau, die so denkt? Ist das die Sorte Ehefrau, die Sie wollen?« Rosie klang wütend. »Wissen Sie, warum ich mich so anziehe? Warum ich diese Brille trage? Weil ich *nicht* als Objekt behandelt werden will! Wenn Sie wüssten, wie sehr es mich beleidigt, dass Sie mich für eine Bewerberin gehalten haben, eine *Kandidatin* …«

»Warum sind Sie dann an dem Tag zu mir gekommen?«, wollte ich wissen. »Am Tag des Jackett-Zwischenfalls.«

Sie schüttelte den Kopf. »Wissen Sie noch … in Ihrer Wohnung … auf dem Balkon? Als ich Ihnen die Frage nach der Größe der Hoden stellte?«

Ich nickte.

»Kam es Ihnen nicht komisch vor, dass ich bei einer ersten Verabredung gleich von Hoden spreche?«

»Eigentlich nicht. Bei einer Verabredung bin ich viel zu sehr darauf konzentriert, selbst keine komischen Dinge zu sagen.«

»Okay, streichen Sie das.« Sie schien sich ein wenig zu beruhigen. »Der Grund, warum ich das fragte, war eine Wette mit Gene. Gene, dieses Sexistenschwein, hatte gewettet, dass Menschen von Natur aus nicht monogam veranlagt seien, was man an der Größe ihrer Hoden ablesen könne. Er schickte mich zu einem Genetiker, um die Sache zu klären.«

Ich brauchte eine Weile, um die gesamte Tragweite ihrer Worte zu ermessen. Gene hatte sie nicht auf eine Essenseinladung vorbereitet. Eine Frau – Rosie – hatte ohne weitere Vorwarnung und ohne Absprache eine Verabredung mit mir angenommen. Ich wurde von einem irrational übertriebenen Gefühl der Befriedigung erfüllt. Aber Gene hatte mich getäuscht. Und wie es schien, hatte er Rosie finanziell übervorteilt.

»Haben Sie viel Geld verloren?«, fragte ich. »Es scheint mir ausbeuterisch, dass ein Professor eine Wette mit einer Bardame abschließt.«

»Ich bin keine Scheiß-Bardame!«

Am Gebrauch der Obszönität konnte ich erkennen, dass Rosie wieder wütend wurde. Aber die Fakten konnte sie keineswegs leugnen. Ich erkannte meinen Irrtum, der in einem Hörsaal ebenfalls Probleme verursacht hätte.

»Bar-*Servicekraft?*«

»Barkeeperin ist ein wunderbarer nicht-sexistischer Ausdruck«, sagte sie. »Aber darum geht es nicht. Es ist mein Nebenjob. Ich mache meinen Doktor in Psychologie, okay? In Genes Fakultät. Ergibt das jetzt einen Sinn?«

Natürlich! Plötzlich fiel mir ein, wo ich sie schon mal gesehen hatte – im Gespräch mit Gene nach seiner öffentlichen Vorlesung! Ich erinnerte mich, dass Gene sie zum Kaffee hatte einladen wollen – wie er es bei attraktiven Frauen immer machte –, aber sie hatte abgelehnt. Aus irgendeinem Grund freute ich mich jetzt darüber. Wenn ich sie allerdings gleich beim ersten Mal in meinem Büro erkannt hätte, wäre das ganze Missverständnis vermieden worden. Alles ergab jetzt einen Sinn, einschließlich ihres Auftritts als Anwärterin für ein Medizinstudium. Nur zwei Dinge passten nicht.

»Warum haben Sie mir das nicht gesagt?«

»Weil ich eine Barfrau *bin* und mich nicht dafür schäme. Wenn Sie mich wollen, müssen Sie mich als Barfrau nehmen oder gar nicht.« Ich vermutete, dass sie das im übertragenen Sinn meinte.

»Exzellent«, erwiderte ich. »Das erklärt fast alles.«

»Oh, wie schön! Warum denn nur ›fast‹? Denken Sie ja nicht, Sie müssten irgendwelche Fragen offenlassen.«

»Warum hat Gene es mir nicht gesagt?«

»Weil er ein Arschloch ist.«

»Gene ist mein bester Freund.«

»Mein herzliches Beileid!«

Nun, da alles geklärt war, wurde es Zeit, das Projekt abzuschließen, auch wenn unsere Chancen, heute Nacht Rosies Vater zu finden, ziemlich schlecht standen. Vierzehn Kandidaten standen noch aus, und wir hatten nur noch drei weitere Proben vom Jubiläumsabend. Ich ging zum Analysegerät.

»Hören Sie«, sagte Rosie. »Ich frage Sie noch einmal: Warum machen Sie das alles hier?«

Ich dachte an meine eigenen Überlegungen zu dieser Frage und meiner Antwort darauf, die mit wissenschaftlicher Herausforderung und Altruismus zu tun gehabt hatte. Doch als ich jetzt zur Erklärung ansetzen wollte, erkannte ich, dass es nicht stimmte. Heute Abend hatten wir zahlreiche ungültige Annahmen und Kommunikationsirrtümer korrigiert. Ich sollte keine neuen schaffen.

»Ich weiß es nicht«, erwiderte ich also ganz ehrlich.

Ich drehte mich wieder zum Gerät und startete die Analyse. Meine Arbeit wurde durch ein plötzliches heftiges Klirren unterbrochen. Rosie hatte ein Becherglas – zum Glück keines mit einer noch ungetesteten Probe – an die Wand geschmettert.

»Ich habe das Ganze *so* satt!«, rief sie. Dann verließ sie das Labor.

Am nächsten Morgen klopfte es an meine Bürotür. Rosie.

»Kommen Sie rein«, sagte ich. »Ich nehme an, Sie wollen die letzten drei Ergebnisse wissen.«

Rosie kam unnatürlich langsam an meinen Schreibtisch, an dem ich einige potentiell lebensverändernde Daten studierte. »Nein«, sagte sie. »Ich dachte mir schon, dass sie negativ sind. Selbst Sie hätten angerufen, wenn eine gepasst hätte.«

»Korrekt.«

Sie stand da und sah mich schweigend an. Mir ist bewusst, dass solche Momente der Stille die Möglichkeit bieten, selbst etwas zu sagen, aber mir fiel nichts Brauchbares ein. Schließlich beendete Rosie das Schweigen.

»Hey – tut mir leid, dass ich gestern so ausgeflippt bin.«

»Das ist nur allzu verständlich. Es ist unglaublich frustrierend, so hart zu arbeiten und dann kein Ergebnis zu erhalten.

Kommt in der Wissenschaft aber sehr häufig vor.« Mir fiel ein, dass sie nicht nur Barkeeperin, sondern auch eine Doktorandin der Wissenschaft war, und ich fügte hinzu: »Wie Sie ja wissen.«

»Ich meinte Ihr Ehefrauprojekt. Ich halte es für falsch, aber Sie sind auch nicht anders als alle anderen Männer, die ich kenne und die Frauen als Objekte betrachten – Sie sind dabei nur ehrlicher. Wie auch immer … Sie haben so viel für mich getan …«

»Ein Irrtum in der Kommunikation. Der zum Glück korrigiert wurde. Wir können das Vaterprojekt ohne den persönlichen Aspekt fortsetzen.«

»Erst, wenn ich weiß, warum Sie das tun.«

Schon wieder diese schwierige Frage. Aber sie war einverstanden gewesen, das Vaterprojekt weiter durchzuführen, selbst als sie dachte, dass ich ein romantisches Interesse an ihr hätte, auch wenn sie dieses Interesse nicht erwiderte.

»Meine Motivation hat sich nicht geändert«, sagte ich wahrheitsgemäß. »Was mir Sorgen bereitete, war Ihre Motivation. Ich dachte, Sie seien an mir als Partner interessiert. Zum Glück war diese Annahme auf falschen Informationen begründet.«

»Sollten Sie Ihre Zeit nicht lieber Ihrem Objektifizierungsprojekt widmen?«

Die Frage kam genau zum richtigen Zeitpunkt. Die Daten, die auf dem Bildschirm erschienen, deuteten auf einen entscheidenden Durchbruch hin.

»Gute Neuigkeiten. Ich habe eine Bewerberin, die allen Kriterien entspricht.«

»Tja«, meinte Rosie. »Dann brauchen Sie mich jetzt ja nicht mehr.«

Dies war eine äußerst seltsame Reaktion. Ich hatte Rosie ohnehin für nichts anderes gebraucht als für ihr eigenes Projekt.

16

Der Name der Kandidatin lautete Bianca Rivera, und sie erfüllte alle Anforderungen. Allerdings gab es eine Schwierigkeit, die einigen Aufwand erforderte. Sie merkte an, sie habe zweimal die Regionalmeisterschaft im Gesellschaftstanz gewonnen und erwarte von ihrem Partner, dass er ein versierter Tänzer sei. Doch es erschien mir absolut einleuchtend, dass sie eigene Bedingungen stellte, und diese war leicht zu erfüllen. Zudem fiel mir der perfekte Ort ein, wohin ich sie ausführen könnte.

Ich rief Regina, die Assistentin der Dekanin, an und fragte, ob sie immer noch Eintrittskarten für den Fakultätsball verkaufe. Dann schickte ich Bianca eine Mail und lud sie als meine Begleitung ein. Sie nahm an! Ich hatte ein Rendezvous – das perfekte Rendezvous! Mir blieben zehn Tage, um tanzen zu lernen.

Gene kam in mein Büro, während ich gerade Tanzschritte übte.

»Ich glaube, die Statistiken über Lebensdauer bezogen sich auf Ehen mit lebenden Frauen, Don.«

Er machte wohl eine Anspielung auf das Skelett, das ich zum Üben benutzte. Ich hatte es aus der Anatomieabteilung ausgeliehen, und niemand hatte nachgefragt, wofür ich es benötigte. Der Größe des Beckens nach zu urteilen, war es mit Sicherheit ein männliches Skelett, aber für mein Tanztraining war das nicht weiter relevant. Ich erklärte Gene, wozu ich es brauchte, und deutete auf das Plakat mit der Filmszene aus *Grease*, das an meiner Bürowand hing.

»Aha«, meinte Gene. »Dann ist also gerade Ms. Right – entschuldige, Dr. Right – in deine Mailbox gefallen?«

»Sie heißt nicht Wright«, erwiderte ich, »sondern Rivera.«

»Foto?«

»Nicht nötig. Die Verabredungsdaten sind sehr präzise. Sie begleitet mich zum Fakultätsball.«

»Ach, du Scheiße.« Gene verfiel in Schweigen, und ich nahm meine Tanzübung wieder auf. »Don, der Fakultätsball ist übernächsten Freitag.«

»Korrekt.«

»Du kannst nicht in neun Tagen tanzen lernen.«

»Zehn. Ich habe gestern schon angefangen. Die Schritte sind leicht zu behalten. Ich muss nur den Ablauf üben. Es ist deutlich weniger anspruchsvoll als Kampfsport.«

Ich demonstrierte eine Sequenz.

»Sehr beeindruckend«, sagte Gene. »Setz dich hin, Don.«

Ich setzte mich.

»Ich hoffe, du bist nicht allzu sauer wegen Rosie.«

Das hatte ich schon fast vergessen. »Warum hast du mir nicht gesagt, dass sie Psychologie studiert? Und von eurer Wette erzählt?«

»Nach dem, was Claudia erzählt, hattet ihr doch viel Spaß zusammen. Ich dachte, wenn sie selbst es dir nicht sagt, wird es schon einen Grund haben. Sie mag ein bisschen durchgeknallt sein, aber nicht dumm.«

»Das klingt logisch«, sagte ich. Warum soll man mit einem Psychologieprofessor über zwischenmenschliche Interaktionen streiten?

»Ich bin froh, dass wenigstens einer von euch damit klarkommt«, meinte Gene. »Ich muss dir gestehen, dass Rosie ein bisschen sauer auf mich war. Ein bisschen sauer auf das Leben im Allgemeinen. Hör zu, Don, ich habe sie überredet, auf den Ball zu gehen. Allein. Wenn du wüsstest, wie oft Rosie meinen Rat befolgt, wüsstest du auch, wie schwer das war. Ich wollte dir dasselbe vorschlagen.«

»Deinen Rat anzunehmen?«

»Nein, auf den Ball zu gehen – allein. Oder mit Rosie als Begleitung.«

Jetzt begriff ich, was Gene vorhatte. Er war so sehr auf sexuelle Anziehung fokussiert, dass er sie überall witterte. Doch diesmal lag er falsch.

»Rosie und ich haben die Beziehungsfrage eingehend erörtert. Keiner von uns ist interessiert.«

»Seit wann diskutieren Frauen irgendetwas eingehend?«, fragte Gene zurück.

Ich besuchte Claudia, um mir einen Rat wegen der entscheidenden Verabredung mit Bianca zu holen. Ich nahm an, als Genes Frau wäre sie an dem Abend ebenfalls zugegen, und wies darauf hin, dass ich möglicherweise Unterstützung bräuchte. Wie sich herausstellte, wusste sie noch nicht einmal von dem Ball.

»Sei einfach du selbst, Don. Wenn sie dich nicht so will, wie du bist, ist sie auch nicht die Richtige für dich.«

»Ich denke, es ist unwahrscheinlich, dass irgendeine Frau mich so akzeptiert, wie ich bin.«

»Was ist mit Daphne?«, fragte Claudia.

Das stimmte – Daphne war anders als die Frauen, mit denen ich ausgegangen war. Ein exzellenter Therapieansatz Claudias: Widerlegung durch ein Gegenbeispiel. Vielleicht wäre Bianca eine jüngere, tanzende Version von Daphne.

»Und was ist mit Rosie?«, fragte Claudia.

»Rosie ist vollkommen ungeeignet.«

»Danach habe ich nicht gefragt«, sagte Claudia. »Nur, ob sie dich so akzeptiert, wie du bist.«

Ich dachte einen Moment lang darüber nach. Es war eine schwierige Frage.

»Ich glaube, ja. Weil sie mich nicht als Partner in Betracht zieht.«

»Wahrscheinlich ist es gut, dass du so fühlst«, meinte Claudia nur.

Fühlst! Fühlen, fühlen, fühlen! Gefühle störten mein Wohlbefinden. Zusätzlich zu dem drängenden Wunsch, lieber am Vaterprojekt weiterzuarbeiten als am Ehefrauprojekt, spürte ich beträchtliche Beunruhigung, was meine Verabredung mit Bianca betraf.

Mein ganzes Leben lang bin ich für meinen auffälligen Mangel an Emotionen kritisiert worden, als wäre dies irgendein Makel. In Gesprächen verlangen Psychiater und Psychologen – einschließlich Claudia – immer, ich solle mehr auf meine Gefühle »hören«. Was sie in Wirklichkeit meinen, ist, dass ich ihnen nachgeben soll. Ich bin absolut zufrieden damit, Gefühle zu entdecken, zu klassifizieren und zu analysieren. Es ist eine nützliche Fähigkeit, und ich wäre gern besser darin. Hin und wieder kann ich ein Gefühl auch genießen – Dankbarkeit meiner Schwester gegenüber, die mich auch in schlechten Zeiten besuchte, das primitive Wohlbefinden nach einem Glas Wein –, aber wir müssen aufpassen, dass Gefühle uns nicht behindern.

Ich diagnostizierte Gehirnüberlastung und entwarf eine Liste, um die Situation zu analysieren.

Als Erstes hielt ich die jüngsten Störungen meines Terminplans fest. Zwei davon waren unbestreitbar positiv gewesen: Eva, die kurzberockte Putzfrau, leistete exzellente Arbeit und brachte mir beachtliche Zeitersparnis ein. Ohne sie wären die meisten der letzten zusätzlichen Aktivitäten nicht möglich gewesen. Und wenn man von dem momentanen Negativgefühl der Beklemmung einmal absah, hatte mein Ehefrauprojekt mir meine erste qualifizierte Kandidatin eingebracht. Die Logik forderte, dass das Ehefrauprojekt, dem ich den Großteil meiner Zeit hatte widmen wollen, jetzt mein Höchstmaß an Aufmerksamkeit erhielte. Hieraus ergab sich Problem Nummer eins. Meine Gefühle standen nicht im Einklang mit meiner Logik. Ich war unwillig, die Gelegenheit zu ergreifen.

Ich war nicht sicher, ob ich das Vaterprojekt als positiv oder negativ auflisten sollte, aber es hatte enorm viel Zeit gekostet und null Ergebnis gebracht. Meine Argumente, warum ich es weiterverfolgt hatte, waren von jeher schwach gewesen, und ich hatte weitaus mehr getan, als man vernünftigerweise von mir hätte erwarten können. Wenn Rosie die DNA der restlichen Kandidaten ausfindig machen und einsammeln wollte, könnte sie das allein machen. Mittlerweile verfügte sie über ausreichend praktische Erfahrung bei der DNA-Gewinnung. Ich brauchte ihr nur anzubieten, die eigentlichen Tests durchzuführen. Doch wiederum befanden sich Logik und Gefühl nicht im Einklang. Ich wollte mit dem Vaterprojekt fortfahren. Warum?

Es ist tatsächlich unmöglich, brauchbare Vergleiche von Glückspegeln herzustellen, vor allem über längere Zeiträume hinweg. Aber wenn ich vor einiger Zeit gebeten worden wäre, den glücklichsten Tag meines Lebens zu bestimmen, hätte ich ohne Zögern meinen ersten Tag im berühmten New Yorker Naturkundemuseum genannt, das ich während meines Doktorstudiums im Rahmen einer Konferenz in dieser Stadt besuchte. Der zweitschönste Tag in meinem Leben war der zweite und der drittschönste der dritte Tag in diesem Museum gewesen. Doch nach den jüngsten Ereignissen lag die Sache nicht mehr so klar. Ich hatte Schwierigkeiten, mich zwischen dem Naturkundemuseum und der Cocktailnacht im Golfclub zu entscheiden. Sollte ich daher in Erwägung ziehen, meine Arbeit als Genetiker aufzugeben, und Amghads Angebot der Beteiligung an einer Cocktailbar annehmen? Würde ich damit dauerhaft glücklicher sein? Die Vorstellung war grotesk.

Der Grund für meine Verwirrung lag darin, dass ich es mit einer Gleichung mit großen Negativwerten zu tun hatte – insbesondere die Störungen meines Terminplans – und großen Positivwerten – den daraus folgenden vergnüglichen Erfahrungen. Meine Unfähigkeit, diese Faktoren exakt zu quantifizieren, führte dazu, dass ich kein Endergebnis berechnen konnte – und ob es positiv oder negativ war. Auch die Fehlertoleranz war beträchtlich. Ich klassifizierte das Vaterprojekt als im Ergebnis unbestimmbar und wertete es als die schwerwiegendste Störung.

Der letzte Punkt auf meiner Liste war das bevorstehende Risiko, dass meine Nervosität und Ambivalenz gegenüber dem Ehefrauprojekt die soziale Interaktion mit Bianca beeinträchtigen würden. Das Tanzen bereitete mir keine Sorge – ich vertraute auf meine Erfahrung in der Vorbereitung von Kampfsportwettkämpfen mit dem zusätzlichen Vorteil des optimierten Alkoholkonsums, der für Kampfsport verboten ist. Mehr Sorge bereitete mir die Gefahr gesellschaftlicher Fettnäpfchen. Es wäre schrecklich, die perfekte Partnerin zu verlieren, nur weil ich es versäumte, Sarkasmus zu identifizieren, oder für eine längere oder kürzere Zeitspanne, als im Normalfall angemessen, in ihre Augen sah. Ich versuchte, mir einzureden, dass Claudia im Prinzip recht hatte: Wenn diese

Dinge Bianca ernsthaft störten, wäre sie nicht die passende Partnerin, und ich wüsste für die Zukunft, inwiefern ich den Fragebogen verfeinern müsste.

Auf Genes Empfehlung hin suchte ich einen Kostümverleih für Abendgarderobe auf und verlangte einen Anzug der höchsten Formalitätsstufe. Unter keinen Umständen wollte ich eine Wiederholung des Jackett-Zwischenfalls riskieren.

17

Der Ball fand an einem Freitagabend im Kongresszentrum am Fluss statt. Aus Effizienzgründen hatte ich mein Outfit zur Arbeit mitgenommen, und während ich auf die passende Abfahrtzeit wartete, übte ich mit dem Skelett noch Cha-Cha-Cha und Rumba. Als ich ins Labor ging, um ein Bier zu holen, überkam mich plötzlich eine Gefühlsregung. Ich vermisste die Stimulation des Vaterprojekts.

Der Frack mit seinen Schößen sowie der Zylinder waren zum Fahrradfahren vollkommen ungeeignet, also nahm ich ein Taxi und traf wie geplant um Punkt 19:55 Uhr am Zielort ein. Hinter mir fuhr ein weiteres Taxi vor, und eine große dunkelhaarige Frau stieg aus. Sie trug das phantastischste Kleid der Welt, in den buntesten Farben – rot, blau, gelb, grün – mit raffiniertem Schnitt und langem Schlitz an der Seite. Noch nie hatte ich eine so spektakuläre Erscheinung gesehen. Geschätztes Alter: fünfunddreißig, BMI: zweiundzwanzig, wie im Fragebogen angegeben. Weder ein bisschen zu früh noch zu spät. Stand hier etwa meine zukünftige Ehefrau vor mir? Es war kaum zu glauben.

Als ich aus dem Taxi stieg, warf sie mir kurz einen Blick zu und ging in Richtung der Tür. Ich atmete tief durch und folgte ihr. Sie trat ein und sah sich um. Dann musterte sie mich erneut, diesmal etwas eingehender. Ich ging zu ihr hin, blieb nahe genug stehen, damit wir uns unterhalten könnten, achtete aber darauf, ihr nicht zu nahe zu kommen. Ich sah ihr in die Augen und zählte eins, zwei. Dann senkte ich den Blick, aber nur geringfügig.

»Hallo«, sagte ich, »ich bin Don.«

Sie sah mich eine Weile an, bevor sie ihre Hand ausstreckte, um meine mit geringem Druck zu schütteln.

»Ich bin Bianca. Sie … haben sich ja wirklich in Schale geworfen.«

Ich kombinierte, dass sie mit »Schale« mein Äußeres meinte. »Natürlich, auf der Einladung stand ›Abendgarderobe‹.«

Nach geschätzten zwei Sekunden brach sie in Gelächter aus. »Jetzt haben Sie mich aber wirklich fast gekriegt. Was für ein trockener Humor! Wissen Sie, da schreibt man, man wünsche sich jemandem mit ›ausgeprägtem Sinn für Humor‹, aber man erwartet nicht, einen echten Komiker zu erwischen. Ich glaube, wir beide werden viel Spaß haben.«

Die Dinge liefen außergewöhnlich gut.

Der Ballsaal war riesig – Dutzende von Tischen mit festlich gekleideten Akademikern. *Alle* drehten sich zu uns um, und es war offensichtlich, dass wir Eindruck machten. Zuerst dachte ich, es läge an Biancas spektakulärem Kleid, aber es waren noch viele andere interessant gekleidete Frauen anwesend. Dann bemerkte ich, dass die Männer fast ausnahmslos schwarze Anzüge mit weißen Hemden und Fliegen trugen. Niemand war mit Frack und Zylinder bekleidet. Das erklärte Biancas ursprüngliche Reaktion. Es war eine unangenehme Situation, aber nichts, das ich nicht schon erlebt hätte. Mit großer Geste lüftete ich vor der Menge den Hut, und man jubelte mir zu. Bianca schien die Aufmerksamkeit zu genießen.

Laut Sitzordnung saßen wir an einem Tisch für zwölf am Rande der Tanzfläche. Eine Band stimmte die Instrumente. Nach eingehender Betrachtung derselben kam ich zu dem

Schluss, dass meine Kenntnisse in Cha-Cha-Cha, Samba, Rumba, Foxtrott, Walzer, Tango und Lambada vermutlich nicht benötigt würden. Ich würde wohl auf meine Arbeit des zweiten Übungstags zurückgreifen müssen – Rock'n' Roll.

Genes Empfehlung, dreißig Minuten nach dem offiziellen Beginn einzutreffen, hatte zur Folge, dass alle Plätze bis auf drei an unserem Tisch bereits besetzt waren. Einer davon gehörte Gene, der gerade herumging und Champagner einschenkte. Claudia war nicht anwesend.

Ich erkannte Laszlo Hevesi aus der Physik, der völlig unangemessen in Militärhose und Hiking-Shirt gekleidet war und neben einer Frau saß, die ich überraschenderweise als Frances von der Speed-Dating-Nacht identifizierte. Auf der anderen Seite neben ihm saß die Schöne Helena. Außerdem befanden sich am Tisch noch ein dunkelhaariger Mann um die dreißig (BMI: etwa zwanzig), der sich anscheinend seit einigen Tagen nicht rasiert hatte, und neben ihm die schönste Frau, die ich je gesehen hatte. Im Gegensatz zu Biancas prunkvoller Robe trug sie ein schlichtes grünes Kleid ohne irgendwelche Verzierungen, das so geschnitten war, dass es nicht einmal Träger besaß, die es an Ort und Stelle hielten. Ich brauchte einen Moment, um zu erkennen, dass die Frau darin Rosie war.

Bianca und ich belegten die letzten beiden Plätze zwischen Stoppelbart und Speed-Dating-Frances und folgten dabei dem Mann-Frau-Schema, das sich bereits etabliert hatte. Rosie begann mit der Vorstellung, und ich erkannte das Protokoll wieder, das ich für Konferenzen gelernt, aber noch nie angewendet hatte.

»Don, das ist Stefan.« Sie meinte Stoppelbart. Ich streckte eine Hand vor und schüttelte seine mit entsprechendem Druck, den ich als exzessiv wahrnahm. Umgehend verspürte ich eine negative Reaktion auf den Mann. Normalerweise bin ich nicht gut darin, andere Menschen einzuschätzen, außer durch den Gehalt ihrer Äußerungen oder schriftlicher Kommunikation. Aber ich bin relativ begabt darin, Studenten zu identifizieren, die Ärger machen könnten.

»Ihr Ruf eilt Ihnen voraus«, sagte Stefan.

Vielleicht war meine Einschätzung übereilt gewesen.

»Sie kennen meine Arbeit?«

»Das könnte man sagen.« Er lachte.

Ich merkte, dass ich das Gespräch am Tisch nicht fortführen sollte, ohne Bianca vorzustellen.

»Rosie, Stefan, erlauben Sie mir bitte, Ihnen Bianca Rivera vorzustellen.«

Rosie streckte die Hand aus und sagte: »Erfreut, Sie kennenzulernen.«

Sie lächelten einander an, und auch Stefan gab ihr die Hand.

Da ich nun meine Pflicht erfüllt hatte, wandte ich mich an Laszlo, mit dem ich seit einiger Zeit nicht gesprochen hatte. Laszlo ist der einzige Mensch, den ich kenne, der noch schlechtere gesellschaftliche Fähigkeiten hat als ich, und es war beruhigend, ihn als Kontrast in der Nähe zu haben.

»Sei gegrüßt, Laszlo«, sagte ich, da ich davon ausging, dass in seinem Fall keine Formalität vonnöten war. »Sei gegrüßt, Frances. Sie haben einen Partner gefunden! Wie viele Treffen haben Sie dafür gebraucht?«

»Gene hat uns bekannt gemacht«, sagte Laszlo. Er starrte Rosie auf ungebührliche Weise an. Gene gab ihm das »Daumen hoch«-Zeichen und stellte sich mit der Champagnerflasche zwischen Bianca und mich. Sofort drehte Bianca ihr Glas um. »Don und ich trinken nicht«, sagte sie und stellte auch mein Glas auf die Öffnung. Gene grinste mich an. Das war eine seltsame Reaktion auf ein ärgerliches Versehen meinerseits – offensichtlich hatte Bianca den ursprünglichen Fragebogen ausgefüllt.

»Wie haben Sie und Don sich kennengelernt?«, erkundigte sich Rosie bei Bianca.

»Wir interessieren uns beide fürs Tanzen«, erwiderte Bianca.

Ich hielt das für eine ausgezeichnete Antwort ohne jede Anspielung auf das Ehefrauprojekt, aber Rosie sah mich seltsam an.

»Wie schön«, sagte sie. »Ich bin mit meiner Doktorarbeit leider viel zu beschäftigt, um Zeit zum Tanzen zu haben.«

»Man muss sich organisieren«, entgegnete Bianca. »Ich bin immer *sehr* organisiert.«

»Ja«, sagte Rosie, »ich …«

»Als ich das erste Mal in die letzte Runde der Regionalmeisterschaft kam, war ich mitten in meiner Doktorarbeit. Ich überlegte schon, ob ich den Triathlon oder den japanischen Kochkurs aufgeben sollte, aber …«

Rosie lächelte, aber nicht so, wie sie es normalerweise tat. »Nein, das wäre dumm gewesen. Männer lieben Frauen, die kochen können.«

»Ich denke doch, dass wir dieses Stereotyp hinter uns gelassen haben«, sagte Bianca. »Don kann selbst gut kochen.«

Claudias Vorschlag, im Fragebogen meine eigenen Fähigkeiten beim Kochen anzugeben, war offenbar zweckmäßig gewesen. Rosie lieferte eine entsprechende Bestätigung.

»Er kocht phantastisch. Wir haben einmal ganz hervorragenden Hummer auf seinem Balkon gegessen.«

»Ach, tatsächlich?«

Es war hilfreich, dass Rosie mich vor Bianca lobte, aber Stefan machte wieder sein Störender-Student-Gesicht. Ich wandte meine Technik aus Vorlesungen an, ihm zunächst eine Frage zu stellen.

»Sind Sie mit Rosie zusammen?«

Stefan hatte keine Antwort parat, und in einer Vorlesung wäre dies mein Einsatz gewesen fortzufahren, während der Student nun eine gesunde Verärgerung gegen mich spürte. Aber Rosie antwortete für ihn.

»Stefan studiert mit mir zusammen Psychologie.«

»Ich glaube, der richtige Begriff ist Partner«, sagte Stefan.

»Für heute Abend«, ergänzte Rosie.

Stefan grinste. »Erste Verabredung.«

Es war seltsam, dass sie sich nicht auf die Art ihrer Beziehung geeinigt hatten. Rosie wandte sich wieder an Bianca.

»Und dies ist auch Ihr erstes Rendezvous mit Don?«

»Das stimmt, Rosie.«

»Wie fanden Sie den Fragebogen?«

Bianca sah mich kurz an, dann wandte sie sich wieder an Rosie. »Wunderbar. Die meisten Männer wollen nur über sich selbst reden. Es gefällt mir, wenn sich jemand für mich interessiert.«

»Ja, ich verstehe, warum das für Sie funktioniert«, erwiderte Rosie.

»Und dann noch ein Tänzer«, fügte Bianca hinzu. »Ich konnte mein Glück kaum fassen. Aber Sie wissen ja, was man sagt: Für sein Glück muss man sich eben ins Zeug legen.«

Rosie nahm ihr Champagnerglas, und Stefan fragte: »Wie lange tanzen Sie denn schon, Don? Schon irgendwelche Preise gewonnen?«

Mir blieb eine Antwort erspart, da in diesem Moment die Dekanin eintraf.

Sie trug ein besticktes rosafarbenes Ballkleid mit weitausgestelltem Rock und kam in Begleitung einer Frau in etwa ihrem Alter, die die typisch männliche Abendgarderobe trug: schwarzer Anzug und Fliege. Die Reaktion der Ballgäste war ähnlich der bei meinem Eintreffen, nur ohne das freundliche Grüßen am Ende.

»Ach, herrje«, sagte Bianca. Ich mochte die Dekanin nicht besonders, aber bei diesem Kommentar fühlte ich mich unwohl.

»Haben Sie ein Problem mit lesbischen Frauen?«, fragte Rosie leicht aggressiv.

»Überhaupt nicht«, erwiderte Bianca. »Ihr Kleidergeschmack bereitet mir eher Probleme.«

»Dann werden Sie mit Don ja Ihren Spaß haben«, entgegnete Rosie.

»Ich finde, Don sieht *phantastisch* aus«, kommentierte Bianca. »Ich finde, man braucht Mut, sich von der Menge abzuheben. Einen einfachen Anzug oder Smoking kann jeder anziehen. Finden Sie nicht auch, Don?«

Ich nickte in höflicher Zustimmung. Bianca zeigte genau die Charakteristika, nach denen ich suchte. Es bestand eine hohe Wahrscheinlichkeit, dass sie perfekt wäre. Aber aus irgendeinem Grund rebellierte mein Instinkt. Vielleicht lag es an der Abstinenzregel. Meine unterschwellige Alkoholsucht verleitete mein Unterbewusstsein, mir Ablehnung gegen einen Menschen zu signalisieren, der mich vom Trinken abhalten würde. Ich musste meinen Instinkt überwinden.

Wir beendeten das Vorstellungsgeplänkel, und die Band spielte ein paar laute Akkorde. Stefan ging hin und nahm dem Sänger das Mikrophon ab.

»Guten Abend, verehrte Gäste«, sagte er. »Ich denke, Sie sollten wissen, dass sich heute eine Finalistin der Regionalen Tanzmeisterschaft unter uns befindet. Vielleicht haben Sie sie schon einmal im Fernsehen bewundert: Bianca Rivera. Gestatten wir Bianca und ihrem Partner doch, uns für ein paar Minuten zu unterhalten.«

Ich hatte nicht erwartet, dass mein erster Auftritt derart öffentlich sein würde, doch das bot den Vorteil einer freien Tanzfläche. Ich hatte schon vor größerem Publikum Vorlesungen gehalten und vor ebenso großen Menschenmengen Kampfsportwettkämpfe ausgetragen. Es gab also keinen Grund, nervös zu sein. Bianca und ich betraten die Tanzfläche.

Ich nahm die Standardhaltung für Jive ein, die ich mit dem Skelett geübt hatte, und sofort überkam mich dieses unangenehme Gefühl, fast wie Übelkeit, das ich empfinde, wenn ich gezwungen bin, andere Menschen anzufassen. Zwar hatte ich mich mental darauf vorbereitet – nicht aber auf ein anderes, viel schwerwiegenderes Problem: Ich hatte nicht mit Musik geübt. Ich bin sicher, dass ich die Schritte akkurat ausführte, jedoch nicht genau in dem Tempo, das die Band mit ihrem Rhythmus vorgab. Wir stolperten sofort übereinander, und das Ergebnis war ein Desaster. Bianca versuchte zu führen, aber ich hatte keine Erfahrung mit einer lebendigen Tanzpartnerin, geschweige denn einer, die die Kontrolle übernehmen wollte.

Die Leute begannen zu lachen. Ich bin Experte darin, ausgelacht zu werden, und als Bianca sich von mir löste, ließ ich meinen Blick über das Publikum schweifen, um zu sehen, wer *nicht* lachte – eine ausgezeichnete Methode, um Freunde zu identifizieren. Gene, Rosie und überraschenderweise auch die Dekanin samt Partnerin waren heute Abend meine Freunde. Stefan definitiv nicht.

Irgendeine bemerkenswerte Maßnahme war nötig, um die Situation zu retten. Bei meinen Tanzrecherchen hatte ich ein paar spezielle Figuren entdeckt, die ich zwar nicht hatte einsetzen wollen, an die ich mich nun aber erinnerte, weil sie so interessant gewesen waren. Sie hatten den Vorteil, dass sie weder synchrone Bewegungen der Tanzpartnerin noch Körperkontakt erforderten. Jetzt war die richtige Zeit, sie anzuwenden.

Ich tanzte den »Laufenden Mann«, den »Melk die Kuh« und den »Fisch an der Angel«, mit dem ich Bianca zu mir holen wollte, doch sie bewegte sich nicht wie gefordert. Tatsächlich stand sie einfach nur da. Zuletzt versuchte ich ein Körperkontaktmanöver, das traditionell als spektakuläres Finale eingesetzt wird und bei dem der Mann die Frau einmal auf jede Seite schwingt, dann über den Rücken und durch die Beine zurück. Leider erfordert dies Kooperation von Seiten der weiblichen Partnerin, insbesondere, wenn sie schwerer ist als ein Skelett. Bianca verweigerte jegliche Zusammenarbeit, was dazu führte, dass es wie ein Angriff meinerseits aussah. Anders als Aikido beinhaltet Tanztraining offenbar keine Übungen zum sicheren Fallen.

Ich bot an, ihr aufzuhelfen, doch sie ignorierte meine Hand und verschwand in Richtung Toiletten, anscheinend aber unverletzt.

Ich kehrte an unseren Tisch zurück und setzte mich. Stefan lachte noch immer.

»Drecksack«, zischte Rosie ihm zu.

Daraufhin sagte Gene etwas zu Rosie, vermutlich, um unangemessenen Ärger in der Öffentlichkeit zu vermeiden, und sie schien sich zu beruhigen.

Bianca kam wieder, aber nur, um ihre Tasche zu holen.

»Das Problem lag in der Synchronisation«, versuchte ich zu erklären. »Das Metronom in meinem Kopf hatte nicht dieselbe Frequenz wie die Band.«

Bianca wandte sich ab, aber Rosie schien meine Erklärung hören zu wollen. »Ich habe beim Üben die Musik abgestellt, damit ich mich ganz auf die Schritte konzentrieren konnte.«

Rosie sagte nichts dazu, und ich hörte, wie Bianca mit Stefan sprach. »So was passiert eben. Es ist nicht das erste Mal, nur das schlimmste. Die Männer behaupten, sie könnten tanzen, und dann …« Sie ging Richtung Ausgang, ohne sich von mir zu verabschieden, doch Gene folgte ihr und hielt sie auf.

Das bot mir die exzellente Chance, mein Glas wieder umzudrehen und mit Wein zu füllen. Es war ein schlechter Gordo Blanco mit übermäßig hoher Restsüße. Ich trank aus und schenkte noch einmal nach. Rosie stand auf und ging zur Band. Sie sprach erst mit dem Sänger, dann mit dem Schlagzeuger.

Danach drehte sie sich wieder zum Tisch und zeigte theatralisch in meine Richtung. Ich erkannte die Geste sofort – ich hatte sie zwölfmal gesehen. Es war das Signal, mit dem Olivia Newton-John in *Grease* John Travolta zu dem Tanz auffordert, den ich geübt hatte, als Gene vor neun Tagen in mein Büro gekommen war. Rosie zog mich auf die Tanzfläche.

»Tanz«, sagte sie. »Tanz einfach, verdammt.«

Ich fing an, ohne Musik zu tanzen. Das war es, was ich geübt hatte. Rosie folgte mir in meinem Tempo. Dann hob sie den Arm und fing an, im Takt zu unseren Bewegungen zu winken. Ich hörte, wie der Schlagzeuger den Rhythmus aufnahm und spürte in meinem Körper, dass er unserem entsprach. Dass der Rest der Band dann mit einsetzte, nahm ich kaum wahr.

Rosie war eine gute Tänzerin und erheblich leichter zu lenken als das Skelett. Ich führte sie durch die schwierigeren Bewegungen und konzentrierte mich dabei ganz auf die Technik und darauf, keine Fehler zu machen. Der *Grease*-Song endete, und alle klatschten. Doch bevor wir zum Tisch zurückkehren konnten, setzte die Band erneut ein, und das Publikum klatschte im Takt: *Satisfaction*. Es mag an der Wirkung des Gordo Blanco auf meine Wahrnehmungsfunktionen gelegen haben, aber plötzlich fühlte ich mich von einem außergewöhnlichen

Gefühl überwältigt – nicht der Befriedigung, sondern des höchsten Glücks. Es war das Gefühl, das ich im Naturkundemuseum gehabt hatte und in der Cocktailnacht. Wir fingen wieder an zu tanzen, und diesmal gestattete ich mir, mich auf das Gefühl in meinem Körper zu konzentrieren, der sich im Rhythmus zum Lied meiner Kindheit bewegte, und auf Rosie, die im selben Rhythmus tanzte.

Die Musik endete, und wieder klatschten alle.

Ich hielt Ausschau nach Bianca, meiner Verabredung, und entdeckte sie in der Nähe des Ausgangs zusammen mit Gene. Ich dachte, sie wäre beeindruckt, dass sich das Problem gelöst hatte, aber selbst aus der Entfernung und mit meiner eingeschränkten Fähigkeit, Gesichtsausdrücke zu deuten, konnte ich sehen, dass sie verärgert war. Sie drehte sich um und ging.

Der Rest des Abends verlief unfassbar gut, und das alles wegen eines Tanzes. Alle kamen zu Rosie und mir, um uns zu gratulieren. Der Fotograf schenkte jedem von uns ein Foto. Stefan verabschiedete sich früh. Gene ergatterte guten Champagner von der Bar, und wir tranken mehrere Gläser mit ihm und einer ungarischen Postdoktorandin der Physik namens Klara. Rosie und ich tanzten erneut, und dann tanzte ich mit fast jeder Frau auf dem Ball. Ich fragte Gene, ob ich auch die Dekanin oder ihre Partnerin auffordern solle, aber er meinte, dies sei eine Frage, die selbst seine soziale Expertise übersteige. Am Ende tat ich es nicht, da die Dekanin offensichtlich schlechter Laune war. Die Menge hatte klar zu verstehen gegeben, dass sie lieber tanzte, als ihre vorgesehene Rede zu hören.

Am Ende der Ballnacht spielte die Band einen Walzer, und als er verklungen war, sah ich, dass nur noch Rosie und ich auf der Tanzfläche standen. Und wieder applaudierten alle. Erst später wurde mir bewusst, dass ich über eine lange Zeit engen Körperkontakt mit einem anderen Menschen gehabt hatte, ohne mich unwohl zu fühlen. Ich schrieb es meiner hohen Konzentration auf das korrekte Ausführen der Tanzschritte zu.

»Sollen wir uns ein Taxi teilen?«, fragte Rosie.

Dies schien eine sinnvolle Ersparnis fossiler Brennstoffe.

Im Taxi sagte Rosie: »Du hättest mit verschiedenen Rhythmen üben sollen. Du bist nicht so schlau, wie ich dachte.«

Ich blickte nur aus dem Fenster.

»Nein – ohne Scheiß«, fuhr sie dann fort. »Du *hast* es geübt, oder? Das ist ja noch schlimmer. Du machst dich lieber vor allen lächerlich, als ihr zu sagen, dass sie nicht zu dir passt.«

»Es wäre außerordentlich unangenehm gewesen. Ich hatte keinen Grund, sie abzulehnen.«

»Außer, dass du keinen Papagei heiraten willst.«

Ich fand die Bemerkung äußerst witzig, was zweifellos am Alkohol und an der Verarbeitung der außergewöhnlichen Situation lag. Wir lachten einige Minuten lang, und Rosie legte sogar ein paarmal ihre Hand auf meine Schulter. Es machte mir nichts aus, aber als wir aufhörten zu lachen, fühlte ich mich wieder seltsam und wandte den Blick ab.

»Du bist unglaublich«, sagte Rosie. »Sieh mich an, wenn ich mit dir rede.«

Ich starrte weiter aus dem Fenster. Ich war bereits überstimuliert. »Ich weiß, wie du aussiehst.«

»Welche Farbe haben meine Augen?«

»Braun.«

»Als ich geboren wurde, waren sie blau«, sagte sie. »Babyblau. Wie die meiner Mutter. Sie war Irin, aber sie hatte blaue Augen. Dann wurden sie braun.«

Ich sah Rosie an. Das war unfassbar.

»Die Augen deiner Mutter veränderten ihre Farbe?«

»*Meine* Augen. Bei Babys kann das passieren. Das war der Grund, warum meine Mutter wusste, dass Phil nicht mein Vater ist. Sie hatte blaue Augen und Phil auch. Und sie beschloss, es ihm zu sagen. Ich nehme an, ich sollte dankbar sein, dass er kein Löwe ist.«

Ich hatte Schwierigkeiten zu begreifen, was Rosie da alles erzählte, was zweifellos am Alkohol und an ihrem Parfüm lag. Trotzdem hatte sie mir die Möglichkeit gegeben, die Unterhaltung auf sicherem Terrain weiterzuführen. Die Vererbung genetisch bedingter Merkmale wie etwa der Augenfarbe ist komplexer als allgemein angenommen, und ich war sicher, dass ich lange genug über das Thema reden könnte, um den Rest der Fahrt zu überbrücken. Doch ich merkte, dass dies eine abwehrende Reaktion war und unhöflich Rosie gegenüber, die nur meinetwegen große Peinlichkeit und zudem Ärger mit ihrem Freund Stefan riskiert hatte.

Also schob ich meine Gedanken beiseite und analysierte erneut ihre Aussage mit dem Löwen. Vermutlich nahm sie Bezug auf unser Gespräch auf dem Balkon, als ich ihr sagte, dass Löwen die Nachkommen aus fremden Paarungen töten. Vielleicht wollte sie über Phil sprechen. Das war für mich ebenfalls interessant. Alleiniger Ausgangspunkt für das Vaterprojekt war ja, dass Phil in dieser Rolle anscheinend versagte. Jedoch hatte Rosie keine echten Hinweise dazu geliefert, abgesehen davon, dass er gegen Alkohol war, ein unpraktisches Fahrzeug verlieh und ihr ein Schmuckkästchen geschenkt hatte.

»War er gewalttätig?«, fragte ich nun.

»Nein.« Sie schwieg einen Moment. »Er war einfach … so unberechenbar. Den einen Tag war ich das tollste Kind der Welt, und am nächsten wollte er mich nicht mal mehr um sich haben.«

Das klang sehr allgemein und kaum nach einer Rechtfertigung für ein großangelegtes DNA-Analyse-Projekt. »Kannst du ein Beispiel nennen?«

»Wo soll ich anfangen? Okay, das erste Mal passierte es, als ich zehn war. Er versprach, mit mir nach Disneyland zu fahren. Ich habe es allen in der Schule erzählt. Und dann hab ich gewartet und gewartet und gewartet, und es ist nie passiert.«

Das Taxi hielt vor einem Wohnblock. Rosie redete weiter, den Blick auf die Rückseite des Fahrersitzes gerichtet. »Davon habe ich dieses Trauma mit Zurückweisung.« Sie sah mich an. »Wie kommst *du* damit klar?«

»Ich hatte dieses Problem noch nie«, sagte ich. Es war nicht die richtige Zeit, um ein neues Gesprächsthema anzufangen.

»Blödsinn«, erwiderte Rosie. Wie es aussah, würde ich ehrlich antworten müssen. Schließlich befand ich mich in Gegenwart einer Psychologiestudentin.

»In der Schule gab es hin und wieder Probleme«, sagte ich also. »Daher der Kampfsport. Aber ich habe auch gewaltlose Techniken für den Umgang mit schwierigen gesellschaftlichen Situationen entwickelt.«

»Wie heute Abend.«

»Ich verlege mich auf die Dinge, die die Menschen amüsant finden.«

Rosie antwortete nicht. Ich erkannte dies als Therapietechnik, aber mir fiel nichts anderes ein, als den Punkt weiter auszuführen.

»Ich hatte nicht viele Freunde, praktisch null, abgesehen von meiner Schwester. Leider ist sie vor zwei Jahren aufgrund medizinischer Inkompetenz verstorben.«

»Was ist passiert?«, fragte Rosie leise.

»Eine nicht diagnostizierte Extrauterinschwangerschaft.«

»Oh, Don«, sagt Rosie voller Mitgefühl. Ich spürte, dass ich die richtige Person gewählt hatte, um mich ihr anzuvertrauen.

»Hatte sie … einen Freund?«

»Nein.« Ich ahnte ihre nächste Frage. »Wir haben nie erfahren, von wem sie schwanger war.«

»Wie hieß sie?«

Das war, oberflächlich betrachtet, eine harmlose Frage, auch wenn ich keinen Sinn darin sah, Rosie den Namen meiner Schwester mitzuteilen. Die Kennzeichnung als Schwester war eindeutig, da ich nur eine Schwester gehabt hatte. Trotzdem war es ein unangenehmes Gefühl. Ich brauchte ein paar Minuten, um den Grund zu erkennen: Obwohl es keine bewusste Entscheidung meinerseits gewesen war, hatte ich ihren Namen seit ihrem Tod nicht mehr ausgesprochen.

»Michelle«, antwortete ich. Danach sagten wir beide eine Weile nichts mehr.

Der Taxifahrer hüstelte. Ich nahm nicht an, dass er ein Bier wollte.

»Willst du mit raufkommen?«, fragte Rosie.

Ich fühlte mich überrumpelt. Das Treffen mit Bianca, das Tanzen, die Ablehnung durch Bianca, Überstimulation, Gespräche über persönliche Dinge – gerade jetzt, wo ich dachte, die Tortur sei vorbei, schien Rosie sich noch weiter unterhalten zu wollen. Ich war nicht sicher, dass ich das verkraftete.

»Es ist schon sehr spät«, sagte ich. Das war sicher eine gesellschaftlich akzeptable Weise zu sagen, dass ich nach Hause wollte.

»Die Taxigebühr ist morgens wieder niedrig.«

Wenn ich das richtig verstand, wäre ich nun hoffnungslos überfordert. Ich musste sichergehen, dass ich sie nicht falsch interpretierte.

»Soll das heißen, dass ich die Nacht über bleiben soll?«

»Vielleicht. Aber erst musst du dir meine Lebensgeschichte anhören.«

Achtung! Gefahr, Will Robinson. Nicht identifizierter Außer-

irdischer im Anmarsch!, ertönte in meinem Kopf die Stimme aus der uralten Serie *Zwischen fremden Welten*. Ich spürte, wie ich in einen emotionalen Abgrund stürzte. Ich schaffte es, so weit ruhig zu bleiben, dass ich antworten konnte.

»Leider habe ich eine ganze Reihe Aktivitäten für den frühen Morgen geplant.« Routine. Normalität.

Rosie öffnete die Tür. Ich wollte, dass sie ging. Aber sie hatte noch mehr zu sagen.

»Don, darf ich dich was fragen?«

»Ja. Eine Frage.«

»Findest du mich attraktiv?«

Wie Gene mir am nächsten Tag erklärte, hatte ich die Frage falsch gedeutet. Aber er saß auch nicht nach einem Abend totaler Sinnesüberlastung mit der schönsten Frau der Welt in einem Taxi. Ich war der Meinung, ich hätte gut reagiert. Ich hatte die Fangfrage identifiziert. Ich wollte, dass Rosie mich mochte, und ich erinnerte mich an ihre leidenschaftlichen Ausführungen über Männer, die Frauen wie Objekte behandelten. Folglich war es ein Test, um zu sehen, ob ich sie als Objekt oder als Mensch wahrnahm. Die korrekte Antwort musste sich daher auf Letzteres beziehen.

»Darüber hab ich bisher nicht nachgedacht«, erklärte ich der schönsten Frau der Welt.

18

Ich schrieb Gene vom Taxi aus eine SMS. Es war 1:08 Uhr, aber er war zeitgleich mit uns vom Ball aufgebrochen und hatte einen weiteren Weg. *Dringend: Morgen 6 h laufen.* Gene schrieb zurück: *Sonntag um 8: Bring Biancas Kontakt-Info.* Ich wollte auf den früheren Termin bestehen, dachte dann aber, dass ich die extra Zeit nutzen könnte, um meine Gedanken zu sortieren.

Es schien mir offensichtlich, dass Rosie mich zum Sex mit ihr eingeladen hatte. Es war richtig gewesen, die Situation zu umgehen. Wir beide hatten eine erhebliche Menge Champagner getrunken, und Alkohol ist berüchtigt dafür, unkluge Entscheidungen hinsichtlich Sex zu provozieren. Rosie kannte das perfekte Beispiel: Die zweifellos durch Alkohol hervorgerufene Entscheidung ihrer Mutter zu spontanem Sex verursachte Rosie noch immer beträchtliches Leid.

Meine eigene sexuelle Erfahrung war begrenzt. Gene hatte mich belehrt, dass es üblich sei, bis zur dritten Verabredung zu warten, und meine Beziehungen waren nie über ein erstes Treffen hinausgegangen. Tatsächlich hatten Rosie und ich auch nur eine einzige richtige Verabredung gehabt – den Abend mit dem Jackett-Zwischenfall und dem Balkonessen.

Die Dienste eines Freudenhauses hatte ich noch nie in Anspruch genommen, nicht aus moralischen Gründen, sondern weil ich die Vorstellung widerlich fand. Das war kein rationaler Grund, aber da die erstrebten Leistungen primitiver Art gewesen wären, reichte ein primitiver Grund aus.

Nun aber schien sich mir die Gelegenheit dessen zu bieten, was Gene als »Sex ohne Verpflichtungen« bezeichnen würde. Die erforderlichen Bedingungen lagen vor: Rosie und ich waren uns zweifelsfrei darüber einig gewesen, dass keiner von uns eine romantische Beziehung eingehen wollte, und dann hatte Rosie angedeutet, sie wolle Sex mit mir. Wollte ich Sex mit Rosie? Es schien kein logisches Argument dagegen zu sprechen, was mir die Freiheit ließ, meinen primitiven Begierden nachzugeben. Somit war die Antwort ein klares Ja. Nachdem ich diese absolut rationale Entscheidung getroffen hatte, konnte ich an nichts anderes mehr denken.

Am Sonntagmorgen traf Gene mich schon vor seinem Haus. Ich hatte Biancas Kontaktdaten mitgebracht und ihre Nationalität überprüft – Panama. Letzteres gefiel Gene sehr.

Er wollte alle Einzelheiten meines Gesprächs mit Rosie wissen, aber ich hatte entschieden, dass es Zeitverschwendung sei, alles zweimal zu erklären: Ich würde es ihm und Claudia gemeinsam erzählen. Da ich kein anderes Gesprächsthema hatte und Gene beim Laufen nicht reden konnte, verbrachten wir die nächsten siebenundvierzig Minuten schweigend.

Als wir zu Genes Haus zurückkehrten, saßen Claudia und Eugenie beim Frühstück.

Ich setzte mich zu ihnen und sagte: »Ich brauche euren Rat.«

»Kann das noch warten?«, wollte Claudia wissen. »Wir müssen Eugenie zum Reiten bringen, und dann treffen wir uns mit Leuten zum Brunch.«

»Nein. Ich habe möglicherweise einen gesellschaftlichen Fehler begangen und eine von Genes Regeln gebrochen.«

Gene sagte: »Don, ich denke, der panamaische Vogel ist

ausgeflogen. Das kannst du unter der Rubrik Lebenserfahrung abheften.«

»Die Regel betrifft Rosie, nicht Bianca. Lass dir nie die Chance auf Sex mit einer Frau unter dreißig entgehen.«

»Das hat Gene gesagt?«, fragte Claudia.

Carl war hereingekommen, und ich bereitete mich innerlich auf sein Angriffsritual vor, doch er blieb stehen und starrte auf seinen Vater.

»Ich dachte, ich sollte dich um Rat fragen, weil du Psychologin bist, und Gene, weil er so umfangreiche praktische Erfahrung besitzt«, fügte ich hinzu.

Gene sah Claudia an, dann Carl.

»Das galt für meine vergeudeten Jahre als junger Erwachsener«, sagte er. »*Nicht* für meine Teenagerzeit.« Er drehte sich wieder zu mir. »Ich denke, das kann bis morgen Mittag warten.«

»Was ist mit Claudia?«, fragte ich nach.

Claudia stand auf. »Ich bin sicher, es gibt nichts, das Gene nicht weiß.«

Das klang ermutigend, vor allem, da es von seiner Ehefrau kam.

»Du hast *was* gesagt?«, fragte Gene nach. Wir aßen, wie verabredet, im Universitätsclub zu Mittag.

»Ich sagte, ich hätte ihr Äußeres nicht wahrgenommen. Sie sollte nicht denken, dass ich sie als Sexobjekt betrachte.«

»Du meine Güte«, erwiderte Gene. »Das eine Mal, wo du nachdenkst, bevor du sprichst, ist das Mal, wo du es nicht hättest tun sollen.«

»Ich hätte sagen sollen, sie sei hübsch?«, erwiderte ich ungläubig.

»Das hast du schnell erfasst«, entgegnete Gene, doch seine

Aussage war inkorrekt, denn das Problem bestand ja genau darin, dass ich es nicht sofort erfasst hatte. »Das erklärt den Kuchen.«

Ich musste ihn verständnislos angesehen haben. Aus nachvollziehbaren Gründen.

»Sie hat Schokoladenkuchen gegessen. An ihrem Arbeitsplatz. Zum Frühstück.«

Das schien mir zwar eine ungesunde Wahl, ebenso wie das Rauchen, aber kein Hinweis auf Kummer. Gene versicherte aber, sie tue es, um sich besser zu fühlen.

Nachdem ich Gene mit den nötigen Hintergrundinformationen versorgt hatte, legte ich mein Problem dar.

»Du sagst also, sie ist nicht die Richtige«, meinte Gene. »Keine Partnerin fürs Leben.«

»Sie ist vollkommen ungeeignet. Aber extrem attraktiv. Wenn ich mit jemandem Sex ohne Verpflichtungen haben wollte, wäre sie die perfekte Kandidatin. Auch sie empfindet mir gegenüber keine emotionale Bindung.«

»Warum dann der Stress?«, wollte Gene wissen. »Hast du schon mal Sex gehabt?«

»Natürlich«, antwortete ich. »Mein Arzt ist sehr dafür.«

»Die Grenzgebiete medizinischer Wissenschaft«, kommentierte Gene.

Das sollte vermutlich ein Witz sein. Ich denke, die Vorzüge von regelmäßigem Sex sind hinreichend bekannt.

Ich fuhr fort: »Natürlich würde es mit einer zweiten Person komplizierter werden.«

»Natürlich«, meinte Gene. »Das hätte ich mir denken können. Warum besorgst du dir nicht ein Buch?«

Die Informationen waren auch im Internet abrufbar, aber schon wenige Minuten nachdem ich die Suchergebnisse für

»Stellungen Geschlechtsverkehr« studiert hatte, war ich überzeugt, dass mir ein Buch bessere Anleitungen bei einer geringeren Anzahl irrelevanter Informationen bieten würde.

Ich hatte kein Problem, ein passendes Buch zu finden, und schlug in meinem Büro willkürlich eine Stellung auf. Sie hieß »Umgekehrte Cowboy-Stellung (Variante 2)«. Ich probierte sie aus – sie war ganz leicht. Aber wie ich Gene bereits gesagt hatte, bestand das Problem in der Einbeziehung einer zweiten Person. Ich holte das Skelett aus dem Wandschrank und drapierte es gemäß der Abbildung auf meinem Körper.

An der Universität besteht die Regel, dass niemand eine Tür öffnet, ohne vorher anzuklopfen. Gene missachtet das bei mir gelegentlich, doch wir sind gute Freunde. Die Dekanin zähle ich nicht zu meinen Freunden. Es war ein peinlicher Moment – vor allem, da die Dekanin in Begleitung war –, aber einzig und allein ihr Fehler. Zum Glück hatte ich meine Kleider anbehalten.

»Don«, sagte sie, »wenn Sie die Reparatur des Skeletts für einen Moment unterbrechen könnten, möchte ich Ihnen Dr. Peter Enticott aus dem medizinischen Forschungsausschuss vorstellen. Ich habe Ihre Arbeit über Zirrhose erwähnt, und er wollte Sie gern kennenlernen. Um gegebenenfalls ein *Förderungspaket* in Erwägung zu ziehen.« Sie betonte es so, als läge mir Universitätspolitik derart fern, dass ich vergessen hätte, wie wichtig ihr finanzielle Förderpakete waren. Sie lag richtig damit.

Ich erkannte Peter sofort. Er war der einstige Vaterkandidat, der an der Deakin University arbeitete und Anlass für den Tassenklau gegeben hatte. Er erkannte mich ebenso.

»Don und ich sind uns bereits begegnet«, sagte er. »Seine Freundin will sich bei uns für ein Medizinstudium bewerben, und erst vor kurzem haben wir uns auch auf einer Gesellschaft getroffen.« Er zwinkerte mir zu und wandte sich wieder an die Dekanin: »Ich glaube, Sie zahlen Ihrem wissenschaftlichen Personal nicht genug.«

Wir führten eine angeregte Diskussion über meine Arbeit mit alkoholisierten Mäusen. Peter wirkte sehr interessiert, und ich musste ihm wiederholt versichern, meine Forschungsarbeit sei so angelegt, dass ich keine externe Förderung benötige. Die Dekanin machte seltsame Bewegungen mit den Händen und verzerrte ihr Gesicht, weil sie mich wohl dazu bringen wollte, meine Studie falsch und als förderungsbedürftig darzustellen, so dass sie das Geld einem anderen Projekt zuteilen könnte, das für sich genommen keine Förderung verdiente. Ich zog es vor, den Begriffsstutzigen zu spielen, doch das verstärkte die Signale der Dekanin nur. Erst später fiel mir ein, dass ich das Buch mit den Sexstellungen vielleicht nicht offen auf dem Boden hätte liegen lassen sollen.

Ich entschied, dass zehn Stellungen vorerst genügen würden. Wenn die erste Begegnung erfolgreich verliefe, könnte ich immer noch mehr lernen. Es hatte nicht lange gedauert – weitaus weniger Zeit als der Cha-Cha-Cha. Hinsichtlich einer Aufwand-Ergebnis-Bilanz schien es dem Tanzen also vorzuziehen zu sein, und ich freute mich schon sehr darauf.

Ich besuchte Rosie an ihrem Arbeitsplatz. Der Bereich der Doktoranden war ein fensterloser Raum mit ringsum Tischen an den Wänden. Ich zählte acht Studenten einschließlich Rosie und Stefan, deren Tische nebeneinanderstanden.

Stefan lächelte mich schief an. Er war mir immer noch nicht sympathisch.

»Sie sind überall auf Facebook zu sehen, Don.« Er drehte sich wieder zu Rosie. »Du wirst deinen Beziehungsstatus ändern müssen.«

Auf seinem Bildschirm prangte ein eindrucksvolles Foto von

Rosie und mir, ähnlich dem, das der Fotograf mir geschenkt hatte und das jetzt zu Hause neben meinem Computer stand. Darauf wirbelte ich Rosie gerade herum, und ihr Gesichtsausdruck ließ auf überdurchschnittliche Freude schließen. Ich war nicht offiziell »getagged« worden, da ich nicht bei Facebook registriert war (soziale Netzwerke interessieren mich nicht), aber unsere Namen standen als Bildunterschrift unter dem Foto: *Prof. für Genetik Don Tillman und Doktorandin der Psychologie Rosie Jarman.*

»Sei bloß still«, sagte Rosie.

»Magst du das Foto nicht?« Das schien ein schlechtes Zeichen.

»Es ist wegen Phil. Ich will nicht, dass er das sieht.«

Stefan meldete sich wieder zu Wort. »Denkst du etwa, dein Vater stöbert in seiner Freizeit in Facebook herum?«

»Warte nur, bis er anruft«, meinte Rosie. »›Wie viel verdient er?‹, »›Schläfst du mit ihm?‹, ›Wie viel Gewicht kann er stemmen?‹«

»Das sind ja wohl keine ungewöhnlichen Fragen für einen Vater, der etwas über den Mann wissen will, mit dem seine Tochter zusammen ist«, kommentierte Stefan.

»Wir sind nicht zusammen. Wir haben uns ein Taxi geteilt. Sonst nichts. Stimmt's, Don?«

»Korrekt.«

Rosie drehte sich wieder zu Stefan. »Du kannst deine kleine Theorie also dahin stecken, wo sie reinpasst. Für immer.«

»Ich muss privat mit dir reden«, sagte ich zu Rosie.

Sie sah mir direkt ins Gesicht. »Ich denke nicht, dass wir irgendwas Privates zu besprechen hätten.«

Das erschien mir seltsam. Aber vielleicht tauschten sie und Stefan ihre Informationen auf dieselbe Weise aus wie Gene und ich. Er hatte sie immerhin zu dem Ball begleitet.

»Ich habe noch einmal über dein Angebot zum Sex nachgedacht«, sagte ich.

Stefan schlug sich eine Hand vor den Mund. Eine ziemlich lange Zeit herrschte Schweigen – ich würde sie auf sechs Sekunden schätzen.

Dann sagte Rosie: »Das war ein Witz, Don. Ein Witz.«

Das ergab für mich keinen Sinn. Ich hätte es verstanden, wenn sie ihre Meinung geändert hätte. Vielleicht war meine Antwort hinsichtlich der sexuellen Objektifizierung zu verhängnisvoll gewesen. Aber ein Witz? Sicherlich war ich zwischenmenschlichen Zeichen gegenüber nicht derart unsensibel, dass ich einen Witz nicht erkannt hätte, oder? Doch, das war ich. Auch früher schon hatte ich darin versagt, Witze zu erkennen. Ein Witz! Ich hatte mich wegen eines Witzes verrückt gemacht.

»Oh. Und wann sollen wir uns wegen des anderen Projekts wieder treffen?«

Rosie starrte auf ihre Tischplatte. »Es gibt kein anderes Projekt.«

19

Eine Woche lang tat ich mein Bestes, um zu meinem regulären Terminplan zurückzukehren. Ich nutzte die Zeit, die ich durch Evas Putzen und den Abbruch des Vaterprojekts gewann, um das Karate- und Aikido-Training nachzuholen, das ich hatte ausfallen lassen.

Sensei, Träger des fünften Dan und ein Mann, der wenig sagt, vor allem zu Schwarzgurten, nahm mich während meines Sandsack-Trainings im Dojo zur Seite.

»Etwas hat dich sehr wütend gemacht«, sagte er. Das war alles.

Er kannte mich gut genug, um zu wissen, dass ich mich nicht von einem Gefühl beherrschen lassen würde, sobald ich es erkannt hätte. Aber es war gut, dass er mit mir gesprochen hatte, denn meine Wut war mir nicht bewusst gewesen.

Erst war ich wütend auf Rosie, weil sie mir unerwartet etwas verweigert hatte, was ich wollte. Aber dann wurde ich wütend auf mich selbst und meine soziale Inkompetenz, die Rosie zweifellos in Verlegenheit gebracht hatte.

Ich versuchte mehrmals, Rosie zu kontaktieren, erreichte jedoch nur ihren Anrufbeantworter. Schließlich hinterließ ich eine Nachricht: »Was, wenn du an Leukämie erkrankst und nicht weißt, wen du um eine Knochenmarkstransplantation bitten sollst? Dein biologischer Vater wäre ein exzellenter

Kandidat mit hoher Motivation, dir zu helfen. Der Abbruch des Vaterprojekts könnte also deinen Tod zur Folge haben. Es sind nur noch elf Kandidaten übrig.«

Sie rief nicht zurück.

»So was passiert«, sagte Claudia beim dritten Kaffeetreffen innerhalb von vier Wochen. »Du fängst was mit einer Frau an, es funktioniert nicht …«

Also das war es. Ich hatte, auf meine eigene Art, mit Rosie »etwas angefangen«.

»Was soll ich jetzt tun?«

»Das ist nicht leicht«, sagte Claudia, »aber jeder wird dir denselben Rat geben. Vergiss sie. Es wird sich was anderes ergeben.«

Claudias Logik, die auf einwandfreien theoretischen Grundlagen und reichlich professioneller Erfahrung beruhte, war meinen irrationalen Gefühlen offenkundig überlegen. Doch als ich darüber nachdachte, wurde mir klar, dass sich ihr Ratschlag, und im Grunde die gesamte Fachrichtung der Psychologie, auf wissenschaftliche Studien mit normalen Menschen stützte. Mir ist wohl bewusst, dass ich einige ungewöhnliche Merkmale aufweise. War es möglich, dass Claudias Rat für mich nicht galt?

Ich beschloss einen Kompromiss. Ich würde mit dem Ehefrauprojekt fortfahren. Falls (und nur *falls*) ich nebenher Zeit übrig hätte, würde ich das Vaterprojekt weiterführen, und zwar allein. Wenn ich Rosie ein Ergebnis liefern könnte, würden wir vielleicht wieder Freunde werden.

Aufgrund des Desasters mit Bianca überarbeitete ich den Fragebogen ein weiteres Mal und fügte neue, ausschlaggebende Kriterien hinzu. Ich bezog Fragen zu Tanzen, Racketsportarten und Bridge ein, um Kandidatinnen zu eliminieren, die das Erlernen weiterer nutzloser Fähigkeiten erforderlich machten, und erhöhte den Schwierigkeitsgrad der mathematischen, physikalischen und genetischen Aufgaben. Option *(c) gelegentlich* war nun die *einzig* akzeptable Antwort auf die Frage nach dem Alkoholkonsum. Ich organisierte es so, dass die Antworten direkt zu Gene gingen, der offenbar die weitverbreitete Forschungspraxis einer Zweitverwertung der Daten betrieb. Er könnte mir Bescheid geben, falls irgendjemand meinen Kriterien entsprach. Zu hundert Prozent.

Mangels Kandidatinnen für das Ehefrauprojekt dachte ich eingehend darüber nach, wie ich weitere DNA-Proben für das Vaterprojekt gewinnen könnte.

Die Lösung fiel mir ein, während ich eine Wachtel entbeinte. Die Kandidaten waren allesamt Ärzte, die möglicherweise bereit wären, an einer genetischen Studie teilzunehmen. Ich brauchte nur eine plausible Erklärung, um an ihre DNA zu gelangen. Dank meiner Vorbereitung auf den Asperger-Vortrag hatte ich eine.

Ich zog die Liste mit den elf Namen heraus. Zwei davon waren tot, so dass neun übrig blieben, von denen sieben in Übersee lebten, was ihre Abwesenheit beim Jubiläumstreffen erklärte. Zwei jedoch wiesen hiesige Telefonnummern auf, und einer davon war der Leiter des medizinischen Forschungsinstituts meiner eigenen Universität. Ihn rief ich als Erstes an.

»Büro von Professor Lefebvre«, sagte eine Frauenstimme.

»Hier ist Professor Tillman aus dem Fachbereich Genetik. Ich würde Professor Lefebvre gern einladen, an einem Forschungsprojekt teilzunehmen.«

»Professor Lefebvre nimmt ein Sabbatjahr und weilt gerade in den USA. In zwei Wochen ist er zurück.«

»Ausgezeichnet. Das Projekt lautet *Nachweis von Markergenen für Autismus bei hochleistungsfähigen Persönlichkeiten.*

Er müsste einen Fragebogen ausfüllen und eine DNA-Probe abgeben.«

Zwei Tage später hatte ich alle noch lebenden Kandidaten ausfindig gemacht und ihnen einen aus den Asperger-Recherchen entwickelten Fragebogen samt Tupfer für den Wangenabstrich geschickt. Die Fragebögen waren irrelevant, aber nötig, um die Studie legitim erscheinen zu lassen. Mein Begleitschreiben wies mich als Genetikprofessor einer angesehenen Universität aus. Bis die DNA-Proben einträfen, musste ich lebende Verwandte der zwei verstorbenen Ärzte finden.

Im Internet entdeckte ich einen Nachruf auf Dr. Gerhard von Deyn, der an einem Herzinfarkt verstorben war. Darin wurde eine Tochter erwähnt, die damals Medizin studiert hatte. Es war nicht weiter schwierig, Dr. Brigitte von Deyn zu finden, die bereitwillig an der Studie teilnahm. Einfach.

Geoffrey Case stellte eine größere Herausforderung dar. Er war ein Jahr nach dem Abschluss des Doktorstudiums verstorben. Von der Webseite des Jubiläumstreffens wusste ich, dass er nicht verheiratet gewesen war und – soweit bekannt – keine Kinder hatte.

Inzwischen trafen die ersten Antworten auf meine DNA-Anfrage ein. Zwei Ärzte aus New York lehnten die Teilnahme ab. Warum weigerten sich praktizierende Ärzte, an einer wichtigen Studie teilzunehmen? Hatten sie etwas zu verbergen? Etwa eine uneheliche Tochter in der Stadt, aus der die Anfrage für die Studie kam? Mir ging auf, dass diese Männer, falls sie mein Motiv errieten, auch einfach die DNA eines Freundes hätten schicken können. Eine Weigerung war immerhin besser als Betrug.

Sechs Vaterkandidaten sowie Dr. von Deyn Jr. schickten DNA-Proben. Keiner von ihnen war Rosies Vater bzw. Halbschwester. Professor Simon Lefebvre kehrte aus seinem Sabbatjahr zurück und wollte mich persönlich treffen.

»Ich bin hier, um etwas von Professor Lefebvre abzuholen«, sagte ich der Empfangsdame im Stadtkrankenhaus, an dem er arbeitete, und hoffte, auf diese Weise ein persönliches Treffen und eventuelle Fragen zu umgehen. Meine Taktik brachte keinen Erfolg. Die Dame telefonierte, gab meinen Namen durch, und Professor Lefebvre kam zum Empfang. Er war schätzungsweise vierundfünfzig Jahre alt – in den letzten dreizehn Wochen hatte ich viele Vierundfünfzigjährige getroffen. Er trug einen großen Umschlag bei sich, der vermutlich den Fragebogen enthielt (und im Altpapierkorb landen würde) sowie seine DNA.

Als er vor mir stand, wollte ich ihm den Umschlag abnehmen, doch er streckte seine andere Hand vor, um meine zu schütteln. Es lief ziemlich ungelenk ab, und am Ende gaben wir einander die Hand, und er behielt den Umschlag.

»Simon Lefebvre«, sagte er. »Also, was wollen Sie wirklich?«

Das kam völlig unerwartet. Warum sollte er meine Motive in Frage stellen?

»Ihre DNA«, antwortete ich. »Und Ihren Fragebogen. Für eine größere Forschungsstudie. Eine sehr wichtige.« Ich war nervös, und meine Stimme spiegelte das zweifellos wider.

»Da bin ich sicher.« Simon lachte. »Und dafür suchen Sie sich ganz zufällig den Leiter der medizinischen Forschungsabteilung als Forschungsobjekt aus?«

»Wir suchen nach hochleistungsfähigen Persönlichkeiten.«

»Was hat Charlie diesmal vor?«

»Charlie?« Ich kannte niemanden mit Namen Charlie.

»Also gut«, meinte er. »Dumme Frage. Also: Wie viel soll ich dafür lockermachen?«

»Es muss nichts lockergemacht werden. Und ein Charlie

ist nicht beteiligt. Ich brauche nur die DNA … und den Fragebogen.«

Simon lachte wieder. »Sie machen mich wirklich neugierig. Das können Sie Charlie sagen. Lassen Sie mir eine Projektbeschreibung zukommen. Und die Zustimmung der Ethikkommission. Den ganzen Kladderadatsch.«

»Und dann bekomme ich meine Probe?«, fragte ich nach. »Eine hohe Rücklaufquote ist für die statistische Auswertung sehr wichtig.«

»Schicken Sie mir einfach den Papierkram.«

Simon Lefebvres Nachfrage war durchaus begründet, doch leider konnte ich nicht mit dem erforderlichen Papierkram aufwarten, da das Projekt rein fiktiv war. Einen plausiblen Antrag auf ein Forschungsprojekt zu stellen würde vermutlich Hunderte Stunden Arbeit bedeuten.

Ich versuchte, die Wahrscheinlichkeit einzuschätzen, dass Simon Lefebvre Rosies Vater war. Es gab noch vier ungetestete Kandidaten: Lefebvre, Geoffrey Case (tot) und die beiden New Yorker Isaac Esler und Solomon Freyberg. Auf der Grundlage von Rosies Informationen bestand für jeden eine fünfundzwanzigprozentige Chance, ihr Vater zu sein. Da ich jedoch schon so weit gekommen war, ohne ein positives Ergebnis zu erhalten, musste ich auch andere Möglichkeiten in Erwägung ziehen. Zwei der Ergebnisse beruhten auf der DNA von Töchtern der verstorbenen Kandidaten. Es bestand die Möglichkeit, dass eine oder beide dieser Nachkommen ebenfalls das Ergebnis einer außerehelichen Beziehung waren, was, wie Gene gern betonte, viel häufiger vorkommt als allgemein angenommen. Und es war möglich, dass eine der Antworten auf meine fiktive Studie eine falsche DNA-Probe beinhaltete.

Außerdem musste ich in Betracht ziehen, dass Rosies Mutter nicht die Wahrheit gesagt hatte. Es dauerte lange, bis ich auf diese Möglichkeit kam, denn meine Grundannahme ist die, dass Menschen ehrlich sind. Aber vielleicht hatte Rosies Mutter gewollt, dass Rosie dachte, ihr Vater sei ein Mediziner wie sie selbst anstelle einer weniger angesehenen Person. Alles in allem kalkulierte ich die Chance, dass Simon Lefebvre Rosies Vater war, auf sechzehn Prozent. Falls ich also eine umfassende Dokumentation für ein Asperger-Forschungsprojekt erstellen müsste, hätte ich eine riesige Menge Arbeit zu erledigen, auch wenn die Wahrscheinlichkeit gering wäre, ein positives Ergebnis zu erlangen.

Ich machte mich an die Arbeit. Die Entscheidung war nicht unbedingt rational.

Während ich mitten in der Arbeit steckte, rief mich ein Anwalt an mit der Nachricht, dass Daphne verstorben sei. Obwohl sie schon eine Weile tot war, verspürte ich ein unerwartetes Gefühl der Einsamkeit. Unsere Freundschaft war so einfach gewesen. Jetzt war alles so viel komplizierter.

Der Grund für den Anruf war, dass Daphne mir in ihrem Testament eine, wie der Anwalt es nannte, »kleine Summe« hinterlassen hatte. Zehntausend Dollar. Dazu gab es einen Brief, den sie vor ihrem Umzug ins Pflegeheim geschrieben hatte, per Hand, auf gemustertem Briefpapier.

Lieber Don,
danke, dass Du die letzten Jahre meines Lebens so anregend gestaltet hast. Nachdem Edward ins Pflegeheim gekommen war, dachte ich, in meinem Leben passiert nicht mehr viel. Ich bin sicher, Du weißt, wie viel Du mir beigebracht hast und wie interessant unsere Gespräche waren, aber Dir ist vielleicht nicht bewusst, was für ein wunderbarer Freund und Beistand Du mir gewesen bist.

Ich habe einmal gesagt, Du könntest irgendeiner Frau ein wunderbarer Ehemann sein, und falls Du das vergessen hast, sage ich es Dir hiermit noch einmal. Ich bin sicher, wenn Du Dich nur genug anstrengst, wirst Du die Richtige finden. Gib nicht auf, Don.

Ich weiß, Du brauchst mein Geld nicht, aber meine Kinder schon, und trotzdem habe ich eine kleine Summe für Dich beiseitegelegt. Es würde mich sehr freuen, wenn Du damit etwas Irrationales anstellen würdest.

In Liebe,
Deine Freundin
Daphne Speldewind

Ich brauchte weniger als zehn Sekunden, um mir eine irrationale Ausgabe zu überlegen – tatsächlich erlaubte ich mir *nur* diese Zeitspanne, um sicherzugehen, dass die Entscheidung durch keinen logischen Denkprozess beeinträchtigt wurde.

Das Asperger-Forschungsprojekt war faszinierend, aber sehr zeitaufwendig. Der endgültige Antrag war beeindruckend, und ich war sicher, dass er einer Prüfung durch Fachkollegen standhalten würde, falls ich bei irgendeiner Organisation eine finanzielle Förderung hätte beantragen wollen. Ich gab vor, dass dies geschehen sei, wobei ich darauf verzichtete, einen entsprechenden Bewilligungsbescheid zu fälschen. Ich rief Lefebvres persönliche Assistentin an und erklärte, ich hätte vergessen, ihm die Dokumente zu schicken, werde sie nun aber persönlich vorbeibringen. Das Betrügen ging mir immer leichter von der Hand.

Ich meldete mich erneut an der Empfangstheke im Krankenhaus, und erneut rief man Professor Lefebvre. Diesmal hielt er keinen Umschlag bereit. Ich wollte ihm die Dokumente geben, er wollte meine Hand schütteln, und wir wiederholten die ungelenken Bewegungen vom letzten Mal. Lefebvre schien das lustig zu finden. Ich spürte, dass ich mich verkrampfte. Nach all meiner Arbeit wollte ich endlich die DNA.

»Seid gegrüßt«, sagte ich. »Hier die gewünschte Projektbeschreibung. Alle Anforderungen sind erfüllt. Jetzt brauche ich die DNA-Probe samt Fragebogen.«

Lefebvre lachte wieder und musterte mich von oben bis unten. War an meinem Äußeren etwas auszusetzen? Wie jeden zweiten Tag, trug ich das T-Shirt mit dem Periodensystem, das ich im Jahr nach meinem Studienabschluss zum Geburtstag bekommen hatte. Dazu die Allzweckhose, die zum Gehen, Dozieren, Forschen und für körperliche Anstrengung gleichermaßen geeignet war. Außerdem qualitativ hochwertige Laufschuhe. Das einzig Fehlerhafte waren meine Socken, die man unterhalb der Hose vermutlich sehen konnte und die verschiedene Farben aufwiesen – ein verbreiteter Fehler, wenn man sich bei schwachem Licht ankleidet. Doch Simon Lefebvre schien heute alles amüsant zu finden.

»Wunderbar«, sagte er. Dann wiederholte er meine Worte so, als wollte er meine Sprechweise imitieren: »Alle Anforderungen erfüllt.« In seiner normalen Stimme fügte er hinzu: »Sagen Sie Charlie, ich verspreche, den Antrag durchzusehen.«

Schon wieder dieser Charlie! Das wurde langsam lächerlich.

»Die DNA«, sagte ich laut vernehmlich. »Ich brauche die Probe.«

Lefebvre lachte, als hätte ich den größten Witz aller Zeiten gemacht. Sogar Tränen liefen ihm über das Gesicht. Echte Tränen.

»Sie haben mir den Tag versüßt.«

Er zog ein Papiertuch aus einer Schachtel auf der Empfangstheke, wischte sich das Gesicht ab, schnäuzte sich und warf das Tuch in den Abfalleimer, bevor er mit meiner Dokumentation verschwand.

Ich ging zum Abfalleimer und fischte das Tuch heraus.

20

Ich saß schon den dritten Tag in Folge mit einer Zeitung im Leseraum des Universitätsclubs. Ich wollte, dass es wie zufällig wirkte. Von meinem Platz aus hatte ich die Schlange an der Theke im Blick, an der Rosie manchmal ihr Mittagessen holte, obwohl sie kein Mitglied war. Diese Information hatte mir Gene gegeben, wenn auch unwillig.

»Don, ich glaube, es ist an der Zeit, die Sache ruhen zu lassen. Du wirst nur leiden.«

Ich war anderer Meinung. Mit Emotionen kann ich sehr gut umgehen. Auf Ablehnung war ich gefasst.

Rosie kam herein und stellte sich in die Schlange. Ich stand auf und schob mich hinter sie.

»Don«, sagte sie. »Was für ein Zufall.«

»Ich habe Neuigkeiten bezüglich des Projekts.«

»Es gibt kein Projekt. Es tut mir leid wegen … als wir uns das letzte Mal gesehen haben. Scheiße! Du hast mich in Verlegenheit gebracht, und ich bin diejenige, die sich entschuldigt.«

»Entschuldigung akzeptiert«, sagte ich. »Ich brauche dich, damit du mit mir nach New York fliegst.«

»Was? Nein. Nein, Don. Auf gar keinen Fall.«

Wir waren inzwischen an der Kasse angekommen, ohne ein Essen ausgesucht zu haben, und mussten uns hinten wieder anstellen. Bis wir uns endlich setzen konnten, hatte ich Rosie das Asperger-Forschungsprojekt erklärt. »Ich musste mir für diesen einen Professor eine ganze Dokumentation ausdenken – dreihundertsiebzig Seiten. Jetzt bin ich Experte für das Phänomen ›Idiot Savant‹.«

Es war schwer, Rosies Reaktion zu deuten, aber sie schien eher verwundert als beeindruckt.

»Ein arbeitsloser Experte, wenn sie dich erwischen«, kommentierte sie. »Ich schätze mal, er ist nicht mein Vater.«

»Korrekt.« Ich war erleichtert gewesen, dass Lefebvres Probe negativ war, selbst nach dem beträchtlichen Aufwand, den ich dafür betrieben hatte. Ich hatte bereits Pläne für New York geschmiedet, und ein positives Ergebnis hätte sie zunichtegemacht.

»Jetzt sind noch drei Möglichkeiten übrig. Zwei sind in New York, und beide haben ihre Teilnahme an der Studie verweigert. Demzufolge habe ich sie als schwierig eingestuft, und demzufolge brauche ich in New York deine Hilfe.«

»New York! Nein, Don. Nein, nein, nein, nein. Du wirst nicht nach New York fliegen und ich auch nicht.«

Ich hatte mit der Möglichkeit gerechnet, dass Rosie ablehnen könnte. Aber Daphnes Erbschaft hatte für zwei Flugtickets gereicht.

»Wenn nötig, fliege ich auch allein. Aber ich bin nicht sicher, ob ich die sozialen Aspekte der DNA-Gewinnung allein bewältigen kann.«

Rosie schüttelte den Kopf. »Das ist total verrückt.«

»Willst du nicht wissen, wer sie sind?«, fragte ich. »Die zwei der drei Männer, die dein Vater sein könnten?«

»Schieß los.«

»Isaac Esler. Psychiater.«

Ich konnte sehen, wie Rosie in ihren Erinnerungen kramte.

»Isaac … vielleicht. Könnte sein. Vielleicht der Freund von jemandem. Mist, das ist so lange her.« Sie sah mich an. »Und?«

»Solomon Freyberg. Chirurg.«

»Verwandt mit Max Freyberg?«

»Sein zweiter Name lautet Maxwell.«

»Scheiße. Max Freyberg. Der ist jetzt in New York? Echt irre! Und du sagst, die Chancen stehen eins zu drei, dass ich seine Tochter bin. Und zwei zu drei, dass ich Jüdin bin.«

»Vorausgesetzt, deine Mutter hat die Wahrheit gesagt.«

»Meine Mutter hätte nicht gelogen.«

»Wie alt warst du, als sie starb?«

»Zehn. Ich weiß, was du denkst. Aber ich weiß, ich hab recht.«

Es war offenbar nicht möglich, dieses Thema rational zu diskutieren. Ich griff ihre andere Aussage wieder auf.

»Wäre es ein Problem für dich, Jüdin zu sein?«

»Jüdisch ist in Ordnung. Freyberg ist nicht in Ordnung. Aber wenn es Freyberg ist, würde das erklären, warum meine Mutter Stillschweigen bewahrte. Du hast nie von ihm gehört?«

»Nur als Kandidat dieses Projekts.«

»Wenn du dich für Football interessieren würdest, hättest du von ihm gehört.«

»Er war Football-Spieler?«

»Vereinspräsident. Und ein wohlbekanntes Arschloch. Was ist mit dem dritten?«

»Geoffrey Case.«

»Ach, du meine Güte!« Rosie wurde bleich. »Der ist tot.«

»Korrekt.«

»Mum hat viel von ihm gesprochen. Er hatte einen Unfall. Oder irgendeine Krankheit – vielleicht Krebs. Offensichtlich irgendetwas Schlimmes. Aber ich wusste nicht, dass er in ihrem Abschlussjahrgang war.«

Schlagartig wurde mir bewusst, dass wir extrem nachlässig an das Projekt herangegangen waren, vor allem wegen der

Missverständnisse, die immer wieder zu Abbrüchen, gefolgt von Neustarts geführt hatten. Wären wir die Namen zu Beginn gewissenhaft durchgegangen, hätten wir solche offensichtlichen Möglichkeiten nicht übersehen.

»Weißt du mehr über ihn?«

»Nein. Mom war wirklich traurig darüber, was ihm passiert war. Scheiße. Das ergibt alles Sinn, oder? Warum sie es mir nicht sagen wollte.«

Für mich ergab es keinen Sinn.

»Er kam vom Land«, erzählte Rosie weiter. »Ich glaube, sein Vater hatte eine Praxis irgendwo weit draußen, wo sich Känguru und Dingo gute Nacht sagen.«

Auf einer Webseite hatte ich die Information gefunden, dass Geoffrey Case aus Moree im nördlichen New South Wales stammte, aber das erklärte kaum, warum Rosies Mutter seine Identität hätte geheim halten wollen, falls er der Vater wäre. Sein einziges anderes besonderes Merkmal war, dass er tot war, also meinte Rosie vielleicht, dass ihre Mutter es ihr deshalb nicht hatte sagen wollen. Aber dann hätte sie eigentlich doch Phil diese Information geben können, um es Rosie zu erzählen, wenn sie alt genug wäre, damit umzugehen.

Während wir redeten, kam Gene herein. Mit Bianca! Sie winkten uns zu und gingen dann nach oben in den privaten Speisesaal. Unfassbar!

»Eklig«, sagte Rosie.

»Er erforscht die sexuelle Attraktivität verschiedener Nationalitäten.«

»Aha. Seine Frau tut mir leid.«

Ich informierte Rosie, dass Gene und Claudia eine offene Ehe führten.

»Die Glückliche«, meinte Rosie. »Hast du mit der Gewinnerin deines Ehefrauprojekts dasselbe vor?«

»Natürlich«, erwiderte ich.

»Natürlich«, sagte Rosie.

»Wenn es das ist, was sie will«, fügte ich noch hinzu, um Missverständnissen vorzubeugen.

»Hältst du das für wahrscheinlich?«

»Wenn ich eine Partnerin finde, was immer unwahrscheinlicher zu werden scheint, würde ich keine sexuelle Beziehung zu einer anderen Frau mehr wollen. Aber ich kann nicht gut einschätzen, was andere Leute wollen.«

»Erzähl mir was Neues«, sagte Rosie, völlig unmotiviert.

Schnell überlegte ich, welche interessante Tatsache ich ihr erzählen könnte. »Ah! Die Hoden von Drohnen und Wespenspinnen explodieren beim Geschlechtsverkehr.«

Es war ärgerlich, dass das Erste, was mir in den Sinn kam, mit Sex zu tun hatte. Als Psychologiestudentin konnte Rosie daraus sicher irgendeine Freud'sche Fehlleistung ableiten. Aber sie sah mich nur an und schüttelte den Kopf. Dann lachte sie. »Ich kann es mir zwar nicht leisten, nach New York zu fliegen, aber allein bist du da nicht sicher.«

Zu einer oder einem M. Case in Moree fand ich eine Telefonnummer. Die Frau, die meinen Anruf annahm, sagte, dass Dr. Case senior, der verwirrenderweise ebenfalls Geoffrey hieß, vor einigen Jahren verstorben sei und seine Witwe Margaret seit zwei Jahren wegen Alzheimer im örtlichen Pflegeheim betreut werde. Das waren gute Nachrichten. Besser, dass die Mutter noch lebte und nicht der Vater, da an der Identität der biologischen Mutter selten Zweifel bestehen.

Ich hätte Rosie bitten können mitzufahren, aber sie hatte schon der Reise nach New York zugestimmt, und ich wollte keine Gelegenheit für gesellschaftliche Fettnäpfchen bieten, die unsere Fahrt gefährden könnten. Aus meiner Erfahrung mit Daphne wusste ich, dass es einfach wäre, eine DNA-Probe einer an Alzheimer erkrankten Person zu nehmen. Ich mietete ein Auto, packte Tupfer zum Wangenschaben, Reißverschlussbeutel und Pinzetten ein. Außerdem nahm ich eine alte Visitenkarte aus der Zeit mit, bevor ich zum Assistenzprofessor befördert worden war. In medizinischen Einrichtungen macht *Doktor* Don Tillman einen besseren Eindruck.

Moree liegt eintausendzweihundertdreißig Kilometer von Melbourne entfernt. Um 15:43 Uhr, nach meiner letzten Vorlesung am Freitag, holte ich den Mietwagen ab. Der Routenplaner im Internet hatte die Fahrzeit pro Weg auf vierzehn Stunden und vierunddreißig Minuten geschätzt.

Als ich noch studiert hatte, war ich regelmäßig zu meinen Eltern in Shepparton gefahren und hatte dabei feststellen können, dass lange Fahrten einen ähnlichen Effekt hatten wie mein Markttag-Joggen. Es ist wissenschaftlich erwiesen, dass gleichmäßige mechanische Aktivitäten wie Joggen, Kochen oder Autofahren die Kreativität steigern. Unbehinderte Zeit zum Nachdenken ist immer von Nutzen.

Ich nahm den Hume Highway Richtung Norden und nutzte die präzise Geschwindigkeitsanzeige des Navigationsgeräts, um den Tempomat exakt auf die erlaubte Höchstgeschwindigkeit einzustellen, was besser war, als sich auf die durch technische Manipulation erhöhte Zahl zu verlassen, die der Tachometer anzeigte. Dies würde mir einige Minuten Zeitgewinn bringen ohne das Risiko einer Gesetzesübertretung. So allein im Auto hatte ich das Gefühl, mein ganzes Leben sei in ein Abenteuer verwandelt worden, das in der Reise nach New York gipfeln würde.

Ich hatte beschlossen, während der Fahrt keine Podcasts abzuspielen, um die kognitive Belastung zu minimieren und mein Unterbewusstsein anzuregen, die jüngsten Ereignisse zu verarbeiten. Doch nach drei Stunden merkte ich, dass mir langweilig wurde. Über die Notwendigkeit hinaus, Unfälle zu vermeiden, nehme ich meine Umgebung beim Fahren kaum wahr, und die Landstraße war sowieso nicht besonders interessant. Das Radio würde mich gleichermaßen ablenken wie Podcasts, also beschloss ich, meine erste CD seit dem Bach-Experiment zu kaufen. Die Tankstelle kurz hinter der Grenze zu New South Wales hatte eine geringe Auswahl, aber ich erkannte ein paar Alben aus der Sammlung meines Vaters. Ich entschied mich für *Running on Empty* von Jackson Browne. Durch die Wiederholungstaste wurde es für die nächsten drei Tage zur Hintergrundmusik meiner Reise und meiner Gedanken. Im Gegensatz zu anderen Menschen fühle ich mich mit ständigen Wiederholungen sehr wohl. Wahrscheinlich war es gut, dass ich allein fuhr.

Da mir mein Unterbewusstsein überhaupt nichts lieferte, versuchte ich eine bewusste Analyse des Vaterprojekts.

Auf welchem Stand war ich?

1. Ich hatte einundvierzig von vierundvierzig Kandidaten getestet (plus einige, die aufgrund ihrer möglichen ethnischen Herkunft eigentlich inkompatibel waren). Es bestand die Möglichkeit, dass jemand der sieben Teilnehmer der fiktiven Asperger-Studie eine falsche DNA-Probe geschickt hatte. Ich hielt das jedoch für unwahrscheinlich. Es wäre einfacher gewesen, überhaupt nicht teilzunehmen, so wie Isaac Esler und Max Freyberg.
2. Rosie hatte vier der Kandidaten als engere Freunde ihrer Mutter bezeichnet – Eamonn Hughes, Peter Enticott, Alan McPhee und nun auch Geoffrey Case. Den ersten dreien hatte sie damals eine hohe Wahrscheinlichkeit zugeschrieben, was auch für Geoffrey Case gelten müsste. Damit war

er momentan der Kandidat mit der höchsten Wahrscheinlichkeit, Rosies Vater zu sein.

3. Das ganze Projekt beruhte auf der Aussage von Rosies Mutter, sie habe den entscheidenden sexuellen Akt auf der Abschlussfeier vollzogen. Es war möglich, dass sie gelogen hatte, weil der wahre biologische Vater keinen so hohen Status innehatte. Dies würde erklären, warum sie die Identität des Vaters nicht offengelegt hatte.
4. Rosies Mutter hatte sich entschieden, bei Phil zu bleiben. Dies war mein erster neuer Gedanke. Das stützte die These, dass der biologische Vater weniger attraktiv oder zur Heirat vielleicht nicht verfügbar gewesen war. Es wäre interessant zu wissen, ob Esler oder Freyberg damals bereits verheiratet oder verpartnert gewesen waren.
5. Geoffrey Case war wenige Monate nach Rosies Geburt gestorben, vermutlich kurz nachdem Rosies Mutter erkannt hatte, dass Phil nicht der Vater sein könne. Es mochte einige Zeit gedauert haben, bis Rosies Mutter einen Gentest organisiert hätte, und zu der Zeit war Geoffrey Case möglicherweise bereits tot und als alternativer Partner nicht mehr verfügbar gewesen.

Dies waren hilfreiche Gedanken. Der Status des Projekts war mir nun klarer, ich hatte einige zusätzliche Details überdacht und fand, dass meine Reise durch die hohe Wahrscheinlichkeit gerechtfertigt war, mit der Geoffrey Case sich als Rosies Vater erweisen könnte.

Ich entschied, so lange zu fahren, bis ich müde würde – eine revolutionäre Entscheidung, da ich meine Fahrzeit normalerweise den wissenschaftlichen Studien zu Müdigkeitskurven anpasse und dementsprechend bereits eine Unterkunft buche. Aber ich war zu beschäftigt gewesen, um im Voraus zu planen.

Trotzdem legte ich alle zwei Stunden Rast ein und merkte, dass ich mich weiterhin gut konzentrieren konnte. Um 23:43 Uhr nahm ich Müdigkeit wahr, doch anstatt zu schlafen, hielt ich an einer Tankstelle, tankte und bestellte vier doppelte Espresso. Ich öffnete das Schiebedach und drehte die Lautstärke des CD-Players auf, um gegen die Müdigkeit anzukämpfen, und so fuhren Jackson Browne und ich, mit jeder Menge Koffein, das noch durch mein Hirn wirbelte, am Samstagmorgen um 7:10 Uhr in Moree ein.

21

Ich hatte das Navigationsgerät so programmiert, dass es mich direkt zum Pflegeheim brachte, wo ich mich als Freund der Familie vorstellte.

»Ich fürchte, sie wird Sie nicht erkennen«, sagte die Schwester. Davon war ich ausgegangen, obwohl ich notfalls eine plausible Geschichte parat gehabt hätte. Die Schwester führte mich in ein Einzelzimmer mit eigenem Bad. Mrs. Case schlief.

»Soll ich sie wecken?«, fragte die Schwester.

»Nein, ich setze mich einfach dazu.«

»Dann lasse ich Sie allein. Rufen Sie, wenn Sie irgendetwas brauchen.«

Ich dachte, es könnte komisch wirken, wenn ich zu schnell wieder ginge, also setzte ich mich für eine Weile neben das Bett. Ich schätzte Margaret Case auf etwa achtzig, ungefähr so alt, wie Daphne gewesen war, als sie ins Pflegeheim kam. Rosies Geschichte zufolge war es sehr gut möglich, dass ich hier ihre Großmutter betrachtete.

Während Margaret Case still und stumm in ihrem Bett lag, dachte ich über das Vaterprojekt nach. Allein die Errungenschaften der modernen Technik hatten es möglich gemacht. Noch vor wenigen Jahren hätte Rosies Mutter ihr Geheimnis bei ihrem Tod mit ins Grab genommen.

Ich bin überzeugt, dass die Wissenschaft im Dienste der Menschlichkeit verpflichtet ist, so viele Geheimnisse wie möglich aufzudecken. Aber ich bin ein Naturwissenschaftler, kein Psychologe.

Die Frau vor mir war kein vierundfünfzigjähriger männlicher Arzt, der sich möglicherweise vor seiner Verantwortung als Vater gedrückt hatte. Sie war vollkommen hilflos. Es wäre einfach, ein Haar zu entwenden oder einen Abstrich ihrer Zahnbürste zu nehmen, aber es fühlte sich nicht recht an.

Aus diesen Gründen und anderen, die ich in jenem Moment noch nicht begriff, beschloss ich, keine DNA-Probe zu nehmen.

Plötzlich wachte Margaret Case auf. Sie öffnete die Augen und sah mich direkt an.

»Geoffrey?«, fragte sie leise, aber deutlich. Fragte sie nach ihrem Ehemann oder dem längst verstorbenen Sohn? Es hatte eine Zeit gegeben, in der ich bedenkenlos »Sie sind beide tot« geantwortet hätte, nicht aus Boshaftigkeit, sondern weil ich so konfiguriert bin, dass ich eher auf Tatsachen zurückgreife als auf menschliche Gefühle. Aber irgendetwas hatte sich geändert, und ich unterdrückte diese Aussage.

Sie musste gemerkt haben, dass ich nicht die Person war, die sie zu sehen hoffte, und begann zu weinen. Sie gab kein Geräusch von sich, doch auf ihren Wangen zeigten sich Tränen. Automatisch, da ich diese Situation mit Daphne schon erlebt hatte, zog ich mein Taschentuch hervor und wischte die Tränen fort. Margaret Case schloss die Augen. Und das Schicksal hatte mir eine DNA-Probe beschert.

Ich war erschöpft, und als ich das Pflegeheim verließ, standen mir vor lauter Schlafmangel ebenfalls Tränen in den Augen. Es war früher Herbst, und so weit im Norden war es um diese Uhrzeit bereits warm. Ich legte mich unter einen Baum und schlief ein.

Als ich aufwachte, stand ein Arzt in weißem Kittel über mir, und einen beängstigenden Moment lang fühlte ich mich in die schlimme Zeit von vor zwanzig Jahren zurückversetzt. Doch mir fiel schnell wieder ein, wo ich war und dass der Arzt bestimmt nur überprüfen wollte, ob ich verletzt oder tot sei. Ich hatte keine Regeln verletzt. Seit dem Verlassen des Pflegeheims waren vier Stunden und achtzehn Minuten vergangen.

Dieser Zwischenfall war eine wichtige Warnung vor den Gefahren der Übermüdung, so dass ich die Rückfahrt sorgfältiger durchführte. Jede Stunde legte ich eine fünfminütige Pause ein und hielt um 19:06 Uhr an einem Motel, aß ein zerkochtes Steak und ging zu Bett. Das frühe Schlafengehen ermöglichte am Sonntag um 5:00 Uhr eine frühe Weiterfahrt.

Der Highway führt an Shepparton vorbei, aber ich nahm die Ausfahrt und fuhr bis ins Stadtzentrum. Ich entschied, meine Eltern nicht zu besuchen. Die zusätzlichen sechzehn Kilometer zu ihrem Haus und zurück zum Highway würden die Gefahren der bereits anstrengenden Reise zusätzlich erhöhen – die Stadt wollte ich jedoch sehen.

Ich fuhr an Tillmans Eisenwaren vorbei. Das Geschäft war sonntags geschlossen, und mein Vater und mein Bruder waren bestimmt mit meiner Mutter zu Hause. Wahrscheinlich sortierte mein Vater gerade Fotos, und meine Mutter bat meinen Bruder, sein Modellbauprojekt vom Tisch zu räumen, damit sie den Tisch fürs Abendessen decken könnte. Seit der Beerdigung meiner Schwester war ich nicht wieder dort gewesen.

Die Tankstelle hatte geöffnet, und ich füllte Benzin nach. Ein etwa fünfundvierzigjähriger Mann mit einem geschätzten BMI von dreißig stand an der Kasse. Beim Näherkommen erkannte ich ihn und korrigierte sein Alter auf neununddreißig. Sein Haar war schütter geworden, er hatte sich einen Bart stehen lassen und zugenommen, aber das war ganz sicher

Gary Parkinson, der mit mir die Highschool besucht hatte. Er hatte zum Militär gehen und durch die Welt reisen wollen. Offensichtlich hatte er diese Ziele nicht umgesetzt. Mir wurde bewusst, wie glücklich ich war, dass ich die Stadt hatte verlassen und mein Leben neu anfangen können.

»Hallo, Don«, sagte er, da er mich offenbar auch erkannte.

»Sei gegrüßt, GP.«

Er lachte. »Du hast dich nicht verändert.«

Als ich Sonntagabend in Melbourne ankam und den Leihwagen zurückgab, wurde es bereits dunkel. Ich ließ die CD von Jackson Browne im CD-Player.

Laut Navigationsgerät war ich zweitausendvierhundertzweiundsiebzig Kilometer gefahren. Das Taschentuch hatte ich sicher in einem Reißverschlussbeutel verwahrt, doch das änderte nichts an meiner Entscheidung, Margaret Case nicht zu testen.

Wir würden auf jeden Fall nach New York fliegen müssen.

Rosie und ich trafen uns am Flughafen. Es war ihr immer noch unangenehm, dass ich ihr Flugticket bezahlt hatte, also schlug ich vor, sie könne sich revanchieren, indem sie ein paar Bewerberinnen für das Ehefrauprojekt für mich aussuche.

»Scheiße, nein«, sagte sie.

Wie es aussah, waren wir wieder Freunde.

Ich konnte nicht fassen, wie viel Gepäck Rosie mitgebracht hatte. Ich hatte gesagt, sie solle so wenig wie möglich mitnehmen, aber ihr Handgepäck überschritt das Limit von sieben Kilo. Zum Glück konnten wir einige ihrer überschüssigen Sachen in meiner Tasche unterbringen. Ich hatte nur meinen ultraleichten Laptop, Zahnbürste, Rasierer, Ersatzhemd, kurze Turnhose, Unterwäsche zum Wechseln sowie – was ziemlich lästig war! – platzraubende Abschiedsgeschenke von Gene und Claudia eingepackt. Mir war nur eine Woche Urlaub gewährt worden, und auch das hatte die Dekanin mir nicht leichtgemacht. Es wurde immer offensichtlicher, dass sie nach einem Grund suchte, mich loszuwerden.

Rosie war noch nie in den Vereinigten Staaten gewesen, kannte sich aber mit den Abläufen für internationale Flüge aus. Von meiner besonderen Behandlung war sie schwer beeindruckt. Wir durften am Service-Schalter einchecken, an dem es keine Schlange gab, und wurden durch die Sicherheitskontrolle zur Lounge der Business Class geführt, obwohl wir Economy flogen.

Während wir in der Lounge Champagner tranken, erklärte ich, dass ich mir dieses Privileg durch besonderes Verhalten verdient hätte. Ich hatte die Regeln und Abläufe am Flughafen äußerst aufmerksam studiert und beobachtet und eine beträchtliche Anzahl hilfreicher Verbesserungsvorschläge hinsichtlich Check-in-Prozeduren, Flugplanung sowie Pilotentraining gemacht und auf mögliche Lücken im Sicherheitssystem hingewiesen. Mittlerweile wurde nicht mehr erwartet, dass ich Ratschläge erteilte, da ich »bis an mein Lebensende genug« beigetragen hätte.

»Na dann, auf das Besonders-Sein«, prostete Rosie mir zu. »Und? Wie lauten die Pläne?«

Ganz offenkundig ist auf Reisen eine gute Organisation entscheidend, und so hatte ich meinen normalen Wochenplan durch einen detaillierten Ablaufplan mit Stundeneinteilung ersetzt (plus halbstündige Untereinteilungen, falls nötig). Darin waren die Verabredungen enthalten, die Rosie mit den beiden Vater-Kandidaten getroffen hatte – Psychiater Esler und Schönheitschirurg Freyberg. Merkwürdigerweise hatte sie, von unserem Treffen am Flughafen einmal abgesehen, keine weiteren Pläne geschmiedet. Zumindest würden wir so keine inkompatiblen Termine abstimmen müssen.

Ich rief den Terminkalender auf meinem Laptop auf und begann mit der Auflistung. Ich war noch nicht mal mit dem Ablaufplan für unseren Flug fertig, als Rosie mich unterbrach.

»Schneller Vorlauf, Don. Was machen wir in New York? Zwischen unserem Essen bei den Eslers am Samstagabend und der Verabredung mit Freyberg am Mittwoch – die auch am Abend ist, richtig? Dazwischen liegen vier volle Tage in New York City.«

»Samstag nach dem Essen gehen wir zur U-Bahn-Station Marcy Avenue, nehmen die Linie J, M oder Z zur Delancey Street, wo wir in die Linie F wechseln …«

»Ganz generell, Don … Ich will einen Überblick. Sonntag bis Mittwoch. Ein Satz pro Tag. Lass das Essen, Schlafen und U-Bahn-Fahren weg.«

Das vereinfachte die Sache. »Sonntag: Naturkundemuseum, Montag: Naturkundemuseum, Dienstag: Naturkundemuseum, Mittwoch …«

»Halt, warte! Sag mir nichts von Mittwoch. Das soll eine Überraschung bleiben.«

»Du wirst es vermutlich erraten.«

»Vermutlich«, sagte Rosie. »Wie oft bist du schon in New York gewesen?«

»Das ist mein drittes Mal.«

»Und gehe ich recht in der Annahme, dass dies nicht dein erster Besuch im Museum sein wird?«

»Ja.«

»Was hattest du gedacht, das ich während deines Museumsbesuchs machen soll?«

»Darüber habe ich nicht nachgedacht. Ich hatte angenommen, dass du deine eigenen Pläne machst.«

»Da hast du falsch gedacht«, erwiderte Rosie. »Wir werden uns New York gemeinsam ansehen. Sonntag und Montag bestimme ich. Dienstag und Mittwoch bist du dran. Wenn du willst, dass ich zwei Tage im Museum verbringe, verbringe ich zwei Tage im Museum. Mit dir. Aber Sonntag und Montag bin ich die Reiseleitung.«

»Aber du kennst dich in New York doch gar nicht aus.«

»Du doch auch nicht.« Rosie brachte unsere Champagnergläser zur Bar, um sie auffüllen zu lassen. In Melbourne war es 9:42 Uhr, aber ich war innerlich schon auf New Yorker Zeit eingestellt. Während Rosies Abwesenheit klappte ich meinen Laptop wieder auf und ging auf die Seite des Naturkundemuseums. Ich würde meine Besuchszeiten umbuchen müssen.

Dann kam Rosie zurück und überschritt sofort die Grenzen des persönlichen Raums um mich herum. Sie klappte den Laptop zu! Unfassbar. Wenn ich das bei einem Studenten gemacht hätte, der *Angry Birds* spielte, wäre ich am folgenden Tag ins Büro der Dekanin zitiert worden. In der Universitätshierarchie bin ich ein Assistenzprofessor, und Rosie ist eine Doktorandin. Ich konnte doch wohl etwas Respekt erwarten.

»Rede mit mir«, forderte sie. »Wir hatten nie Zeit, über anderes zu reden als DNA. Jetzt verbringen wir eine Woche zusammen, und ich will wissen, wer du bist. Und wenn du der Typ bist, der mir sagen wird, wer mein Vater ist, solltest du wissen, wer ich bin.«

In weniger als einer Viertelstunde war mein gesamter Zeitplan zerstört, verworfen, überflüssig gemacht worden. Rosie hatte übernommen.

Eine Begleitung brachte uns von der Lounge zum Flugzeug, in dem wir vierzehneinhalb Stunden nach Los Angeles fliegen würden. Durch meinen speziellen Status erhielten wir zwei

Sitze in einer Dreierreihe. Ich werde nur bei ausgebuchten Flügen direkt neben andere Passagiere gesetzt.

»Fang mit deiner Kindheit an«, sagte Rosie.

Es fehlte nur noch, dass sie das Leselicht über mir einschaltete, um das Verhörszenario zu vervollkommnen. Ich kam mir wie ein Gefangener vor, also suchte ich Ausflüchte.

»Wir müssen schlafen. In New York ist es jetzt Abend.«

»Da ist es sieben Uhr. Wer geht um sieben Uhr schlafen? Und ich könnte jetzt sowieso nicht schlafen.«

»Ich habe Schlaftabletten mitgenommen.«

Rosie staunte, dass ich Schlaftabletten benutzen wollte. Sie hatte angenommen, ich wäre gegen Chemikalien eingestellt. Es stimmte, dass sie wenig über mich wusste. Wir vereinbarten, dass ich meine Kindheitserlebnisse zusammenfasse, die sie vor ihrem psychologischen Hintergrund zweifellos als sehr bedeutsam einstufen würde. Danach würden wir zu Abend essen, die Schlaftabletten nehmen und schlafen. Unter dem Vorwand, zur Toilette gehen zu müssen, bat ich den zuständigen Flugbegleiter, das Essen möglichst bald zu servieren.

22

Rosie meine Lebensgeschichte zu erzählen war nicht schwer. Alle Psychologen und Psychiater, die ich je besucht habe, wollten sie wissen, und so habe ich die wichtigsten Daten problemlos abrufbereit.

Mein Vater führt einen Eisenwarenladen in einer mittelgroßen Stadt. Er lebt dort mit meiner Mutter und meinem jüngeren Bruder, der das Geschäft vermutlich übernehmen wird, wenn mein Vater in Rente geht. Meine ältere Schwester ist mit vierzig Jahren aufgrund medizinischer Inkompetenz gestorben. Als es passierte, blieb meine Mutter zwei Wochen lang im Bett, außer bei der Beerdigung. Ich war sehr traurig über den Tod meiner Schwester. Traurig, aber auch wütend.

Mein Vater und ich stehen in effektiver, aber nicht emotionaler Beziehung zueinander. Damit kommen wir beide gut zurecht. Meine Mutter ist sehr fürsorglich, aber ich empfinde sie als erstickend. Mein Bruder kann mich nicht leiden. Ich denke, es liegt daran, dass er mich erst als Bedrohung seines Traums ansah, den Eisenwarenladen zu erben, und nun respektiert er meinen stattdessen eingeschlagenen Berufsweg nicht. Der Eisenwarenladen mag auch eine Metapher für die Liebe unseres Vaters sein. Wenn das so ist, hat mein Bruder gewonnen, aber ich bin nicht unglücklich darüber, verloren zu haben. Ich sehe meine Familie nicht sehr oft. Meine Mutter ruft mich jeden Sonntag an.

Meine Schulzeit verlief ohne Besonderheiten. Naturwissenschaften gefielen mir besonders. Ich hatte nicht viele Freunde und war eine Zeitlang das Opfer tyrannischer Mitschüler. Ich war in allen Fächern der beste Schüler, außer in Englisch, wo ich der beste Junge war. Nach meiner Schulzeit verließ ich die Stadt, um zu studieren. Ich schrieb mich zunächst für Computerwissenschaften ein, aber an meinem einundzwanzigsten Geburtstag beschloss ich, zur Genetik zu wechseln. Dies mag aus dem unbewussten Wunsch gerührt haben, Student zu bleiben, aber es war eine logische Wahl. Genetik war ein aufstrebendes Fachgebiet. In unserer Familie sind keine Geisteskrankheiten bekannt.

Ich drehte mich zu Rosie und lächelte. Von meiner Schwester und dem Mobbing hatte ich ihr bereits erzählt. Die Aussage über Geisteskrankheiten war korrekt, es sei denn, ich zählte mich bei der Definition von »Familie« selbst hinzu. Irgendwo in einem medizinischen Archiv liegt eine zwanzig Jahre alte Akte mit meinem Namen und den Wörtern »Depression, bipolare Störung? Zwangsstörung?« und »Schizophrenie?« Die Fragezeichen sind wichtig, denn über die offensichtliche Beobachtung hinaus, dass ich deprimiert war, wurde keine definitive Diagnose gestellt, auch wenn die Psychiatrie versuchte, mich einer grob vereinfachten Kategorie zuzuordnen. Heute bin ich überzeugt, dass all meine Probleme einfach nur daher rührten, dass mein Gehirn anders konfiguriert ist als bei den meisten Menschen. Alle psychiatrischen Symptome lassen sich darauf zurückführen – und nicht auf eine zugrundeliegende Krankheit. Natürlich war ich deprimiert gewesen: Ich hatte keine Freunde, keinen Sex und kein gesellschaftliches Leben gehabt, da ich mit anderen Menschen nicht kompatibel bin. Meine intensive und konzentrierte Arbeitsweise wurde als Manie fehlgedeutet, mein Streben nach Ordnung als

Zwangsstörung bezeichnet. Es war gut möglich, dass Julies Asperger-Kids im Verlauf ihres Lebens mit ähnlichen Problemen konfrontiert würden. Sie allerdings hatten bereits das Etikett eines zugrundeliegenden Syndroms erhalten, und vielleicht wäre man in der Psychiatrie intelligent genug, Ockhams Rasiermesser anzusetzen und einzusehen, dass solcherlei Probleme großenteils auf die Asperger-Konfiguration ihres Hirns zurückzuführen sind.

»Was ist an deinem einundzwanzigsten Geburtstag passiert?«, wollte Rosie wissen.

Hatte Rosie meine Gedanken gelesen? An meinem einundzwanzigsten Geburtstag hatte ich beschlossen, eine neue Richtung in meinem Leben einzuschlagen, weil jede Veränderung besser wäre, als im Depressionsloch steckenzubleiben. Tatsächlich hatte ich es mir bildlich als Loch vorgestellt.

Ich erzählte Rosie einen Teil der Wahrheit. Normalerweise feiere ich meinen Geburtstag nicht, aber damals hatte meine Familie darauf bestanden und viele Freunde und Verwandte eingeladen, um meinen Mangel an eigenen Freunden auszugleichen.

Mein Onkel hielt eine Rede. Ich sah ein, dass es Tradition war, Späße über den Ehrengast zu machen, aber mein Onkel ging so sehr in seiner Fähigkeit auf, die Leute zum Lachen zu bringen, dass er gar nicht wieder aufhörte und eine Geschichte nach der anderen erzählte. Schockiert musste ich feststellen, dass er extrem persönliche Fakten über mich kannte, die ihm nur meine Mutter mitgeteilt haben konnte. Sie zog ihn mehrfach am Arm, um ihn zum Aufhören zu bewegen, doch er beachtete sie nicht weiter und hielt erst inne, als er merkte, dass sie weinte. Bis dahin hatte er eine detaillierte Schilderung all meiner Fehler geliefert sowie all der Schmerzen und Scham, die sie verursacht hatten. Kern des Problems schien zu sein, dass ich ein klassischer Computerfreak war. Also beschloss ich, mich zu ändern.

»Zu einem Genetikfreak«, sagte Rosie.

»Das war nicht unbedingt mein Ziel.« Aber ganz offensichtlich das Ergebnis. Und ich hatte mich aus dem Loch befreit, um in einem neuen Bereich hart zu arbeiten. Wo blieb das Essen?

»Erzähl mir mehr über deinen Vater.«

»Warum?«

Das Warum interessierte mich eigentlich nicht. Ich vollführte nur das sprachliche Äquivalent eines Ballwechsels, um Rosie die Verantwortung für den nächsten Schritt zuzuspielen. Das war ein Trick, den Claudia mir beigebracht hatte, um mit schwierigen persönlichen Fragen zurechtzukommen. Ich erinnerte mich an ihren Rat, ihn nicht zu oft einzusetzen. Aber dies war das erste Mal.

»Ich schätze, ich will herausfinden, ob dein Vater der Grund dafür ist, dass du so verkorkst bist.«

»Ich bin nicht verkorkst.«

»Okay, nicht verkorkst. Tut mir leid, ich wollte nicht werten. Aber du entsprichst nicht gerade dem Durchschnitt«, sagte Rosie, Doktoranwärterin der Psychologie.

»Das stimmt. Aber bedeutet ›verkorkst‹ dasselbe wie ›nicht gerade Durchschnitt‹?«

»Schlechte Wortwahl. Streich das. Ich schätze, ich will es deshalb wissen, weil mein Vater der Grund dafür ist, dass *ich* verkorkst bin.«

Eine außergewöhnliche Feststellung. Mit Ausnahme ihrer nachlässigen Haltung zur Gesundheit hatte Rosie keine Anzeichen irgendwelcher Hirnstörungen gezeigt.

»Was sind die Symptome, wenn man verkorkst ist?«

»In meinem Leben läuft eine Scheiße, die ich lieber nicht

erleben würde. Und ich kann nicht gut damit umgehen. Klingt das nachvollziehbar?«

»Natürlich«, erwiderte ich. »Du erlebst unerwünschte Ereignisse, und dir fehlen gewisse Fertigkeiten, um die persönlichen Auswirkungen zu minimieren. Ich dachte, mit ›verkorkst‹ meintest du, dass du irgendeine Störung in deiner Persönlichkeit hast, die du beheben möchtest.«

»Nein, ich bin eigentlich ganz zufrieden mit mir.«

»Wie sieht denn dieser Schaden aus, den Phil verursacht hat?«

Auf diese heikle Frage hatte Rosie nicht gleich eine Antwort parat. Vielleicht war genau das ein Symptom dafür, verkorkst zu sein. Schließlich brach sie ihr Schweigen. »Herrgott, was brauchen die so lange mit dem Essen?«

Rosie ging zur Toilette, und ich nutzte die Gelegenheit, um die Geschenke von Gene und Claudia auszupacken. Sie hatten mich zum Flughafen gebracht, daher war es unmöglich gewesen, die Päckchen abzulehnen. Es war gut, dass Rosie beim Öffnen nicht dabei war. Genes Geschenk war ein weiteres Buch mit Sexstellungen, in das er eine Widmung geschrieben hatte: »Für den Fall, dass Dir die Ideen ausgehen.« Darunter hatte er das Gen-Symbol gemalt, das er als Unterschrift benutzt. Claudias Geschenk war nicht peinlich, für die Reise jedoch völlig irrelevant – ein Paar Jeans und ein Hemd. Kleidung war zwar immer nützlich, aber ich hatte bereits ein Ersatzhemd eingepackt und sah für die nur acht Tage keine Notwendigkeit für eine weitere Hose.

Und wieder hatte Gene die Art meiner Beziehung zu Rosie fehlinterpretiert, aber das war verständlich. Den wahren Grund, warum ich mit Rosie nach New York fuhr, konnte ich nicht erklären, und Gene hatte eine Folgerung gezogen, die seiner Sicht der Welt entsprach. Auf dem Weg zum Flughafen hatte ich Claudia um Rat gebeten, wie ich damit umgehen solle, so viel Zeit mit einer einzigen Person zu verbringen.

»Denk daran, zuzuhören«, hatte Claudia gesagt. »Wenn sie dich etwas Komisches fragt, frag sie, warum sie das wissen will. Spiel ihr den Ball zurück. Als Psychologiestudentin wird sie gern über sich selbst reden. Achte nicht nur auf Logik, sondern auch auf deine Gefühle. Gefühle haben ihre eigene Logik. Und versuch, locker zu bleiben … lass dich treiben.«

Tatsächlich verbrachte Rosie den restlichen Flug nach Los Angeles mit Schlafen oder Film-Ansehen, versicherte mir jedoch – zweimal –, dass ich sie nicht beleidigt hätte und sie nur eine Auszeit brauche.

Ich beschwerte mich nicht.

23

Wir schafften es durch die Passkontrolle. Die Erfahrung hatte mich gelehrt, hier keine Anmerkungen oder Verbesserungsvorschläge anzubringen, und ich brauchte auch nicht mein Empfehlungsschreiben von David Borenstein von der Columbia-Universität vorzuzeigen, das mich als geistig gesunde und kompetente Person auswies. Rosie wirkte extrem nervös – selbst auf jemanden mit schlechtem Beurteilungsvermögen emotionaler Zustände –, und ich hatte Angst, sie könnte sich verdächtig machen, so dass man uns die Einreise *ohne Angabe von Gründen* verweigerte, wie es mir schon einmal passiert war.

Der Beamte fragte: »Was ist Ihr Beruf?«, und ich antwortete: »Genetik-Forscher«, und er sagte: »Der beste der Welt?«, und ich sagte: »Ja.« Damit waren wir durch. Durch den Zoll rannte Rosie fast und spurtete dann zum Ausgang. Ich lag einige Meter zurück, da ich beide Taschen trug. Offenbar war irgendetwas nicht in Ordnung.

Als ich sie draußen vor den automatischen Türen wieder einholte, wühlte sie gerade in ihrer Handtasche.

»Zigarette«, keuchte sie. Sie zündete sich eine an und inhalierte tief. »Sag einfach nichts, okay? Falls ich je einen Grund gebraucht hätte, um aufzuhören, hätte ich jetzt einen. Achtzehneinhalb Stunden! Scheiße!«

Es war gut, dass Rosie mich gebeten hatte, nichts zu sagen.

Ich schwieg also, war jedoch schockiert über den Einfluss der Sucht auf ihr Leben.

Sie rauchte ihre Zigarette zu Ende, und wir gingen zur Bar. In Los Angeles war es erst 7:48 Uhr, aber bis zu unserer Ankunft in New York könnten wir uns ja noch nach Melbourner Zeit richten.

»Was sollte das mit dem ›besten Genetiker der Welt‹?«

Ich erklärte, ich hätte ein spezielles O-1-Visum für »Personen mit außergewöhnlichen Fähigkeiten«. Nachdem mir das eine Mal die Einreise verweigert worden war, hatte ich dies als beste Möglichkeit erachtet. O-1-Visen werden sehr selten ausgestellt, und »Ja« ist die korrekte Antwort auf jede Frage hinsichtlich der Außergewöhnlichkeit meiner Fähigkeiten. Rosie fand das sehr amüsant.

Da wir nur Handgepäck hatten und die Einreise glatt verlaufen war, konnten wir zu Alternative B übergehen und einen früheren Flug nach New York buchen. Die so gewonnene Zeit hatte ich ebenfalls schon alternativ vorgeplant.

Am Flughafen JFK steuerte ich Rosie zum AirTrain. »Wir haben zwei Möglichkeiten für die U-Bahn.«

»Ich nehme an, du hast die Fahrpläne auswendig gelernt«, sagte Rosie.

»Das ist den Aufwand nicht wert. Ich kenne nur die Linien und die Haltestellen, die wir für unsere Fahrten benötigen.« Ich liebe New York City. Der Aufbau ist so herrlich logisch, zumindest von der 14. Straße an aufwärts.

Bei ihrem Telefonat mit Rosie hatte Isaac Eslers Frau sich sehr über den Kontakt mit Australien und Nachrichten von der Jubiläumsfeier gefreut. In der U-Bahn sagte Rosie nun: »Du brauchst ein Pseudonym. Für den Fall, dass Esler deinen Namen von der Asperger-Studie wiedererkennt.«

Daran hatte ich auch schon gedacht. »Austin«, erwiderte ich prompt. »Von Austin Powers, dem Geheimagenten.« Rosie fand das sehr amüsant. Ich hatte erfolgreich und mit Absicht einen Witz gemacht, der nichts mit irgendeiner Marotte meiner Persönlichkeit zu tun hatte. Ein denkwürdiger Moment.

»Beruf?«, fragte sie nach.

»Eisenwarenladenbesitzer.« Die Idee kam mir spontan.

»Okaaaaaay«, sagte Rosie. »Gut.«

Wir nahmen den E-Train zu Lexington Avenue, Ecke 53rd Street, und marschierten Richtung Norden.

»Wo liegt das Hotel?«, wollte Rosie wissen, als ich einen Schlenker Richtung Madison Avenue machte.

»An der Lower East Side. Aber zuerst müssen wir einkaufen gehen.«

»Scheiße, Don, es ist schon nach halb sechs. Um halb acht sollen wir bei den Eslers sein. Wir haben keine Zeit zum Einkaufen. Ich muss mich noch umziehen.«

Ich sah Rosie an. Sie trug Jeans und T-Shirt – normale Kleidung. Ich konnte kein Problem erkennen, und wir hatten ausreichend Zeit. »Ich wollte vor dem Essen eigentlich nicht ins Hotel, und da wir nun früher angekommen sind …«

»Don, ich bin seit vierundzwanzig Stunden unterwegs. Dein Zeitplan ist hiermit außer Kraft gesetzt, bis ich ihn auf Verrücktheit hin überprüft habe.«

»Ich habe nur vier Minuten für die Transaktion veranschlagt«, sagte ich.

Wir standen bereits vor *Hermès*, das mir bei meiner Recherche als das weltbeste Geschäft für Tücher und Schals angezeigt worden war. Ich trat ein, und Rosie folgte.

Das Geschäft war leer. Exzellent.

»Don, du bist hierfür nicht entsprechend gekleidet.«

Fürs Einkaufen gekleidet! Ich war fürs Reisen, Essen, für

Verabredungen, Museumsbesuche *und* fürs Einkaufen gekleidet: Laufschuhe, Cargohose, T-Shirt und der Pullover, den mir meine Mutter gestrickt hatte. Wir waren schließlich nicht im *Le Gavroche*. Dass man mir aufgrund meiner Kleidung einen Kauf verweigern würde, hielt ich für extrem unwahrscheinlich. Und ich hatte recht.

Hinter der Verkaufstheke standen zwei Frauen, eine (etwa fünfundfünfzig Jahre mit einem BMI von ungefähr neunzehn) trug Ringe an allen Fingern außer den Daumen, und die andere (etwa zwanzig, BMI um die zweiundzwanzig) eine große lilafarbene Brille, die ihr das Aussehen einer menschlichen Ameise verlieh. Beide waren sehr formell gekleidet. Ich leitete die Transaktion ein.

»Ich brauche ein hochwertiges Tuch.«

Die Ringfrau lächelte. »Da kann ich Ihnen auf jeden Fall behilflich sein. Ist es für die Dame?«

»Nein, für Claudia.« Ich erkannte, dass das nicht sehr hilfreich war, wusste aber nicht, wie ich es weiter ausführen sollte.

»Und Claudia ist …«, sie wedelte mit einer Hand im Kreis, »… wie alt?«

»Einundvierzig Jahre und dreihundertsechsundfünfzig Tage.«

»Aha«, meinte Ringfrau, »dann haben wir ja bald etwas zu feiern.«

»Nur Claudia.« Mein Geburtstag wäre erst in zweiunddreißig Tagen und qualifizierte sich damit nicht als »bald«. »Claudia trägt gern Tücher, selbst wenn es warm ist, um die Falten an ihrem Hals zu verdecken, die sie unattraktiv findet. Das Tuch muss also nicht funktional sein, sondern nur dekorativ.«

Ringfrau legte ein Tuch auf den Tresen. »Was halten Sie von dem hier?«

Es war bemerkenswert leicht und würde kaum Schutz gegen

Wind und Kälte bieten. Aber es war mit Sicherheit dekorativ, wie gewünscht.

»Exzellent. Wie viel?« Alles lief nach Plan.

»Das macht eintausendzweihundert Dollar.«

Ich öffnete mein Portemonnaie und zog meine Kreditkarte hervor.

»Ho-ho-ho«, sagte Rosie. »Ich glaube, wir wollen noch ein paar andere Tücher sehen, bevor wir das hier überstürzen.«

Ich drehte mich zu ihr. »Die vier Minuten sind fast um.«

Ringfrau legte drei weitere Tücher auf den Tresen. Rosie betrachtete eines davon genauer. Ich machte es ihr nach und betrachtete ein anderes. Es sah hübsch aus. Sie sahen alle hübsch aus. Ich hatte keine Kriterien für eine Unterscheidung parat.

So ging es weiter. Ringfrau warf immer mehr Tücher auf den Tresen, und Rosie und ich sahen sie an. Ameisenfrau kam unterstützend dazu. Schließlich fand ich ein Tuch, zu dem ich eine intelligente Bemerkung machen konnte.

»Dieses Tuch ist fehlerhaft! Es ist nicht symmetrisch. Symmetrie ist der Schlüssel zu menschlicher Schönheit.«

Rosie hatte eine brillante Antwort. »Vielleicht würde die mangelnde Symmetrie im Tuch Claudias eigene Symmetrie betonen.«

Ameisenfrau holte ein rosa Tuch mit fluffigen Einsätzen. Selbst ich konnte sehen, dass es für Claudia nicht geeignet war, und warf es sofort auf den Ablehnungsstapel.

»Was stimmt damit nicht?«, fragte Rosie.

»Ich weiß nicht. Es passt nicht.«

»Komm schon«, meinte sie, »das kannst du besser. Stell dir vor, wer es tragen könnte.«

»Barbara Cartland?«, schlug Ringfrau vor.

Mit diesem Namen konnte ich nichts anfangen, aber plötzlich fiel auch mir eine Antwort ein. »Die Dekanin! Auf dem Ball!«

Rosie brach in Gelächter aus. »Korrrrekt.« Sie zog ein anderes Tuch aus dem Stapel. »Was ist mit dem?« Es war beinahe durchsichtig.

»Julie«, sagte ich automatisch und erzählte Rosie und den beiden Frauen von der Asperger-Beraterin und ihrem wenig verhüllenden Kleid. Sie würde sicher kein Tuch wollen, das dessen Wirkung verringerte.

»Und das hier?«

Das Tuch hatte mir wegen seiner bunten Farben sehr gefallen, aber Rosie hatte es als »zu laut« disqualifiziert.

»Bianca.«

»Genau.« Rosie hörte gar nicht wieder auf zu lachen. »Du weißt mehr über Kleidung, als du denkst.«

Ameisenfrau holte ein Tuch mit lauter Abbildungen von Vögeln. Ich hob es hoch – die Vögel waren bemerkenswert genau dargestellt. Es war sehr hübsch.

»Vögel der Welt«, sagte Ameisenfrau.

»Oh, mein Gott, nein!«, rief Rosie. »Nicht für Claudia.«

»Warum nicht? Es ist doch sehr interessant.«

»Vögel der Welt … Denk doch mal nach! Gene!«

Von überallher wurden Tücher geholt, aufeinandergeworfen, bewertet, beiseitegelegt. Alles passierte so schnell, dass ich an die Große Cocktailnacht erinnert wurde, mit dem Unterschied, dass diesmal wir die Kunden waren. Ich fragte mich, ob die Verkäuferinnen ihre Arbeit ebenso genossen wie ich damals meine.

Am Ende überließ ich Rosie die Auswahl. Sie nahm das erste Tuch, das Ringfrau uns gezeigt hatte.

Als wir das Geschäft verließen, sagte Rosie: »Ich glaube, ich habe gerade eine Stunde deines Lebens vergeudet.«

»Nein, nein, das Ergebnis war nicht relevant«, erwiderte ich. »Es war höchst unterhaltsam.«

»Tja«, meinte Rosie, »wenn du mal wieder Unterhaltung brauchst … Ich könnte ein Paar Manolo Blahniks gebrauchen.« Aus dem Wort »Paar« leitete ich ab, dass es sich um Schuhe handeln musste.

»Haben wir noch Zeit?« Die Zeit, die Rosie für das Aufsuchen des Hotels veranschlagt hatte, war bereits aufgebraucht.

»Das war ein Scherz, Don. Nur ein Scherz!«

Das war auch gut so, denn wir mussten uns schon beeilen, um pünktlich bei den Eslers anzukommen. Trotzdem wollte Rosie sich noch umziehen. Am Bahnhof Union Square huschte Rosie in eine Toilette, und als sie wieder herauskam, sah sie erstaunlich anders aus.

»Das ist unfassbar«, sagte ich. »So schnell!«

Rosie musterte mich. »Willst du so bleiben?« Ihr Ton ließ auf Missbilligung schließen.

»Das ist meine Kleidung. Ich habe noch ein Ersatzhemd.«

»Zeig's mir.«

Ich griff in die Tasche, um das Hemd hervorzuziehen, das Rosie sicher nicht besser gefiele, und erinnerte mich an Claudias Geschenk, das ich stattdessen herausnahm.

»Das ist ein Geschenk von Claudia«, sagte ich. »Und Jeans habe ich auch, falls das hilft.«

»Claudia sei Lob und Dank«, sagte Rosie. »Sie hat sich das Tuch verdient.«

»Wir kommen zu spät.«

»Höfliches Zuspätkommen ist in Ordnung.«

Isaac und Judy Esler hatten eine Wohnung in Williamsburg. Meine US-Handykarte funktionierte einwandfrei, und wir konnten per GPS zur richtigen Adresse navigieren. Ich hoffte, dass sechsundvierzig Minuten Rosies Definition von »höflichem Zuspätkommen« entsprachen.

»Austin, denk dran«, sagte Rosie, als sie an der Tür klingelte.

Judy öffnete. Ich schätzte sie auf fünfzig und ihren BMI auf sechsundzwanzig. Sie sprach mit New Yorker Akzent und hatte sich bereits Sorgen gemacht, dass wir uns vielleicht verlaufen hätten. Ihr Mann Isaac war die Karikatur eines Psychiaters: Mitte fünfzig, klein, Stirnglatze, schwarzer Ziegenbart, BMI von neunzehn. Er war nicht so freundlich wie seine Frau.

Sie boten uns Martinis an. Ich dachte an die Wirkung dieses Drinks bei der Vorbereitung auf die Große Cocktailnacht und beschloss, nicht mehr als drei zu trinken. Judy hatte ein paar Vorspeisenhäppchen mit Fisch vorbereitet und erkundigte sich nach unserer Reise. Sie wollte wissen, ob wir schon einmal in New York gewesen seien, welche Jahreszeit in Australien herrsche (keine besonders anspruchsvolle Frage) und ob wir etwas Bestimmtes einkaufen oder Museen besuchen wollten. Rosie beantwortete all ihre Fragen.

»Isaac fliegt morgen ganz früh nach Chicago«, gab Judy bekannt und sah zu ihrem Mann. »Erzähl mal, was du da machst.«

»Nur eine Konferenz«, sagte Isaac. Er und ich brauchten zur Unterhaltung nicht viel beizutragen.

Bevor wir ins Esszimmer wechselten, stellte er mir allerdings eine Frage. »Was machen Sie so, Austin?«

»Austin hat eine Eisenwarenhandlung«, antwortete Rosie. »Die sehr gut läuft.«

Judy servierte eine köstliche Mahlzeit mit gezüchtetem Lachs, der, wie sie Rosie versicherte, nachhaltig produziert worden sei. Ich hatte sehr wenig von dem qualitativ minderwertigen Flugzeugessen zu mir genommen und genoss Judys Essen sehr. Isaac öffnete einige Pinot Gris aus Oregon und füllte mein Glas großzügig immer wieder auf. Wir sprachen über New York und die Unterschiede zwischen australischer und amerikanischer Politik.

»Tja«, meinte Judy dann, »ich bin sehr froh, dass Sie uns besuchen gekommen sind. Das tröstet ein bisschen darüber hinweg, dass wir nicht zur Jubiläumsfeier kommen konnten. Isaac war sehr traurig, dass er sie verpasst hat.«

»Eigentlich nicht«, sagte Isaac. »Die Vergangenheit wiederaufleben zu lassen ist nichts, das man leichtfertig tun sollte.« Er aß seinen letzten Bissen Fisch und sah Rosie an. »Sie sehen Ihrer Mutter sehr ähnlich. Als ich sie das letzte Mal sah, war sie nur wenig jünger als Sie jetzt.«

»Wir haben am Tag nach der Abschlussfeier geheiratet und sind hierhergezogen«, erzählte Judy. »Isaac hatte es ordentlich krachen lassen – auf der Hochzeit hatte er einen schrecklichen Kater.« Sie lächelte.

»Ich denke, das reicht an alten Geschichten, Judy«, sagte Isaac. »Das ist alles sehr lange her.«

Er starrte Rosie an. Rosie starrte zurück.

Judy nahm Rosies und meinen Teller, in jede Hand einen. Ich entschied, dies sei der rechte Moment zum Handeln, stand auf und nahm Isaacs und Judys Teller. Isaac war durch sein Anstarrspiel zu beschäftigt, um zu protestieren. Ich brachte die Teller in die Küche und nahm auf dem Weg einen Abstrich von Isaacs Gabel.

»Ich kann mir vorstellen, dass Austin und Rosie ganz erschöpft sind«, sagte Judy, als wir zum Tisch zurückkehrten.

»Sie sagten, Sie seien im Eisenwarenhandel tätig, Austin?« Isaac stand auf. »Könnten Sie wohl fünf Minuten erübrigen, um sich einen Wasserhahn anzusehen? Wahrscheinlich muss da ein Klempner ran, aber vielleicht liegt es auch nur an der Dichtung.«

Isaac und ich stiegen die Treppe in den Keller hinunter. Ich war sicher, ein Problem mit einem Wasserhahn beheben zu können. In den Schulferien hatte ich oft Arbeiten dieser Art verrichtet. Doch als wir das Ende der Treppe erreichten, ging das Licht aus. Ich wusste nicht, was passiert war. Ein Kurzschluss?

»Alles okay, Don?«, fragte Isaac mit besorgter Stimme.

»Alles okay«, antwortete ich. »Was ist passiert?«

»Sie haben auf Don geantwortet, Austin, das ist passiert.«

Wir standen im Dunkeln. Ich bezweifelte, dass es gesellschaftliche Konventionen für die Befragung durch Psychiater in dunklen Kellern gab.

»Woher wussten Sie es?«, fragte ich.

»Zwei unverlangte Kontakte von derselben Universität innerhalb eines Monats. Eine Internetrecherche. Sie geben ein schönes Tanzpaar ab.«

Wieder Schweigen und Dunkelheit.

»Ich kenne die Antwort auf Ihre Frage. Aber ich habe mein Wort gegeben, sie nie zu verraten. Wenn es um Leben oder Tod ginge oder um ein ernstes psychisches Problem, würde ich es mir noch einmal überlegen. Aber ich sehe keinen Grund, ein Versprechen zu brechen, das gemacht wurde, weil die beteiligten Personen eingehend darüber nachgedacht hatten, was das Richtige sei. Sie haben für meine DNA einen weiten Weg auf sich genommen, und ich schätze, Sie haben sie bekommen, als Sie die Teller abräumten. Aber Sie sollten über den Wunsch Ihrer Freundin hinausdenken, bevor Sie fortfahren.«

Er schaltete das Licht wieder an.

Während wir die Stufen hinaufstiegen, ließ ein Gedanke mich nicht wieder los. Oben angekommen, blieb ich stehen. »Wenn Sie wussten, was wir wollten – warum haben Sie uns überhaupt empfangen?«

»Gute Frage«, sagte er. »Und da Sie sie gestellt haben, bin ich sicher, Sie wären auch allein auf die Antwort gekommen: Ich wollte Rosie sehen.«

24

Dank des sorgfältig geplanten Einsatzes von Schlaftabletten wachte ich um 7:06 Uhr ohne jegliches Gefühl von Desorientierung auf.

Rosie war auf dem Weg zum Hotel in der U-Bahn eingeschlafen. Ich hatte beschlossen, ihr erst einmal nichts vom Gespräch im Keller zu berichten und auch nicht zu erzählen, was mir im Esszimmer aufgefallen war: Im Regal hatte ein großes Foto von Judys und Isaacs Hochzeit gestanden. Neben Isaac und in das traditionell förmliche Gewand eines Trauzeugen gekleidet, hatte Geoffrey Case in die Kamera gelächelt, dreihundertsiebzig Tage vor seinem Tod.

Ich brauchte selbst noch etwas Zeit, um zu ergründen, was all das bedeutete, und Rosie würde vielleicht auf eine derart emotionale Weise reagieren, dass es uns den Aufenthalt in New York verdürbe. Sie war beeindruckt, dass ich eine DNA-Probe hatte nehmen können, vor allem, weil ich es so unauffällig durch das hilfsbereite Abräumen der Teller geschafft hatte.

»Du läufst ja direkt Gefahr, dir ein paar gesellschaftliche Fähigkeiten anzueignen«, kommentierte sie.

Das Hotel war sehr angenehm. Nachdem wir eingecheckt hatten, gestand Rosie, sie habe befürchtet, ich würde erwarten, dass wir ein Zimmer teilten, weil ich die Reise nach New York bezahlt hatte. Wie eine Prostituierte! Ich war schwer beleidigt. Sie schien über meine Reaktion erfreut.

Ich absolvierte ein wunderbares Training im Fitnessraum des Hotels, und als ich zurückkehrte, blinkte das Nachrichtenlicht am Telefon. Rosie.

»Wo warst du?«, wollte sie wissen.

»Im Fitnessraum. Körperliches Training ist wichtig, um die Auswirkungen des Jetlags zu reduzieren. Genau wie Sonnenlicht. Ich habe vor, neunundzwanzig Blocks weit in der Sonne zu gehen.«

»Vergisst du da nicht etwas? Heute ist mein Tag. Und morgen. Bis Montag um Mitternacht gehörst du mir. Und jetzt schaff deinen Hintern hier runter, ich will frühstücken.«

»In meinen Sportsachen?«

»Nein, Don, nicht in deinen Sportsachen. Geh duschen und zieh dich an. Du hast zehn Minuten.«

»Ich frühstücke aber immer vor dem Duschen.«

»Wie alt bist du?«, gab Rosie aggressiv zurück. Sie wartete meine Antwort nicht ab. »Du benimmst dich wie ein alter Mann – ich frühstücke immer vor dem Duschen, setz dich nicht auf meinen Stuhl, da sitze ich immer … *Leg dich nicht mit mir an, Don Tillmann.*« Die letzten Worte sprach sie sehr langsam, und ich entschied, es sei wohl besser, mich nicht mit ihr anzulegen. Morgen um Mitternacht wäre alles vorbei. Bis dahin würde ich in meinen Zahnarztmodus umschalten.

Wie es aussah, erwartete mich eine Wurzelbehandlung. Als ich unten ankam, schimpfte Rosie sofort los.

»Wie lange hast du dieses Hemd schon?«

»Vierzehn Jahre«, antwortete ich. »Es trocknet sehr schnell. Perfekt für Reisen.« Tatsächlich war es ein spezielles Sporthemd fürs Wandern, auch wenn die Faserindustrie seit seiner Herstellung deutliche Fortschritte gemacht hatte.

»Gut«, sagte Rosie. »Dann ist es dir nichts mehr schuldig. Los, nach oben. Umziehen.«

»Das T-Shirt ist nass.«

»Ich meinte Claudias Hemd. Und die Jeans, wo du schon dabei bist. Ich will nicht mit einem Penner durch New York laufen.«

Als ich das zweite Mal nach unten kam, lächelte Rosie. »Hey, du siehst ja gar nicht mal so schlecht aus.« Sie musterte mich genauer. »Das macht dir wohl keinen Spaß, wie? Du wärst jetzt lieber allein im Museum, stimmt's?« Sie war extrem scharfsinnig. »Okay, ich kapiers schon. Aber du hast so viel für mich getan … Du hast mich nach New York mitgenommen, und außerdem habe ich noch gar nicht alles Geld von dir ausgegeben. Also will ich jetzt etwas für dich tun.«

Ich hätte erwidern können, wenn sie etwas für mich tun *wolle*, sei das letztlich nur in ihrem eigenen Interesse, aber das hätte vielleicht nur weiteres »Leg dich nicht mit mir an«-Verhalten provoziert.

»Du bist an einem anderen Ort, du trägst andere Kleidung. Wenn im Mittelalter die Pilger nach Hunderten von Kilometern in Santiago ankamen, verbrannten sie ihre Kleider als Zeichen dafür, dass sie sich verändert hatten. Ich bitte dich nicht, deine Kleider zu verbrennen – noch nicht. Du kannst sie am Dienstag wieder anziehen. Aber sei jetzt mal offen für Neues. Lass mich dir zwei Tage lang meine Welt zeigen. Mit dem Frühstück fangen wir an. Wir sind in der Stadt mit der besten Frühstücksauswahl der Welt.«

Sie musste gemerkt haben, dass ich mich innerlich sträubte.

»Hey, du planst deine Zeit doch genau, damit du sie nicht vergeudest, oder?«

»Korrekt.«

»Also, du hast jetzt zwei Tage mit mir geplant. Wenn du dich dagegen sperrst, wirst du zwei Tage deines Lebens vergeuden, die jemand versucht, aufregend und produktiv und spaßig zu gestalten. Ich werde …« Sie hielt inne. »Ich habe den New-York-Führer in meinem Zimmer vergessen. Wenn ich wieder runterkomme, gehen wir frühstücken.« Sie drehte sich um und lief zu den Fahrstühlen.

Rosies Logik irritierte mich. Ich hatte meinen Zeitplan immer mit dem Argument der Effizienz gerechtfertigt. Aber war mir dabei die Effizienz wichtig oder der Zeitplan selbst? War ich im Grunde wie mein Vater, der darauf bestanden hatte, jeden Abend im selben Sessel zu sitzen? Das hatte ich Rosie gegenüber nie erwähnt. Auch ich hatte meinen speziellen eigenen Sessel.

Es gab ein weiteres Argument, das sie nicht angeführt hatte, weil sie es nicht kennen konnte. In den letzten acht Wochen hatte ich zwei der drei besten Ereignisse meines Erwachsenenlebens erlebt, vorausgesetzt, man betrachtete meine Besuche im Naturkundemuseum als ein einziges Ereignis. Und beide hatte ich mit Rosie erlebt. Bestand da ein Zusammenhang? Ich musste dem nachgehen.

Bis Rosie zurückkehrte, hatte ich mein Gehirn neu konfiguriert, was einer immensen Willensanstrengung bedurfte. Aber jetzt war ich auf Anpassung eingestellt.

»Und?« Sie sah mich erwartungsvoll an.

»Wie finden wir das beste Frühstück der Welt?«

Wir fanden es um die Ecke. Vermutlich war es das ungesündeste Frühstück, das ich je gegessen hatte, aber ich würde nicht merklich an Gewicht zunehmen und weder an Fitness noch an Scharfsinn einbüßen oder meine Kampfsportfähigkeiten verlieren, wenn ich sie für zwei Tage vernachlässigte. Das war der Modus, nach dem mein Gehirn jetzt funktionierte.

»Ich kann nicht fassen, dass du das alles gegessen hast«, sagte Rosie.

»Es hat sehr gut geschmeckt.«

»Kein Mittagessen. Und das Abendessen viel später.«

»Wir können jederzeit essen.«

Unsere Bedienung kam zum Tisch. Rosie deutete auf die leeren Kaffeebecher. »Der war gut. Ich glaube, wir könnten noch einen vertragen.«

»Hä?«, meinte die Kellnerin. Es war offensichtlich, dass sie Rosie nicht verstanden hatte. Es war ebenfalls offensichtlich, dass Rosie keinen Sinn für guten Kaffee besaß – oder sie hatte dasselbe getan wie ich, die Bezeichnung »Kaffee« ignoriert und das Ganze als völlig neues Getränk genossen. Diese Technik funktionierte hervorragend.

»Ein normaler Kaffee mit Milch und einer ohne. Bitte«, sagte ich.

»Klar.«

In dieser Stadt sagten die Leute geradeheraus, was sie wollten. Eine Stadt nach meinem Geschmack! Ich sprach gern Amerikanisch: »cream« statt »milk«, »elevator« statt »lift«, »check« statt »bill«. Vor meiner ersten Reise hierher hatte ich eine Liste mit Unterschieden zwischen amerikanischem und australischem Englisch auswendig gelernt und war überrascht gewesen, wie schnell mein Gehirn umschalten und automatisch darauf zurückgreifen konnte.

Wir spazierten Richtung Uptown. Rosie blätterte in einem Buch mit dem Titel *Nicht für Touristen*, was sich nach einer schlechten Wahl anhörte.

»Wohin gehen wir?«, fragte ich.

»Wir gehen nirgendwohin. Wir sind da.«

Wir standen vor einem Bekleidungsgeschäft. Rosie fragte mich, ob wir mal stöbern könnten.

»Du musst nicht fragen«, erwiderte ich. »Du hast das Kommando.«

»Bei Geschäften mach ich das automatisch. Das ist so ein Mädchending. Und eigentlich wollte ich sagen: ›Ich nehme an, dass du schon auf der Fifth Avenue gewesen bist‹, aber bei dir nehme ich rein gar nichts an.«

Dasselbe konnte ich von ihr sagen. Ich wusste, es war besser, auch bei Rosie nichts Bestimmtes vorauszusetzen, sonst hätte ich mich gewundert, dass sie sich selbst als »Mädchen« bezeichnete. Ich hatte gedacht, dieser Terminus sei für erwachsene Feministinnen absolut inakzeptabel.

Rosie war bemerkenswert feinfühlig geworden, was mich betraf. Ich kannte von New York nichts außer den Konferenzzentren und dem Museum, aber mit meiner neuen Gehirnkonfiguration fand ich alles faszinierend. Ein ganzes Geschäft nur für Zigarren. Die Preise für Schmuck. Das Flatiron Building. Das Sexmuseum. Letzteres betrachtete Rosie von außen und entschied, nicht hineinzugehen. Das war mit Sicherheit eine gute Entscheidung – bestimmt wäre es faszinierend gewesen, aber das Risiko für Fettnäpfchen lag extrem hoch.

»Willst du irgendetwas kaufen?«, fragte Rosie.

»Nein.«

Ein paar Minuten später kam mir doch eine Idee. »Gibt es hier irgendwo ein Geschäft, das Männerhemden verkauft?«

Rosie lachte. »Auf der Fifth Avenue in New York City? Hm, mal sehen, ob wir Glück haben.« Ich erkannte einen Hauch Sarkasmus, aber der freundlichen Art. In einem großen Geschäft namens *Bloomingdale's*, das aber nicht an der Fifth Avenue lag, fanden wir ein ganz ähnliches Hemd wie das von Claudia. Wir konnten uns nicht zwischen zwei Hemden entscheiden und kauften beide. Meine Garderobe würde überquellen!

Dann erreichten wir den Central Park.

»Wir lassen das Mittagessen ausfallen, aber ich hätte Lust

auf ein Eis«, sagte Rosie. Im Park stand ein Eisverkäufer, und er verkaufte sowohl Waffeln als auch Eis am Stiel.

Mich überkam ein irrationales Gefühl von Furcht, das ich sofort identifizierte. Aber ich musste es wissen. »Ist die Geschmacksrichtung wichtig für dich?«

»Irgendwas mit Erdnüssen. Schließlich sind wir in Amerika.«

»Aber alle Eissorten schmecken gleich.«

»Blödsinn.«

Ich erklärte das mit den Geschmacksnerven.

»Wollen wir wetten?«, meinte Rosie. »Wenn ich den Unterschied zwischen Erdnuss und Vanille schmecke, kaufst du zwei Eintrittskarten für *Spiderman*. Am Broadway. Heute Abend.«

»Die Konsistenz wird anders sein. Wegen der Erdnüsse.«

»Dann zwei andere. Du darfst wählen.«

Ich bestellte eine Kugel Aprikose und eine Mango. »Mach die Augen zu«, sagte ich, was eigentlich nicht nötig war, weil die Farben fast identisch aussahen. Aber ich wollte nicht, dass Rosie mitbekam, wie ich eine Münze warf, um die Reihenfolge zu bestimmen. Ich hatte Angst, sie könnte meine Wahl sonst mit ihren psychologischen Fähigkeiten irgendwie durchschauen.

Ich warf die Münze und gab ihr eine der Eiswaffeln.

»Mango«, riet Rosie, was richtig war. Münze, wieder Kopf. »Wieder Mango.« Sie ordnete Mango dreimal richtig zu, dann Aprikose, dann wieder Aprikose. Die Wahrscheinlichkeit, dass sie nur zufällig richtig tippte, lag bei eins zu zweiunddreißig. Ich konnte also zu siebenundneunzig Prozent sicher sein, dass sie den Unterschied tatsächlich schmeckte. Unfassbar.

»Also, *Spiderman* heute Abend.«

»Nein, du hast dich einmal vertan.«

Rosie musterte mich eingehend, dann begann sie zu lachen. »Du verarschst mich, oder? Ich kann's nicht glauben, du machst tatsächlich Witze!«

Sie gab mir eine Waffel. »Da es dir ja egal ist, kannst du Aprikose haben.«

Ich betrachtete das Eis. Was sollte ich sagen? Sie hatte daran geleckt.

Und wieder konnte sie meine Gedanken lesen. »Wie willst du ein Mädchen küssen, wenn du nicht mal an ihrem Eis lecken magst?«

Einige Minuten lang durchströmte mich das irrationale Gefühl höchster Freude, während ich mich in dem Erfolg meines Witzes sonnte und gleichzeitig den Satz mit dem Kuss analysierte: *Ein* Mädchen küssen, an *ihrem* Eis lecken ... das war jeweils die dritte Person, aber sicher nicht ohne Bezug zu dem Mädchen, das in diesem Moment sein Eis mit Don Tillmann teilte, der an einem sonnigen Sonntagnachmittag in seinem neuen Hemd und seiner neuen Jeans mit ihr zwischen den Bäumen des Central Park in New York City spazierte.

Die hundertundvierzehn Minuten Auszeit im Hotel konnte ich gut gebrauchen, auch wenn ich den Tag extrem genossen hatte. Ich duschte, las meine E-Mails und machte Entspannungs- und Dehnübungen. Gene schickte ich eine Mail, mit Kopie an Claudia, und berichtete von unserem Tag.

Zum Treffen um 19:00 Uhr in der Lobby kam Rosie drei Minuten zu spät. Ich wollte gerade in ihrem Zimmer anrufen, als sie in Sachen auftauchte, die sie tagsüber gekauft hatte – weiße Jeans und ein blaues, T-Shirt-ähnliches Oberteil –, dazu in der Jacke, die sie schon am Vorabend getragen hatte. Mir fiel ein Satz von Gene ein, den er einmal zu Claudia gesagt hatte. »Du siehst sehr elegant aus«, kommentierte ich. Es war eine gewagte Äußerung, doch Rosies Reaktion schien positiv. Und sie sah tatsächlich sehr elegant aus.

Wir tranken Cocktails in einer Bar mit der umfangreichsten Cocktailkarte der Welt, von denen ich viele nicht kannte. Dann sahen wir *Spiderman*. Hinterher meinte Rosie, die Story sei ziemlich vorhersehbar gewesen, aber ich war einfach nur überwältigt, auf positive Weise. Ich war seit meiner Kindheit nicht mehr im Kino gewesen. Die Story war mir ziemlich egal, denn ich konzentrierte mich hauptsächlich auf die Tricks mit dem Fliegen. Es war phänomenal.

Zurück zur Lower East Side nahmen wir eine U-Bahn. Ich hatte Hunger, aber ich wollte nicht die Regeln brechen, indem ich vorschlug, etwas essen zu gehen. Rosie hatte das ohnehin schon eingeplant und für 22:00 Uhr zwei Plätze ein einem Restaurant namens *Momofuku Ko* gebucht. Wir bewegten uns wieder in der »Rosie-Zeit«.

»Das ist mein Geschenk an dich, weil du mich hierher mitgenommen hast«, sagte sie.

Wir wurden an eine Theke für zwölf Personen gesetzt, an der wir die Köche bei der Arbeit beobachten konnten. Es gab wenige der nervigen Formalitäten, die Restaurants so stressig machen.

»Haben Sie irgendwelche Vorlieben, Allergien, Abneigungen?«, fragte der Koch.

»Ich bin Vegetarierin, esse aber nachhaltig produzierten Fisch und Meersfrüchte«, antwortete Rosie. »Und er isst alles – wirklich alles«, fügte sie hinzu.

Irgendwann verlor ich den Überblick über die Anzahl der Gänge. Ich aß Kalbsbries und Gänseleberpastete (zum ersten Mal!) und Seeigelrogen. Wir tranken eine Flasche Rosé-Champagner. Ich sprach mit den Köchen, und sie erklärten mir genau, was sie taten. Es war das beste Essen, das ich je gegessen hatte. Und ich musste nicht einmal ein Jackett tragen! Tatsächlich trug der Mann neben mir ein Kostüm, das selbst im *Marquess of Queensbury* aufgefallen wäre, und mehrere Gesichtspiercings. Er bekam mit, dass ich mit dem Koch redete, und erkundigte sich, woher ich komme. Ich sagte es ihm.

»Wie finden Sie New York?«

Ich sagte, ich fände es äußerst interessant, und erzählte, wie wir den Tag verbracht hatten. Allerdings merkte ich, dass sich unter dem Stress, mit einem Fremden zu sprechen, mein Verhalten änderte – oder, um genauer zu sein, dass es in alte Muster zurückfiel. Tagsüber mit Rosie war ich entspannt gewesen und hatte anders gesprochen und mich verhalten, was ich im Gespräch mit dem Koch hatte fortsetzen können, weil es im Wesentlichen ein professioneller Austausch von Informationen gewesen war. Dagegen hatte die informelle gesellschaftliche Interaktion mit einer anderen Person wieder mein normales Verhalten ausgelöst. Und mein normales Verhalten und Reden wird von anderen als seltsam empfunden, was mir sehr wohl bewusst ist. Der Mann mit den Piercings schien es zu bemerken.

»Wissen Sie, was mir an New York so gefällt?«, meinte er. »Es gibt hier so viele eigenartige Leute, dass sie niemandem besonders auffallen. Wir passen einfach alle hierher.«

»Wie fandest du es?«, wollte Rosie wissen, als wir zum Hotel zurückkehrten.

»Der schönste Tag meines Erwachsenenlebens«, sagte ich. Rosie schien so glücklich über meine Antwort, dass ich beschloss, den Satz nicht wie geplant zu beenden: »abgesehen vom Naturkundemuseum.«

»Schlaf dich aus«, sagte sie. »Um 9:30 Uhr treffen wir uns und gehen wieder Brunchen, okay?«

Es wäre unsinnig gewesen, zu widersprechen.

25

»Habe ich etwas Peinliches veranstaltet?«

Rosie hatte Angst gehabt, ich könnte während der Besichtigungstour von Ground Zero unangemessene Bemerkungen machen. Unser Führer, ein ehemaliger Feuerwehrmann namens Frank, der bei dem Angriff viele seiner Kollegen verloren hatte, war ein unglaublich interessanter Mensch, und ich stellte eine Reihe technischer Fragen, die er verständlich und, wie mir schien, sehr engagiert beantwortete.

»Du hast den Grundtenor vielleicht ein bisschen verändert«, antwortete sie. »Du hast die Aufmerksamkeit von der emotionalen Ebene weggelenkt.« Ich hatte also die Trauer reduziert. Gut.

Der Montag war dem Besuch bekannter Touristenattraktionen gewidmet. Wir frühstückten in *Katz's Deli*, in dem eine Szene für den Film *Harry und Sally* gedreht worden war. Dann fuhren wir auf das Empire State Building, das in dem Film *Die große Liebe meines Lebens* eine bedeutende Rolle spielte. Danach besuchten wir das Museum of Modern Art und das Metropolitan Museum of Art, die beide sehr beeindruckend waren.

Wir kehrten früh ins Hotel zurück, um 16:32 Uhr.

»Um 18:30 Uhr treffen wir uns wieder«, sagte Rosie.

»Was gibt es zum Abendessen?«

»Hot Dogs. Wir gehen zum Baseball.«

Ich gehe nicht auf Sportveranstaltungen. Niemals. Die Gründe liegen auf der Hand – zumindest sollten sie es für alle, die ihre Zeit wertschätzen. Doch mein neukonfiguriertes Hirn, das durch große Mengen positiver Verstärkung zusätzlich aufgeputscht war, nahm den Vorschlag an. Die nächsten hundertachtzehn Minuten verbrachte ich damit, im Internet alles über Regeln und Spieler zu erfahren.

In der U-Bahn hatte Rosie eine Neuigkeit parat. Bevor sie aus Melbourne abgereist war, hatte sie eine E-Mail an Mary Keneally geschickt, einer Forscherin ihres Fachgebiets an der Columbia-Universität. Gerade hatte sie eine Antwort erhalten, und Mary hatte morgen einen Termin für sie frei. Allerdings werde sie dann nicht mit ins Naturkundemuseum kommen können. Am Mittwoch habe sie wieder Zeit, aber ob ich morgen wohl allein zurechtkommen würde? Natürlich würde ich das.

Im Yankee Stadium holten wir Bier und Hot Dogs. Neben mir saß ein Mann mit einer Baseballkappe, geschätztes Alter fünfunddreißig, geschätzter BMI vierzig (also gefährlich dick). Er aß drei Hot Dogs! Der Grund seines Übergewichts war offensichtlich.

Das Spiel begann, und ich musste Rosie erklären, was passierte. Es war faszinierend zu beobachten, wie die Regeln in einem echten Spiel funktionierten. Jedes Mal, wenn etwas auf dem Spielfeld passierte, schrieb Baseballfan etwas in ein Notizbuch. Als Curtis Granderson ans Schlagmal ging, standen Läufer an der zweiten und dritten Base, und Baseballfan sprach mich an: »Wenn die beiden durch seinen Schlag die Home Plate erreichen, wird er danach die Statistik der Schlagmänner anführen. Wie hoch stehen wohl die Chancen?«

Genau wusste ich das nicht. Ich konnte ihm nur sagen, dass sie irgendwo zwischen 9,9 und 27,2 Prozent lagen, wenn man vom Durchschnitt der Trefferschläge und dem Prozentsatz der Home Runs ausging, die im Mannschaftsprofil aufgelistet gewesen waren, das ich gelesen hatte. Ich hatte keine Zeit gehabt, die Statistiken für die Runs von der zweiten und dritten Base an auswendig zu lernen. Baseballfan schien trotzdem beeindruckt, und wir begannen ein interessantes Gespräch. Er zeigte mir, wie man das Programm mit verschiedenen Symbolen versehen konnte, die die verschiedenen Spielereignisse kennzeichneten, und wie ausgefeilte Statistiken funktionierten. Ich hatte keine Ahnung gehabt, dass Sport intellektuell derart stimulierend sein konnte.

Rosie holte mehr Bier und Hot Dogs, und der dicke Baseballfan erzählte mir von Joe DiMaggios »Serie« im Jahr 1941, als er in sechsundfünfzig aufeinanderfolgenden Spielen mindestens je einen Hit erzielte, was Baseballfan als einzigartige und jeder Statistik trotzende Leistung ansah. Ich hatte meine Zweifel, und das Gespräch wurde gerade interessant, als das Spiel endete, also schlug er vor, wir könnten noch gemeinsam zu einer Bar in Midtown fahren. Da Rosie das Kommando hatte, fragte ich, ob sie einverstanden sei, und sie stimmte zu.

In der Bar war es laut, und auf einem riesigen Bildschirm wurden noch mehr Baseballspiele gezeigt. Andere Männer, die Baseballfan offenbar nicht kannte, nahmen an unserem Gespräch teil. Wir tranken viel Bier und redeten über Baseballstatistiken. Rosie saß mit ihrem Drink auf einem Barhocker und beobachtete uns. Es war schon sehr spät, als Baseballfan, der in Wirklichkeit Dave hieß, meinte, er wolle nach Hause gehen. Wir tauschten unsere E-Mail-Adressen, und ich war überzeugt, dass ich einen neuen Freund gewonnen hatte.

Auf dem Weg zurück ins Hotel fiel mir auf, dass ich mich auf stereotype männliche Weise verhalten hatte: in einer Bar Bier trinken, Fernsehen gucken und über Sport reden. Wie allgemein bekannt ist, sind Frauen solchem Verhalten gegenüber negativ eingestellt. Ich fragte Rosie, ob ich sie gekränkt hätte.

»Nein, überhaupt nicht. Es hat Spaß gemacht, dich als normalen Mann zwischen den anderen zu sehen – wie du dazupasst.«

Ich erwiderte, dass sie mit dieser höchst ungewöhnlichen Antwort für eine Feministin eine sehr attraktive Partnerin für den konventionellen Typ Mann sei.

»Wenn mich der konventionelle Typ Mann interessieren würde«, entgegnete Rosie.

Es schien mir eine gute Gelegenheit, eine Frage über Rosies Privatleben zu stellen.

»Hast du einen festen Freund?« Ich hoffte, dass ich den angemessenen Terminus verwendet hatte.

»Sicher, ich habe ihn nur noch nicht ausgepackt«, meinte sie, offenbar als Scherz. Ich lachte, wies dann aber darauf hin, dass sie meine Frage nicht beantwortet habe.

»Don«, sagte sie, »wenn ich einen Freund hätte – meinst du nicht, dass du inzwischen mal von ihm gehört hättest?«

Mir schien es absolut möglich, dass ich noch nicht von ihm gehört hätte. Außerhalb des Vaterprojekts hatte ich Rosie nur wenige persönliche Fragen gestellt. Ich kannte keinen ihrer Freunde, abgesehen von Stefan, den ich als nicht-festen Freund identifiziert hatte. Natürlich hätte es der Tradition entsprochen, einen festen Partner zum Fakultätsball mitzubringen, statt mir danach Sex anzubieten, aber nicht jeder fühlt sich an solche Konventionen gebunden. Gene war das perfekte Beispiel. Ich hielt es also für gut möglich, dass Rosie einen festen Freund hatte, der nicht gern tanzte oder sich nicht gern mit Akademikern umgab oder gar nicht in der Stadt gewesen war oder so etwas wie eine offene Beziehung mit ihr führte. Es gab keinen Grund, weshalb sie mir davon hätte erzählen sollen. Ich selbst hatte Daphne oder meine Schwester auch nur selten Gene und Claudia gegenüber erwähnt oder umgekehrt. Sie gehörten zu verschiedenen Bereichen meines Lebens. Das alles erklärte ich Rosie.

»Kurze Antwort: nein«, sagte sie daraufhin. Nach einem Stück Weg fügte sie hinzu: »Lange Antwort: Du wolltest wissen, was ich mit ›durch meinen Vater verkorkst‹ meinte. Grundlagen der Psychologie: Unsere erste Beziehung zu einem Mann ist die zu unserem Vater. Sie beeinflusst alle zukünftigen Beziehungen zu Männern. Ich darf mich also glücklich schätzen, gleich zwei davon zu haben – Phil, der bescheuert ist, und meinen richtigen Vater, der mich und meine Mutter alleingelassen hat. Und diese Auswahl kriege ich mit zwölf Jahren präsentiert, wo Phil sich mit mir hinsetzt und dieses ›Ich wünschte, deine Mutter wäre hier, um es dir zu sagen‹-Gespräch führt. Du weißt schon … das Standardgespräch, das jeder Vater mit seinem zwölfjährigen Kind führt: Ich bin nicht dein richtiger Dad; deine Mum, die gestorben ist, bevor du sie richtig kennenlernen konntest, ist nicht der perfekte Mensch, für den du sie immer gehalten hast; du bist nur deswegen auf der Welt, weil deine Mutter lockere Moralvorstellungen hatte, und ich wünschte, du wärst es nicht, damit ich ein eigenes Leben haben kann.«

»Das hat er zu dir gesagt?«

»Nicht wörtlich. Aber das hat er gemeint.«

Ich fand es höchst unwahrscheinlich, dass eine Zwölfjährige – selbst als zukünftige Psychologiestudentin – die unausgesprochenen Gedanken eines erwachsenen Mannes richtig deuten könne. Manchmal ist es besser, seine Unfähigkeit in solchen Dingen anzuerkennen – so wie ich es tue –, als sich fälschlicherweise für einen Experten zu halten.

»Also vertraue ich Männern nicht. Ich glaube nicht an das, was sie von sich behaupten. Ich habe Angst, dass sie mich enttäuschen. Das ist meine Zusammenfassung von sieben Jahren Studium der Psychologie.«

Es schien mir ein schwaches Ergebnis für sieben Jahre der Anstrengung, aber ich nahm an, dass sie das dabei vermittelte allgemeine Wissen unterschlug.

»Sollen wir uns morgen Abend treffen?«, fragte Rosie. »Dann können wir irgendetwas machen, das du willst.«

Ich hatte schon über meine Pläne für den nächsten Tag nachgedacht.

»Ich kenne auch jemanden an der Columbia«, sagte ich. »Wir könnten zusammen hinfahren.«

»Was ist mit deinem Museum?«

»Ich habe bereits vier Besuche zu zweien komprimiert. Da kann ich auch zwei in einen legen.« Das entbehrte zwar jeder Logik, aber ich hatte viel Bier getrunken und einfach Lust, zur Columbia zu gehen. *Sei locker*, hörte ich Claudia in Gedanken, *lass dich treiben.*

»Dann treffen wir uns um acht – keine Verspätung, bitte«, sagte Rosie. Und küsste mich. Es war kein leidenschaftlicher Kuss, nur auf die Wange, aber er war verwirrend. Weder positiv noch negativ, einfach nur verwirrend.

Ich schrieb eine E-Mail an David Borenstein an der Columbia, dann skypte ich mit Claudia und erzählte von unserem Tag, wobei ich den Kuss unterschlug.

»Klingt, als hätte sie sich mächtig ins Zeug gelegt«, kommentierte Claudia.

Das stimmte. Rosie hatte Unternehmungen ausgesucht, die ich normalerweise gemieden hätte, die ich aber sehr genossen hatte. »Und Mittwoch zeigst du ihr das Naturkundemuseum?«

»Nein, ich werde die Krustentiere besichtigen sowie Flora und Fauna der Antarktis.«

»Das überlegst du dir besser noch mal«, riet Claudia.

26

Zur Columbia nahmen wir die U-Bahn. David Borenstein hatte nicht auf meine E-Mail geantwortet. Das erwähnte ich Rosie gegenüber jedoch nicht, die mich zu ihrer Verabredung mit eingeladen hatte, falls sie sich nicht mit meiner überschneide.

»Ich sage einfach, du bist ein Kollege«, erklärte sie. »Ich würde dir gern zeigen, was ich mache, wenn ich keine Getränke mixe.«

Mary Keneally war Assistenzprofessorin der Psychiatrie an der medizinischen Fakultät. Ich hatte Rosie nie gefragt, zu welchem Thema sie ihre Doktorarbeit schrieb. Wie sich herausstellte, lautete es *Umweltrisiken für Frühformen der bipolaren Störung*, ein ernstes wissenschaftliches Thema. Rosies Ansatz klang vernünftig und gut durchdacht. Sie und Mary unterhielten sich dreiundfünfzig Minuten, dann gingen wir zusammen Kaffee trinken.

»Mal ehrlich«, sagte Mary zu Rosie, »Sie sind eher Psychiaterin als Psychologin. Haben Sie nie daran gedacht, zu Medizin zu wechseln?«

»Ich stamme aus einer Familie von Medizinern«, antwortete Rosie. »Ich wollte wohl rebellieren.«

»Tja, wenn Sie mit dem Rebellieren fertig sind … Wir haben hier ein ausgezeichnetes Programm für Medizinstudenten.«

»Na klar«, meinte Rosie. »Ich an der Columbia!«

»Warum nicht? Und wo Sie schon mal den weiten Weg hierher gemacht haben …« Sie tätigte einen kurzen Telefonanruf und lächelte. »Kommen Sie mit, ich stelle Sie dem Dekan vor.«

Als wir zum Hauptgebäude zurückkehrten, sagte Rosie: »Ich hoffe, du bist gebührend beeindruckt.« Wir erreichten das Büro des Dekans, der vortrat und uns begrüßte.

»Don«, sagte er, »gerade habe ich deine E-Mail bekommen. Ich hatte noch gar keine Gelegenheit zu antworten.« Dann drehte er sich zu Rosie. »Hallo, ich bin David Borenstein. Und Sie sind mit Don hier?«

Wir aßen zusammen im Fakultätsclub zu Mittag. David erzählte Rosie, dass er meinen Antrag auf das O-1-Visum unterstützt habe. »Und ich habe nicht gelogen«, sagte er. »Wann immer Don Lust hat, in der ersten Liga mitzuspielen, kann er hier einen Job bekommen.«

Holzofenpizza ist angeblich umweltschädigend, aber ich betrachte derartige Angaben mit großer Skepsis. Sie beruhen oft mehr auf Emotionen denn auf Wissenschaft und lassen Lebenszykluskosten außer Acht. Elektrizität gut, Holzkohle schlecht. Doch woher kommt die Elektrizität? Unsere Pizza bei *Arturo's* war exzellent. Die beste Pizza der Welt.

An einer der Äußerungen, die Rosie in der Columbia-Universität gemacht hatte, war ich näher interessiert.

»Ich dachte, du hast deine Mutter bewundert. Warum willst du keine Ärztin sein?«

»Es geht nicht um meine Mutter. Denk dran, mein Vater ist auch Arzt. Deshalb sind wir überhaupt hier.« Sie goss den Rest des Rotweins in ihr Glas. »Ich hatte schon an Medizin gedacht und den GAMSAT-Test gemacht, genau, wie ich es Peter Enticott erzählt habe. Und ich habe tatsächlich vierundsiebzig Punkte geschafft, zieh dir das ruhig rein!« Trotz ihrer aggressiven Worte blieb ihr Gesichtsausdruck freundlich. »Ich dachte, wenn ich Medizin studiere, wäre das irgendwie ein Zeichen dafür, dass ich mich an meinen echten Vater hänge. Als würde ich eher ihm folgen als Phil. Aber selbst mir ist klar, dass das blöd war.«

Gene konstatiert häufig, Psychologen seien unfähig, sich selbst zu analysieren. Rosies Fall schien diese These zu stützen. Warum sollte sie etwas meiden, was ihr gefiel und in dem sie gut war? Und bei drei Jahren Psychologiestudium plus mehreren Jahren Forschung hätte sie eigentlich eine bessere Einschätzung ihrer diversen Probleme abliefern können als »total verkorkst«. Natürlich teilte ich ihr diesen Gedanken nicht mit.

Als das Museum um 10:30 Uhr öffnete, waren wir die ersten in der Schlange. Ich hatte den Besuch gemäß der Geschichte des Universums, der Planeten und des Lebens vorgeplant. Dreizehn Milliarden Jahre in sechs Stunden. Gegen Mittag schlug Rosie vor, das Essen zu streichen, um mehr Zeit für die Ausstellung zu haben. Später blieb sie vor der berühmten Rekonstruktion der fossilen Fußabdrücke von Laetoli stehen, die von zwei aufrechtgehenden Hominiden stammen und etwa 3,6 Millionen Jahre alt sind.

»Darüber habe ich einen Artikel gelesen. Es waren eine Mutter und ein Kind, die sich an den Händen hielten, richtig?«

Das war eine romantische Interpretation, aber nicht unmöglich.

»Hast du je daran gedacht, Kinder zu haben, Don?«

»Ja«, sagte ich, wobei ich vergaß, die persönliche Frage abzuwehren. »Aber es scheint mir sowohl unwahrscheinlich als auch nicht ratsam.«

»Warum?«

»Unwahrscheinlich, weil ich mein Vertrauen in das Ehefrauprojekt verloren habe. Und nicht ratsam, weil ich als Vater ungeeignet wäre.«

»Warum?«

»Weil ich für meine Kinder peinlich wäre.«

Rosie lachte. Ich fand das sehr unsensibel, aber sie erklärte: »Alle Eltern sind ihren Kindern peinlich.«

»Auch Phil?«

»Phil ganz besonders.«

Um 16:28 Uhr waren wir mit den Primaten fertig. »O nein, das war's schon?«, sagte Rosie. »Können wir hier noch was anderes anschauen?«

»Zwei Sachen noch«, sagte ich. »Aber vielleicht findest du sie langweilig.«

Ich führte sie in den Raum, in dem Kugeln in verschiedenen Größen den Maßstab unseres Universums wiedergeben. Die Darstellung selbst ist nicht dramatisch, wohl aber die Bedeutung. Nicht-Wissenschaftler, Nicht-*Natur*-Wissenschaftler, haben oft keine Vorstellung von Größe – wie klein wir im Vergleich zum Universum sind oder wie groß im Vergleich zu einem Neutrino. Ich tat mein Bestes, um es interessant zu gestalten.

Dann fuhren wir mit dem Fahrstuhl nach oben und betraten den kosmischen Rundgang, eine hundertzehn Meter lange, spiralförmige Rampe, die die Zeit vom Urknall bis heute darstellt. An der Wand hängen hin und wieder ein paar Bilder und Fotos oder Steine und Fossilien, und ich musste sie nicht einmal ansehen, weil ich die Geschichte kenne, die ich so akkurat und dramatisch erzählte, wie ich konnte, um während des Hinabsteigens das heute Gesehene in einen Gesamtkontext zu bringen, bis wir unten ankamen und die winzige senkrechte Linie sahen, die die gesamte Geschichte der Menschheit darstellt. Das Museum sollte bald schließen, und wir waren die Einzigen, die dort standen. Bei meinen vorigen Besuchen hatte ich die Reaktionen der Leute belauscht, wenn sie das Ende erreichten. »Da fühlt man sich ganz unbedeutend, oder?«, sagen die meisten. Ich schätze, das ist *eine* Art, es zu betrachten – dass das Alter des Universums unser Leben oder geschichtliche Ereignisse oder Joe DiMaggios »Serie« irgendwie nichtig macht.

Rosies Reaktion war allerdings eine verbale Version meiner Betrachtungsweise. »Wow«, sagte sie leise und blickte auf die dargestellte ungeheure Weite zurück. Dann, in diesem verschwindend kleinen Bruchteil der Geschichte unseres Universums, nahm sie meine Hand und hielt sie bis zur U-Bahn fest.

27

Bevor wir New York am nächsten Morgen verlassen würden, hatten wir noch eine wichtige Aufgabe vor uns. Max Freyberg, Schönheitschirurg und Rosies potentieller Vater mit übervollem Terminkalender, war bereit gewesen, uns um 18:45 Uhr eine Viertelstunde seiner Zeit zu schenken. Rosie hatte seiner Sekretärin erzählt, sie schreibe eine Artikelreihe über erfolgreiche ehemalige Studenten ihrer Universität. Ich trug Rosies Kamera und sollte als Fotograf durchgehen.

Den Termin zu bekommen war schwierig genug gewesen, aber es war klar, dass es noch schwieriger wäre, eine DNA-Probe an einem Arbeitsplatz zu erhalten als in normaler öffentlicher Umgebung oder irgendwo zu Hause. Vor unserer Abreise hatte ich mir den Kopf zerbrochen, wie wir das anstellen könnten, und gehofft, die Lösung würde sich durch im Hintergrund laufende Suchprozesse von allein präsentieren, aber offenbar war ich mit anderen Dingen zu beschäftigt gewesen. Das Beste, was mir einfiel, war ein Ring mit Stachel, mit dem ich während des Händeschüttelns Blut abnehmen könnte, doch Rosie hielt das für gesellschaftlich untragbar.

Sie schlug vor, ein Haar zu entfernen, entweder heimlich oder ganz offiziell, nachdem wir es als für das Foto störend identifiziert hätten. Einem Schönheitschirurgen sei doch sicher sehr an seinem Äußeren gelegen. Leider wäre ein nur abgeschnittenes Haar ungeeignet – es würde ausgerissen werden müssen, da wir eine Haarwurzel benötigten. Rosie steckte eine Pinzette ein. Ausnahmsweise einmal hoffte ich, fünfzehn Minuten in einem verqualmten Zimmer verbringen zu müssen – ein Zigarettenstummel könnte unser Problem auf einen Schlag lösen. Wir würden eben wachsam auf alle sich bietenden Gelegenheiten achten müssen.

Dr. Freybergs Praxis befand sich in einem älteren Gebäude an der Upper West Side. Rosie drückte den Summer, und ein Sicherheitsmann brachte uns in einen Wartebereich, dessen Wände voll gerahmter Zertifikate und Briefen von Patienten hingen, die Dr. Freybergs Arbeit priesen.

Dr. Freybergs Sekretärin, eine sehr dünne Frau (BMI etwa sechzehn) von circa fünfundfünfzig Jahren mit unproportional dicken Lippen führte uns in sein Sprechzimmer. Mehr Zertifikate! Freyberg selbst wies einen großen Makel auf: Er war vollkommen kahl. Der Haarentfernungsplan wäre nicht umsetzbar. Zudem gab es keinen Hinweis darauf, dass er rauchte.

Rosies Interviewführung war beeindruckend. Freyberg beschrieb einige Behandlungen, die klinisch kaum gerechtfertigt schienen, und betonte die Bedeutung von Selbstwertgefühl. Es war gut, dass mir die stumme Rolle zufiel, da ich sehr versucht war zu protestieren. Außerdem rang ich um Konzentration. Mein Gehirn war immer noch dabei, das Händchenhalten zu verarbeiten.

»Entschuldigung«, sagte Rosie, »könnte ich wohl etwas zu trinken haben?«

Natürlich! Ein Abstrich von der Kaffeetasse!

»Sicher«, sagte Freyberg. »Tee, Kaffee?«

»Kaffee wäre nett«, erwiderte Rosie. »Schwarz, bitte. Trinken Sie auch einen?«

»Nein, danke. Lassen Sie uns weitermachen.« Er drückte

einen Knopf auf seiner Telefonanlage. »Rachel? Bitte einen Kaffee, schwarz.«

»Sie sollten auch einen Kaffee trinken«, sagte ich zu ihm.

»Ich trinke niemals Kaffee.«

»Sofern keine genetische Intoleranz gegenüber Kaffee besteht, sind keine schädlichen Wirkungen bekannt. Im Gegenteil …«

»Für welche Zeitschrift arbeiten Sie noch mal?«

Die Frage war geradeheraus gestellt und absolut vorhersehbar gewesen. Rosie und ich hatten uns im Vorfeld auf den fiktiven Namen einer Universitätszeitschrift geeinigt, und Rosie hatte ihn bei der Vorstellung bereits erwähnt.

Aber mein Gehirn funktionierte nicht richtig. Rosie und ich antworteten gleichzeitig. Rosie sagte: *Zeit im Wandel* Ich sagte: *Wandel der Zeit*.

Es war eine minimale Diskrepanz, die jeder vernünftige Mensch als einfachen, harmlosen Fehler abgetan hätte, was es ja auch war. Doch Freyberg sah uns misstrauisch an und kritzelte etwas auf ein Stück Papier. Als Rachel den Kaffee brachte, gab er ihr den Zettel. Ich diagnostizierte Paranoia und fing an, Fluchtpläne zu entwerfen.

»Ich müsste mal zur Toilette«, verkündete ich. Von dort aus wollte ich Freyberg anrufen, so dass Rosie entkommen könnte, während er den Anruf entgegennahm.

Ich machte Anstalten, zur Tür zu gehen, doch Freyberg versperrte mir den Weg.

»Nehmen Sie mein privates Badezimmer«, sagte er. »Ich bestehe darauf.«

Er führte mich durch den hinteren Teil seiner Behandlungsräume, an Rachel vorbei, zu einer Tür mit der Aufschrift »Privat« und ließ mich eintreten. Es gab keine Möglichkeit, die Räume zu verlassen, ohne denselben Weg zurückzugehen.

Ich nahm mein Handy, wählte 411 – die Telefonauskunft – und ließ mich mit Rachel verbinden. Ich hörte Rachels Telefon klingeln. Als sie abhob, sprach ich mit leiser Stimme.

»Ich muss dringend Dr. Freyberg sprechen«, raunte ich, »es ist ein Notfall.« Ich erklärte, meine Frau sei Patientin von Dr. Freyberg und dass ihre Lippen explodiert seien. Dann legte ich auf und schrieb Rosie eine SMS: »Sofort weg!«

Das Badezimmer hätte Evas Dienste bedurft. Ich schaffte es, das Fenster zu öffnen, das offenbar schon lange Zeit nicht mehr benutzt worden war. Die Praxis lag im vierten Stock, aber wie es aussah, gab es genug Möglichkeiten zum Festhalten in der Wand. Ich kletterte durchs Fenster, begann langsam und konzentriert mit dem Abstieg und hoffte, dass Rosie erfolgreich hatte fliehen können. Es war lange Zeit her, dass ich geklettert war, und der Abstieg nicht so leicht, wie er zunächst ausgesehen hatte. Die Wand war rutschig vom Regen, und meine Laufschuhe waren für diese Aufgabe nicht optimal geeignet. Einmal glitt ich ab und schaffte es gerade noch, mich an einem Mauerstein festzuhalten. Von unten hörte ich Schreie.

Als ich schließlich den Boden erreichte, sah ich, dass sich bereits eine kleine Menge an Zuschauern versammelt hatte. Rosie stand unter ihnen. Sie schlang mir die Arme um den Hals. »O mein Gott, Don! Du hättest abstürzen können! So wichtig war das nun auch wieder nicht!«

»Das Risiko war gering. Es war nur wichtig, die Höhe zu ignorieren.«

Wir gingen zur U-Bahn. Rosie war sehr aufgebracht. Dr. Freyberg hatte sie verdächtigt, eine Art Privatdetektivin zu sein, beauftragt von einer unzufriedenen Patientin. Er wollte sie vom Sicherheitspersonal festnehmen lassen. Ob er dazu berechtigt war oder nicht – es hätte uns in eine schwierige Lage gebracht.

»Ich werde mich umziehen«, sagte Rosie. »Unser letzter Abend in New York City. Was willst du machen?«

Mein ursprünglicher Plan war der Besuch eines Steakhauses gewesen, aber da wir nun immer gemeinsam aßen, würde ich ein Restaurant wählen müssen, das für eine »Vegetarierin« mit Toleranz gegenüber nachhaltig produzierten Fischen und Meeresfrüchten geeignet wäre.

»Wir überlegen uns etwas«, sagte sie. »Da gibt es viele Möglichkeiten.«

Ich brauchte drei Minuten, um mein Hemd zu wechseln. Dann wartete ich unten weitere sechs Minuten auf Rosie. Schließlich ging ich zu ihrem Zimmer und klopfte an. Ich musste lange warten. Dann hörte ich ihre Stimme.

»Wie lange, denkst du wohl, dauert es, zu duschen?«

»Drei Minuten und zwanzig Sekunden«, antwortete ich, »es sei denn, ich wasche meine Haare, dann dauert es eine Minute und zwölf Sekunden länger.« Die zusätzliche Zeit war deshalb so lang, weil mein Pflegeshampoo sechzig Sekunden einwirken musste.

»Warte.«

Nur mit einem Handtuch bekleidet, öffnete Rosie die Tür. Sie hatte nasse Haare und sah extrem attraktiv aus. Ich vergaß, meinen Blick auf ihr Gesicht zu richten.

»Hey«, sagte sie, »kein Anhänger.« Sie hatte recht, mit dem Anhänger konnte ich mich diesmal nicht herausreden. Trotzdem hielt sie mir keinen Vortrag über unangemessenes Verhalten, sondern lächelte und trat auf mich zu. Ich war nicht sicher, ob sie noch einen weiteren Schritt machen wollte oder ob ich das tun sollte. Am Ende blieben wir beide stehen. Es war ein seltsamer, unangenehmer Moment, aber ich denke, wir trugen beide zu dem Problem bei.

»Du hättest den Ring mitnehmen sollen«, sagte Rosie.

Einen kurzen Moment lang interpretierte mein Hirn das Wort »Ring« als »Verlobungsring« und fing an, ein völlig falsches Szenario zu entwerfen. Dann ging mir auf, dass sie den präparierten Ring mit Stachel meinte, mit dem ich von Freyberg eine Blutprobe hatte nehmen wollen.

»Den ganzen Weg hierherzukommen und dann keine DNA-Probe zu kriegen!«

»Zum Glück haben wir eine.«

»Du hast eine Probe? Wie?«

»Sein Badezimmer. Was für ein Dreckspatz! Er sollte seine Prostata untersuchen lassen. Der Boden …«

»Stopp«, meinte Rosie. »Zu viel Information. Aber gute Arbeit!«

»Sehr schlechte Hygiene«, fuhr ich fort. »Für einen Chirurgen. Einen Pseudo-Chirurgen. Eine unfassbare Vergeudung chirurgischer Fähigkeiten – synthetische Materialien in den Körper einzufügen, nur um die äußere Erscheinung zu verändern!«

»Warte, bis du fünfundfünfzig bist und deine Partnerin fünfundvierzig, und sieh zu, wie du dann darüber denkst.«

»Ich denke, du bist Feministin«, erwiderte ich, obwohl ich langsam daran zu zweifeln begann.

»Das heißt ja nicht, dass ich nicht attraktiv sein will.«

»Deine äußere Erscheinung sollte für eine Bewertung durch deinen Partner irrelevant sein.«

»Das Leben ist voller ›sollte‹«, entgegnete Rosie. »Du bist der Genetiker. Jeder sieht doch, wie die Leute aussehen. Selbst du.«

»Stimmt, aber ich lasse nicht zu, dass es meine Beurteilung der Menschen beeinträchtigt.«

Ich befand mich auf gefährlichem Terrain: In der Nacht des Fakultätsballs hatte mich Rosies Attraktivität in ernsthafte

Schwierigkeiten gebracht. Meine Aussage stimmte mit meiner Grundhaltung überein, mit der ich andere Menschen beurteile und selbst beurteilt werden will. Allerdings hatte ich diese Überzeugung noch nie vor jemandem vertreten müssen, der mir in einem Hotel mit nur einem Handtuch bekleidet gegenüberstand. Ich ahnte, dass ich nicht die volle Wahrheit gesagt hatte.

»Wenn man den Testosteron-Faktor außer Acht lässt«, fügte ich also hinzu.

»Steckt darin irgendwo ein Kompliment?«

Das Gespräch wurde kompliziert. Ich versuchte, meinen Standpunkt zu erläutern. »Es wäre unvernünftig, dich dafür zu loben, dass du unglaublich schön bist.«

Was ich als Nächstes tat, lag zweifellos daran, dass ich durch die Reihe der außergewöhnlichen und traumatischen Ereignisse der letzten Stunden ganz durcheinander war: das Händchenhalten, die Flucht vor dem Schönheitschirurgen und die extreme Wirkung der schönsten Frau der Welt, die nackt unter einem Handtuch vor mir stand.

Auch Gene sollte wenigstens eine Teilschuld zugesprochen werden, weil er gesagt hatte, die Größe der Ohrläppchen sei ein Indikator für sexuelle Attraktivität. Da ich mich sexuell noch nie in dem Maße zu einer Frau hingezogen gefühlt hatte, spürte ich plötzlich das dringende Verlangen, ihre Ohren zu untersuchen. Aus einem Impuls heraus, der aus späterer Sicht ähnlich schicksalhaft war wie in einer Schlüsselszene in Albert Camus' *Der Fremde*, streckte ich meine Hand vor und schob ihr eine Haarsträhne hinters Ohr. In diesem Fall war die Reaktion allerdings ganz anders als die in dem Roman, den wir auf der Highschool durchgenommen hatten. Rosie legte ihre Arme um meinen Hals und küsste mich.

Auch wenn ich überzeugt bin, dass mein Gehirn in nicht

üblicher Weise konfiguriert ist, hätten meine Vorfahren sich ohne das Verständnis grundlegender sexueller Signale und ihrer Reaktion darauf nicht fortgepflanzt. Diese Fähigkeit war offenbar auch bei mir fest einprogrammiert. Ich erwiderte Rosies Kuss. Sie reagierte.

Nach einer Weile lösten wir uns voneinander. Es war offensichtlich, dass das Essen verschoben werden würde. Rosie musterte mich und sagte: »Weißt du, mit anderer Brille und anderem Haarschnitt würdest du aussehen wie Gregory Peck in *Wer die Nachtigall stört*.«

»Ist das gut?« In Anbetracht der Umstände konnte ich das wohl annehmen, aber ich wollte es von ihr selbst hören.

»Er war nur der sexyste Mann der Welt.«

Wir sahen einander einen Moment lang an, und ich beugte mich vor, um sie erneut zu küssen. Sie hielt mich auf.

»Don, das ist New York. Es ist wie Urlaub. Ich will nicht, dass du denkst, es könnte mehr bedeuten.«

»Was in New York passiert, bleibt in New York, richtig?« Es war ein Satz, den Gene mir für Konferenzen beigebracht hatte. Ich hatte ihn noch nie sagen müssen, und obwohl er sich ein bisschen seltsam anfühlte, schien er unter den gegebenen Umständen angemessen zu sein. Offenkundig war es wichtig, dass wir uns einig wären, dass es keine emotionale Fortsetzung dieser Situation gäbe. Zwar hatte ich zu Hause keine Frau wie Gene, aber ich hatte den Plan für eine ganz andere Frau als Rosie, die nach dem Sex vermutlich auf den Balkon gehen und rauchen würde. Seltsamerweise fand ich das gar nicht so abstoßend, wie es hätte sein müssen.

»Ich muss etwas aus meinem Zimmer holen«, sagte ich.

»Gute Idee. Bleib nicht zu lange.«

Mein Zimmer lag nur elf Stockwerke über Rosies, also nahm ich die Treppe. Oben angekommen, duschte ich und blätterte dann durch das Buch, das Gene mir geschenkt hatte. Am Ende hatte er doch recht gehabt. Unfassbar.

Ich kehrte zu Rosie zurück. Mittlerweile waren dreiundvierzig Minuten vergangen. Ich klopfte an die Tür, und Rosie öffnete in einem Schlafgewand, das noch mehr enthüllte als das Handtuch. Sie hielt zwei Gläser Champagner in Händen.

»Tut mir leid, er ist schon ein bisschen schal.«

Ich sah mich in ihrem Zimmer um. Die Überdecke war zurückgeschlagen, die Vorhänge waren zugezogen, und nur ein Nachtlicht brannte. Ich reichte ihr Genes Buch.

»Da dies unser erstes – und vermutlich letztes – Mal sein wird und du zweifellos mehr Erfahrung besitzt, empfehle ich, dass *du* die Position wählst.«

Rosie blätterte einmal durch das Buch und fing wieder von vorn an. Sie schlug die erste Seite mit Genes Symbol auf.

»Hat Gene dir das gegeben?«

»Es war ein Geschenk für die Reise.«

Ich versuchte, Rosies Gesichtsausdruck zu lesen, und tippte auf Verärgerung, doch ich war mir nicht sicher. Dann sagte Rosie in keineswegs ärgerlichem Tonfall: »Tut mir leid, Don, ich kann das nicht. Es tut mir wirklich sehr leid.«

»Habe ich was Falsches gesagt?«

»Nein, es liegt an mir. Es tut mir wirklich leid.«

»Hast du es dir anders überlegt, während ich weg war?«

»Ja«, meinte Rosie. »Genau das ist passiert. Tut mir leid.«

»Bist du sicher, dass ich nichts falsch gemacht habe?« Rosie war meine Freundin, und das Einzige, woran ich jetzt dachte, war, dass ich unsere Freundschaft nicht zerstören wollte. Die Sache mit dem Sex hatte sich verflüchtigt.

»Nein, nein, es liegt an mir«, sagte sie. »Du warst unglaublich rücksichtsvoll.«

Das war ein Kompliment, wie ich es selten bekam. Ein sehr

befriedigendes Kompliment. Die Nacht war also kein totales Desaster gewesen.

Ich konnte nicht schlafen. Ich hatte nichts gegessen, und es war erst 20:55 Uhr. Claudia und Gene wären jetzt bei der Arbeit, und ich hatte auch keine Lust, mit ihnen zu sprechen. Rosie erneut zu kontaktieren hielt ich für wenig ratsam, also rief ich den letzten Freund an, der noch blieb. Dave hatte schon gegessen, aber wir gingen in eine Pizzeria, und er aß ein zweites Mal. Dann besuchten wir eine Bar, sahen Baseball und redeten über Frauen. Ich weiß nicht mehr viel von dem, was wir erzählten, aber ich vermute, dass nur wenig davon für rationale Zukunftspläne geeignet war.

28

Mein Verstand hatte ausgesetzt. Natürlich ist das eine Standardphrase und damit eine heillose Übertreibung der Situation. Mein Hirnstamm funktionierte weiterhin, mein Herz schlug noch, und ich vergaß auch nicht zu atmen. Ich konnte meine Tasche packen, auf dem Zimmer frühstücken, zum Flughafen JFK fahren, einchecken und das Flugzeug nach Los Angeles besteigen. Ich schaffte es auch, so weit mit Rosie zu kommunizieren, um diese Aktivitäten zu koordinieren.

Doch meine Fähigkeit nachzudenken hatte ausgesetzt. Der Grund lag auf der Hand: *emotionale Überlastung!* Meinen sonst so gut kontrollierten Gefühlen hatte ich auf Claudias Rat hin – *dem Rat einer qualifizierten klinischen Psychologin!* – in New York quasi freien Lauf gelassen, und nun waren sie auf gefährliche Weise überstimuliert. Für mein Hirn war es wie ein Amoklauf, der meine Denkfähigkeit lähmte. Dabei hätte ich all meine Denkfähigkeit gebraucht, um das Problem zu analysieren.

Rosie hatte den Fensterplatz, und ich saß am Gang. Ich folgte den Sicherheitsinstruktionen vor dem Start und stieß mich ausnahmsweise nicht an ihren ungerechtfertigten Annahmen und irrationalen Prioritäten. Im Fall eines drohenden Unglücks hätten alle etwas zu tun. Bei mir war das genaue Gegenteil der Fall. Ich war außer Gefecht gesetzt.

Rosie legte eine Hand auf meinen Arm. »Wie fühlst du dich, Don?«

Ich versuchte, mich bei der Analyse auf nur einen Aspekt der Ereignisse und die dazugehörige emotionale Reaktion zu konzentrieren. Ich wusste, wo ich anfangen musste. Logischerweise hätte ich nicht in mein Zimmer gehen müssen, um Genes Buch zu holen. Rosie ein Buch zu zeigen war nicht Teil des ursprünglichen Szenarios gewesen, das ich in Melbourne bei meiner Vorbereitung einer sexuellen Begegnung geplant hatte. Ich mag gesellschaftlich unbeholfen sein, aber nach dem Kuss mit einer nur in ein Handtuch gewickelten Rosie hätte es für den weiteren Verlauf sicher keine Schwierigkeiten gegeben. Meine Kenntnis von Positionen war ein Bonus, für das erste Mal aber vermutlich irrelevant.

Warum also hatte mein Instinkt mich zu einer Handlung getrieben, die die Situation letztlich sabotiert hatte. Die vordergründige Antwort war offensichtlich: Er hatte nicht gewollt, dass ich weitermache. Aber warum? Drei Möglichkeiten fielen mir ein:

1. Ich hatte Angst, in sexueller Hinsicht zu versagen.

Ich brauchte nicht lange, um diese Möglichkeit zu verwerfen. Möglicherweise wäre ich weniger kompetent gewesen als eine erfahrenere Person und vor lauter Angst vielleicht sogar impotent, was allerdings nicht sehr wahrscheinlich war. Aber ich war es gewohnt, mich zu blamieren, selbst vor Rosie. Der Sexualtrieb war sicher sehr viel stärker als jeder Wunsch, mein Image zu schützen.

2. Wir hatten kein Kondom.

Als ich darüber nachdachte, fiel mir ein, dass Rosie vielleicht angenommen hatte, ich sei weggegangen, um eines zu kaufen. Natürlich hätte ich bei all den Ratschlägen zu Safer Sex ein Kondom besorgen müssen, und der Portier hätte vermutlich auch eine Notration parat gehabt, genau wie Zahnbürsten und Rasierer. Die Tatsache, dass ich keines holte, war ein weiterer Hinweis darauf, dass mein Unterbewusstsein nicht damit rechnete, den Akt tatsächlich durchzuführen. Gene hatte mir mal die Geschichte erzählt, wie er mit einem Taxi durch Kairo gerast war, um einen Kondomverkäufer zu finden. Meine Motivation war offensichtlich nicht so stark gewesen.

3. Ich konnte mit den emotionalen Konsequenzen nicht umgehen.

Diese dritte Möglichkeit fiel mir erst ein, nachdem ich die erste und zweite ausgeschlossen hatte. Ich wusste sofort – instinktiv! –, dass es die richtige war. Mein Gehirn war bereits emotional überfordert gewesen. Die Ursache dafür lag nicht an der todesmutigen Flucht aus dem Fenster des Chirurgen, nicht an den warnenden Worten eines bärtigen Psychiaters in dessen dunklem Keller, der alles getan hätte, um sein Geheimnis zu schützen. Sie lag auch nicht darin, dass Rosie vom Museum bis zur U-Bahn meine Hand gehalten hatte, obwohl das sicher dazugehörte. Die Ursache lag im Gesamtpaket »mit Rosie in New York«.

Mein Instinkt hatte mich warnen wollen, dass, wenn ich diesem Paket nur ein einziges Erlebnis hinzufügte – die wortwörtlich überwältigende Erfahrung, Sex mit Rosie zu haben –, meine Emotionen mein Hirn ausschalten würden. Mich zu einer Beziehung mit Rosie drängen würden. Was aus zwei Gründen ein Desaster gewesen wäre: Erstens war sie langfristig absolut ungeeignet, und zweitens hatte sie selbst klargestellt, dass unsere intime Beziehung nicht über unsere Zeit in New York hinausgegangen wäre. Diese beiden Gründe waren absolut konträr, schlossen sich gegenseitig aus und basierten auf ganz und gar unterschiedlichen Voraussetzungen. Ich hatte keine Ahnung, welcher davon der richtige war.

Wir befanden uns im Landeanflug zum Flughafen von Los Angeles. Ich drehte mich zu Rosie. Es war mehrere Stunden her, seit sie ihre Frage gestellt hatte, und ich hatte lange darüber nachgedacht. Wie fühlte ich mich?

»Verwirrt«, antwortete ich.

Ich nahm an, dass sie ihre Frage schon wieder vergessen hatte, aber vielleicht ergab die Antwort auch so noch Sinn.

»Willkommen in der wirklichen Welt.«

Ich schaffte es, die ersten sechs Stunden unseres Fünfzehn-Stunden-Flugs wach zu bleiben, um meine interne Uhr wieder zurückzustellen, aber es war schwer.

Rosie schlief ein paar Stunden und schaute dann einen Film. Ich sah zu ihr hinüber und merkte, dass sie weinte. Sie nahm die Kopfhörer ab und wischte sich über die Augen.

»Du weinst«, sagte ich. »Gibt es ein Problem?«

»Erwischt«, sagte Rosie. »Das ist einfach eine traurige Geschichte. *Die Brücken am Fluss*. Ich nehme an, du weinst im Kino nicht.«

»Korrekt.« Ich merkte, dass das negativ ausgelegt werden könnte, also fügte ich zur Verteidigung hinzu: »Das scheint auch hauptsächlich ein Phänomen bei Frauen zu sein.«

»Danke.« Rosie schwieg wieder, aber sie schien sich von ihrer Traurigkeit über den Film zu erholen.

»Sag mal«, fuhr sie dann fort, »fühlst du überhaupt etwas, wenn du einen Film siehst? Kennst du *Casablanca*?«

Diese Frage war mir vertraut. Gene und Claudia hatten sie gestellt, nachdem wir zusammen eine DVD gesehen hatten. Meine Antwort beruhte also auf vorheriger Reflexion.

»Ich habe einige romantische Filme gesehen. Die Antwort

lautet nein. Anders als Gene und Claudia und offenbar die Mehrheit der menschlichen Spezies berühren mich Liebesgeschichten emotional nicht. Eine solche Reaktion scheint bei mir nicht vorprogrammiert zu sein.«

Sonntagabend besuchte ich Gene und Claudia zum Essen. Ich litt ungewöhnlich stark unter Jetlag und hatte demzufolge Schwierigkeiten, einen zusammenhängenden Abriss der Reise zu liefern. Ich versuchte, von meinem Treffen mit David Borenstein an der Columbia zu erzählen, vom Naturkundemuseum, dem Essen bei *Momofuku Ko*, aber die beiden waren absolut *versessen* darauf, Details über meine Interaktionen mit Rosie zu erfahren. Es war unvernünftig zu erwarten, dass ich mich an jedes Detail erinnerte. Und über das Vaterprojekt konnte ich ohnehin nicht sprechen.

Claudia freute sich sehr über das Tuch, aber es bot erneut Anlass zur Befragung. »Hat Rosie dir beim Aussuchen geholfen?«

Rosie, Rosie, Rosie.

»Die Verkäuferin hat es gleich als Erstes empfohlen.«

Als ich ging, fragte Claudia: »Und, Don? Wirst du Rosie wiedersehen?«

»Nächsten Samstag«, antwortete ich wahrheitsgemäß, ohne zu erwähnen, dass dies kein privates Treffen wäre – für den Nachmittag hatten wir die Analyse der DNA-Proben angesetzt.

Sie wirkte zufrieden.

Ich aß allein zu Mittag im Universitätsclub und überflog noch einmal die bisherigen Ergebnisse des Vaterprojekts, als Gene mit seinem Essen und einem Glas Wein kam und sich mir gegenübersetzte. Ich versuchte, den Ordner schnell beiseitezulegen, erreichte aber nur, dass Gene dachte, ich wolle etwas vor ihm verbergen, was natürlich stimmte. Plötzlich sah Gene über meine Schulter zur Servicetheke hinüber.

»O Gott«, sagte er.

Ich drehte mich um, und Gene schnappte sich den Ordner und lachte.

»Das ist privat«, protestierte ich, doch Gene hatte ihn schon geöffnet. Das Foto der Abschlussklasse klemmte obenauf.

Gene schien ehrlich überrascht. »Mein Gott! Wo hast du das denn her?« Er betrachtete das Foto eingehend. »Das muss dreißig Jahre alt sein. Was sollen diese ganzen Notizen?«

»Ich organisiere eine Wiedersehensfeier«, erwiderte ich. »Um einem Freund zu helfen. Das ist schon Wochen her.« In Anbetracht der kurzen Zeit, die mir blieb, war es eine gute Antwort, aber sie barg einen großen Fehler. Gene entdeckte ihn sofort.

»Einem Freund? Richtig … einem deiner vielen Freunde. Du hättest mich auch einladen sollen.«

»Warum?«

»Wer, denkst du, hat das Foto gemacht?«

Natürlich! Irgendjemand war nötig gewesen, um das Foto aufzunehmen. Ich war zu verblüfft, um sprechen zu können.

»Ich war der Einzige, der nicht dazugehörte«, fuhr Gene fort. »Als Tutor für Genetik. Eine großartige Feier – alle betrunken, alle unverheiratet. Der heißeste Tipp zu damaliger Zeit.«

Gene deutete auf ein Gesicht. Ich hatte mich immer auf die Männer konzentriert und nie nach Rosies Mutter gesucht. Nun aber, da Gene auf sie zeigte, war sie leicht zu erkennen. Die Ähnlichkeit war offensichtlich, einschließlich des roten Haars, auch wenn die Farbe weniger dramatisch hervorstach als bei Rosie. Sie stand zwischen Isaac Esler und Geoffrey

Case. Wie auf Isaac Eslers Hochzeitsfoto trug Geoffrey ein breites Grinsen im Gesicht.

»Bernadette O'Connor.« Gene trank einen Schluck Wein. »Irin.«

Diesen Tonfall kannte ich. Es gab einen Grund, warum er sich an diese spezielle Frau erinnerte, und der bestand nicht darin, dass sie Rosies Mutter war. Tatsächlich schien er von dieser Verbindung gar nichts zu wissen, und ich entschied spontan, es ihm auch nicht zu sagen.

Sein Finger wanderte nach links.

»Geoffrey Case. Hat das viele Geld für seine Ausbildung nicht wieder eingespielt.«

»Er ist gestorben, stimmt's?«

»Selbstmord.«

Das war neu. »Bist du sicher?«

»Natürlich bin ich sicher«, sagte Gene. »Komm schon, worum geht's hier?«

Ich ignorierte die Frage. »Was hat er gemacht?«

»Wahrscheinlich vergessen, sein Lithium zu nehmen«, sagte Gene. »Er litt unter einer bipolaren Störung. An guten Tagen war das Leben für ihn eine Party.« Er sah mich an. Ich nahm an, er werde jetzt nach dem Grund fragen, warum ich mich für Geoffrey Case und die Wiedersehensfeier interessierte, und suchte schon verzweifelt nach einer plausiblen Erklärung. Doch eine leere Pfeffermühle rettete mich. Gene drehte daran und stand auf, um sie auszutauschen. Bevor er zurückkehrte, benutzte ich eine Serviette, um einen Abstrich von seinem Weinglas zu nehmen.

29

Am Samstagmorgen radelte ich mit einem nicht identifizierbaren und daher beunruhigenden Gefühl zur Universität. Die Dinge hatten sich wieder normalisiert. Mit der heutigen Testreihe wäre das Vaterprojekt beendet. Schlimmstenfalls würde Rosie noch jemanden entdecken, den wir übersehen hatten – einen weiteren Tutor oder Kellner oder jemanden, der die Party früh verlassen hatte –, aber ein einzelner zusätzlicher Test würde nicht viel Zeit in Anspruch nehmen. Und ich hätte keinen Grund mehr, Rosie wiederzusehen.

Wir trafen uns am Labor. Drei Proben mussten getestet werden: der Abstrich von Isaac Eslers Gabel, die Urinprobe auf Toilettenpapier von Freybergs Badezimmerboden und die Serviette mit Genes Weinglasabstrich. Ich hatte Rosie nichts vom Taschentuch mit Margaret Cases Tränen erzählt, war aber besonders gespannt auf Genes Probe. Die Wahrscheinlichkeit, dass er Rosies Vater war, lag hoch. Ich versuchte, nicht darüber nachzudenken, aber Genes Reaktion auf das Foto, seine Kenntnis von Rosies Mutter und sein Hang zu sexuellen Abenteuern waren handfeste Hinweise.

»Was ist das für eine Serviette?«, wollte Rosie wissen.

Diese Frage hatte ich erwartet.

»Eine Testwiederholung. Eine der früheren Proben war verunreinigt.«

Meine wachsende Fähigkeit zu lügen reichte nicht aus, um

Rosie zu täuschen. »Blödsinn. Wer ist es? Case, oder? Du hast eine Probe von Geoffrey Case.«

Es wäre einfach gewesen, ja zu sagen, aber die Probe Case zuzuschreiben, würde große Verwirrung stiften, wenn sie positiv ausfiele. Ein Netz aus Lügen.

»Ich werde es dir sagen, wenn sie positiv ist«, erwiderte ich.

»Sag's mir jetzt«, protestierte Rosie. »Sie *wird* positiv sein.«

»Woher willst du das wissen?«

»Ich weiß es einfach.«

»Du hast null Hinweise. Dagegen macht die Geschichte von Isaac Esler ihn zum perfekten Kandidaten. Er sollte direkt nach der Party eine andere heiraten. Er hat zugegeben, dass er betrunken war. Bei unserem Essen hat er sehr ausweichend geantwortet. Er steht auf dem Foto neben deiner Mutter.«

Darüber hatten wir noch nie gesprochen, obwohl es ein so deutlicher Hinweis war, dass wir ihm hätten nachgehen müssen. Für Konferenzen hatte Gene mir einmal den Tipp gegeben: »Wenn du wissen willst, wer mit wem schläft, musst du nur hingucken, wer beim Frühstück zusammensitzt.« Mit wem auch immer Rosies Mutter in jener Nacht geschlafen hatte – es war wahrscheinlich, dass er neben ihr stand. Es sei denn, natürlich, er hatte das Foto aufnehmen müssen.

»Meine Intuition gegen deine Logik. Sollen wir wetten?«

Es wäre unfair gewesen, die Wette anzunehmen. Durch das Gespräch im dunklen Keller war ich besser informiert und damit im Vorteil. Realistisch betrachtet, lag die Wahrscheinlichkeit für Isaac Esler, Gene und Geoffrey Case etwa gleich hoch. Ich hatte über Eslers Aussage zu »beteiligten Personen« nachgedacht und war zu dem Schluss gekommen, dass sie nicht eindeutig war. Möglicherweise hatte er einen Freund schützen wollen, vielleicht aber auch sich selbst. Doch wenn Esler selbst nicht der Vater war, hätte er mich einfach auffordern können, seine Probe zu testen. Vielleicht hatte er mich lediglich verwirren wollen, was ihm auch gelungen war, aber nur vorübergehend. Eslers irreführendes Verhalten hatte mich dazu gebracht, eine frühere Entscheidung neu zu überdenken. Wenn wir irgendwann alle Proben getestet und alle anderen Kandidaten ausgeschlossen hätten, würde ich die Probe von Margaret Case untersuchen.

»Jedenfalls ist es definitiv nicht Freyberg«, unterbrach Rosie meine Gedanken.

»Warum nicht?« Freyberg war der am wenigsten wahrscheinliche Kandidat, aber es war nicht ausgeschlossen.

»Grüne Augen. Ich hätte gleich daran denken müssen.«

Sie deutete meinen Gesichtsausdruck korrekt: Zweifel.

»Komm schon, du bist der Genetiker. Er hat grüne Augen, also kann er nicht mein Vater sein. Das habe ich im Internet überprüft.«

Unfassbar! Sie holt sich einen Genetikprofessor, um ihren Vater zu finden – eine Person mit außergewöhnlichen Fähigkeiten, mit der sie eine Woche lang verreist und fast jede wache Minute verbringt –, und konsultiert dann bei einer Genetikfrage das Internet.

»Diese Modelle sind vereinfacht dargestellt.«

»Don, meine Mutter hatte blaue Augen. Ich habe braune Augen. Mein echter Vater muss also braune Augen haben, richtig?«

»Falsch. Das ist zwar sehr wahrscheinlich, aber nicht hundertprozentig sicher. Die Genetik der Augenfarbe ist extrem komplex. Grün wäre möglich. Auch blau.«

»Eine Medizinstudentin – eine Ärztin – hätte das doch aber gewusst, oder nicht?«

Damit meinte Rosie offenbar ihre Mutter. Ich entschied, dass dies nicht der richtige Moment war, um Rosie einen detaillierten Abriss über die Schwächen der medizinischen Ausbildung zu geben.

Ich sagte nur: »Auch das ist sehr unwahrscheinlich. Gene hat damals Genetik unterrichtet. Es ist eine für Gene typische Vereinfachung.«

»Scheiß auf Gene«, sagte Rosie. »Gene steht mir bis hier. Teste einfach die Serviette. Es ist die richtige.« Aber sie klang schon weniger sicher.

»Was wirst du tun, wenn du es weißt?«

Diese Frage hätte ich früher stellen sollen. Dass ich es nicht getan hatte, war ein weiterer Beweis für die mangelhafte Planung des Projekts, aber nun, da Gene als Vater in Betracht kam, waren mir Rosies weitere Schritte wichtiger als vorher.

»Komisch, dass du fragst«, erwiderte Rosie. »Damals habe ich gesagt, es ginge darum, die Sache abzuschließen. Aber ich denke, unbewusst habe ich vielleicht diese Phantasie, dass mein echter Vater ins Bild hineinreitet und … sich Phil vornimmt.«

»Weil Phil sein Versprechen mit Disneyland gebrochen hat? Es wäre sicher schwierig, nach all der Zeit eine angemessene Strafe zu finden.«

»Ich hab doch gesagt, dass es eine Phantasie ist«, entgegnete sie. »Erst habe ich ihn als eine Art Helden betrachtet. Aber jetzt weiß ich, dass er einer von drei Männern ist, von denen ich zwei kennengelernt habe. Isaac Esler: ›Man sollte die Vergangenheit nicht leichtfertig wiederaufleben lassen.‹ Max Freyberg: ›Ich betrachte mich als jemanden, der das Selbstwertgefühl wiederherstellt.‹ Wichser, alle beide! Feiglinge, die weggelaufen sind.«

Ihr Mangel an Logik war erstaunlich. Höchstens einer von ihnen hatte sie im Stich gelassen.

»Geoffrey Case …«, begann ich, weil ich wusste, dass Rosies

Kategorisierung auf ihn nicht zutraf, aber wenn Rosie von den Umständen seines Todes erführe, könnte sie das ebenfalls als Flucht vor Verantwortung deuten.

»Ich weiß, ich weiß. Aber wenn es ein anderer ist, ein Kerl mittleren Alters, der nur vorgibt, jemand zu sein, der er nicht ist, dann ist die Sache für das Arschloch gelaufen.«

»Du willst es öffentlich machen?«, fragte ich entsetzt. Plötzlich fiel mir ein, dass ich daran beteiligt sein könnte, jemandem großes Leid zuzufügen, möglicherweise meinem besten Freund. Seiner ganzen Familie! Rosies Mutter hatte nicht gewollt, dass Rosie es wusste, und vielleicht war genau das der Grund dafür gewesen. Rosies Mutter hatte von Natur aus mehr Ahnung von menschlichem Verhalten als ich.

»Korrekt.«

»Aber du wirst jemandem weh tun. Ohne dass es irgendetwas ändert.«

»*Ich* werde mich besser fühlen.«

»Inkorrekt«, widersprach ich. »Studien belegen, dass Rache das Leid des Opfers nur noch verstärkt …«

»Das ist ja dann meine Entscheidung.«

Es bestand die Möglichkeit, dass Geoffrey Case Rosies Vater war. In diesem Fall wären alle drei Proben negativ, und Rosie hätte keine Chance mehr, ihre Rachepläne umzusetzen. Darauf wollte ich mich nicht verlassen.

Ich schaltete das Gerät ab.

»Hey«, sagte Rosie. »Ich habe ein Recht, es zu erfahren.«

»Nicht, wenn es Leid verursacht.«

»Was ist mit mir? Bin ich dir etwa egal?« Sie wurde emotional. Ich war die Ruhe selbst. Die Vernunft hatte wieder die Kontrolle übernommen. Meine Gedanken waren klar.

»Du bist mir alles andere als egal. Gerade deshalb will ich nicht dazu beitragen, dass du etwas Unmoralisches tust.«

»Don, wenn du den Test nicht machst, werde ich nie wieder mit dir sprechen. Niemals.«

Diese Information war schmerzhaft, aber rational vorhersehbar gewesen.

»Das hatte ich ohnehin als unvermeidlich angesehen«, sagte ich. »Das Projekt wäre abgeschlossen, und du hast kein weiteres Interesse am sexuellen Aspekt bekundet.«

»Dann ist es also mein Fehler?«, fragte Rosie. »Natürlich ist es mein Fehler. Ich bin keine verdammte nichtrauchende, abstinente Köchin mit Doktortitel. Ich bin nicht *organisiert.*«

»Die Abstinenzforderung habe ich inzwischen eliminiert.« Ich erkannte, dass sie sich auf das Ehefrauprojekt bezog. Aber was sagte sie da? Dass sie sich selbst nach den Kriterien des Fragebogens bewertete? Was bedeutete, dass …

»Du hast mich als Partner in Erwägung gezogen?«

»Sicher«, sagte sie. »Abgesehen davon, dass du sozial inkompetent bist, dein Leben nach einem Terminplan richtest und keine Liebe empfinden kannst, bist du perfekt.«

Sie verließ das Labor und knallte die Tür hinter sich zu.

Ich stellte das Gerät wieder an. Ohne Rosie könnte ich die Proben gefahrlos testen und dann entscheiden, was ich mit dem Ergebnis anfinge. Da hörte ich, wie die Tür wieder aufging. Ich drehte mich um und erwartete, Rosie zu sehen. Doch es war die Dekanin.

»Arbeiten Sie wieder an Ihrem geheimen Projekt, Professor Tillman?«

Nun war ich ernsthaft in Schwierigkeiten. Bei allen vorherigen Auseinandersetzungen mit der Dekanin hatte ich die Regeln befolgt, oder mein Verstoß war zu gering gewesen, als dass er hätte bestraft werden können. Das DNA-Analysegerät privat zu nutzen verstieß jedoch grundlegend gegen die Regeln der genetischen Fakultät. Wie viel wusste sie? Normalerweise arbeitete sie nicht an Wochenenden. Ihre Anwesenheit war also kein Zufall.

»Faszinierende Sache, laut Simon Lefebvre«, fuhr die Dekanin fort. »Er kommt in mein Büro und erkundigt sich nach einem Projekt in meiner eigenen Fakultät. Ein Projekt, für das er offenbar selbst eine DNA-Probe abliefern sollte. Was etwas ist, womit Sie arbeiten. Ich erfuhr, dass irgendeine Art Witz dahinterstecken sollte. Verzeihen Sie meinen Mangel an Humor, aber ich war geringfügig im Nachteil … da ich von dem Projekt noch nie gehört hatte. Den Antrag dafür hätte ich doch sehen müssen, als er vor die Ethikkommission ging.«

Bis zu diesem Punkt hatte die Dekanin ruhig und rational geklungen. Jetzt hob sie die Stimme.

»Seit zwei Jahren versuche ich, die medizinische Fakultät zur Finanzierung eines gemeinsamen Projekts zu bewegen – und Sie verhalten sich nicht nur ausgesprochen unethisch, sondern tun das auch noch bei dem Mann, der die Fäden in der Hand hält. Ich verlange einen schriftlichen Bericht. Wenn er keine Zustimmung der Ethikkommission enthält, die ich aus irgendeinem Grund noch nicht gesehen habe, werde ich Ihre Stelle neu ausschreiben.«

An der Tür blieb die Dekanin noch einmal stehen.

»Wegen Ihrer Beschwerde über Kevin Yu habe ich noch nichts unternommen. Vielleicht möchten Sie noch einmal darüber nachdenken. Und ich hätte gern Ihren Laborschlüssel. Danke.«

Das Vaterprojekt war offiziell vorbei.

Als Gene am nächsten Tag in mein Büro kam, füllte ich gerade einen EPDS-Fragebogen aus.

»Geht es dir gut?«, wollte er wissen. Die Frage kam zur rechten Zeit.

»Ich vermute, nein. In etwa fünfzehn Sekunden werde ich es dir genau sagen können.« Ich beendete den Fragebogen, berechnete das Ergebnis und reichte es an Gene weiter. »Sechzehn«, sagte ich. »Der zweithöchste Wert, den ich je hatte.«

Gene musterte das Blatt. *»Edinburgher Postnatale Depressionsskala.* Muss ich darauf hinweisen, dass du nicht gerade ein Baby bekommen hast?«

»Die Fragen, die mit Babys zu tun haben, beantworte ich nicht. Es war die einzige Testmethode für Depression, die Claudia zu Hand hatte, als meine Schwester starb. Ich benutze sie hin und wieder zur Kontinuitätsprüfung.«

»Das entspricht wohl dem, was wir ›in sich hineinfühlen‹ nennen, oder?«, fragte Gene.

Ich spürte, dass die Frage rhetorisch gemeint war, und antwortete nicht.

»Hör zu«, sagte er, »ich glaube, ich kann dir helfen.«

»Hast du was von Rosie gehört?«

»Du meine Güte, Don!«, sagte Gene. »Nein, ich habe etwas von der *Dekanin* gehört. Ich weiß nicht, was du da veranstaltet hast, aber DNA zu testen ohne Zustimmung der Ethikkommission … das bedeutet ›Game over‹.«

Das war mir klar. Ich hatte beschlossen, Amghad, den Boss des Golfclub-Restaurants, anzurufen und ihm für die Cocktailbargeschichte zuzusagen. Es schien an der Zeit, etwas anderes zu machen. Das Wochenende hatte mir in vielerlei Hinsicht ein böses Erwachen beschert. Nach dem Zusammentreffen mit der Dekanin war ich nach Hause gefahren und hatte einen Fragebogen des Ehefrauprojekts gefunden, den meine Putzhilfe Eva ausgefüllt hatte. Obenauf stand: »Don. Niemand ist perfekt. Eva.« In meinem Zustand erhöhter Verletzlichkeit hatte mich das tief getroffen. Eva war ein guter Mensch, deren kurze Röcke vielleicht darauf abzielten, einen Partner zu finden, und die sich vielleicht für ihren relativ geringen sozioökonomischen Status geschämt hatte, als sie Fragen zum weiterführenden Studium oder der Beurteilung von teurem Essen hatte beantworten müssen. Ich dachte an alle Frauen, die meinen Fragebogen ausgefüllt hatten in der Hoffnung, einen Partner zu finden – in der Hoffnung, *mich* als Partner zu finden, obwohl sie mich kaum oder gar nicht kannten und vermutlich enttäuscht gewesen wären, wenn sie mich kennengelernt hätten.

Ich hatte mir ein Glas Pinot Noir eingeschenkt und war auf den Balkon getreten. Die Lichter der Stadt erinnerten mich an das Hummeressen mit Rosie, das im Gegensatz zu dem, was der Fragebogen ausgesagt hätte, eines der vergnüglichsten Essen meines Lebens gewesen war. Claudia hatte bemängelt, ich sei zu wählerisch, aber in New York hatte Rosie mir gezeigt, dass meine Einschätzung darüber, was mich glücklich macht, vollkommen falsch war. Ich nippte hin und wieder am Wein und beobachtete, wie sich die Aussicht veränderte. Ein Fenster wurde dunkel, eine Ampel wechselte von Rot auf Grün, das Blaulicht eines Krankenwagens reflektierte von Häuserwänden. Und da dämmerte mir, dass ich den Fragebogen nicht entworfen hatte, um eine Frau zu finden, die ich akzeptieren könnte, sondern jemanden, der mich akzeptiert.

Unabhängig von den Entscheidungen, die ich nach den Erlebnissen mit Rosie träfe, würde ich den Fragebogen nie wieder verwenden. Das Projekt Ehefrau war erledigt.

Gene war noch nicht fertig. »Kein Job, keine Struktur, kein Terminplan. Du wirst vor die Hunde gehen.« Er blickte wieder auf den Depressions-Fragebogen. »Du gehst jetzt schon vor die Hunde. Hör zu, ich werde sagen, dass es ein Projekt der Psychologie-Abteilung war. Wir erfinden noch einen Antrag für die Ethikkommission, und du kannst sagen, du hättest gedacht, sie habe zugestimmt.«

Gene tat offenbar sein Bestes, um zu helfen. Ihm zuliebe lächelte ich.

»Bringt dir das ein paar Punkte weniger?«, fragte er und wedelte mit dem EPDS-Fragebogen.

»Ich glaube, nicht.«

Wir schwiegen. Offensichtlich hatte keiner von uns mehr etwas zu sagen. Ich erwartete, dass Gene ging. Doch er gab nicht auf.

»Was ist los, Don? Es ist Rosie, oder?«

»Das ergibt keinen Sinn.«

»Ich fasse es mal so zusammen«, sagte Gene. »Du bist unglücklich – so unglücklich, dass du deine Karriere gefährdest … deinen Ruf … deinen heiligen Terminplan.«

Das stimmte.

»Scheiße, Don, du hast gegen die Regeln verstoßen. Seit wann verstößt du gegen Regeln?«

Das war eine gute Frage. Ich respektiere Regeln. Aber in den letzten neunundneunzig Tagen hatte ich viele Regeln gebrochen, gesetzliche, ethische und persönliche. Ich wusste genau, wann das angefangen hatte: am Tag, als Rosie in mein Büro marschiert war und ich mich in das Reservierungssystem vom *Le Gavroche* gehackt hatte, um mit ihr auszugehen.

»Und das alles wegen einer Frau?«, fragte Gene nach.

»Offensichtlich. Es ist vollkommen irrational.« Ich schämte mich. Es war eine Sache, einen gesellschaftlichen Fehler zu begehen, aber eine andere, zuzugeben, dass mich die Vernunft verlassen hatte.

»Es ist nur dann irrational, wenn du an deinen Fragebogen glaubst.«

»Die EPDS ist sehr …«

»Ich meine deinen ›Essen Sie Niere?‹-Fragebogen. Ich würde sagen: Genetik gegen Fragebogen: eins zu null.«

»Du meinst, die Situation mit Rosie ist das Ergebnis genetischer Kompatibilität?«

»Du hast schon eine sehr eigene Art, alles zu formulieren, Don«, meinte Gene. »Wenn du es ein bisschen romantischer ausdrücken willst, würde ich sagen, du bist verliebt.«

Das war eine außerordentlich befremdende Feststellung. Allerdings ergab sie vollkommen Sinn. Ich war davon ausgegangen, dass romantische Liebe für immer außerhalb meines Erfahrungsbereichs liegen würde. Aber sie erklärte hervorragend meine derzeitige Situation. Ich wollte sichergehen.

»Ist das deine professionelle Meinung? Als Experte für die Anziehung zwischen Menschen?«

Gene nickte.

»Exzellent.« Genes Erkenntnis hatte meinen mentalen Zustand schlagartig verändert.

»Ich weiß nicht, wie das helfen soll«, sagte Gene.

»Rosie hat drei Mängel identifiziert. Fehler Nummer eins sei meine Unfähigkeit zu lieben. Jetzt bleiben nur noch zwei, die ich beheben muss.«

»Und die wären?«

»Gesellschaftliche Inkompetenz und das Festhalten an Terminplänen. Ein Kinderspiel.«

30

Ich vereinbarte mit Claudia in unserem üblichen Café einen Termin, um mein gesellschaftliches Umgangsverhalten zu besprechen. Mir war klar, dass es einige Anstrengung kosten würde, meine Interaktionsfähigkeit mit anderen Menschen zu verbessern, und dass selbst die größten Bemühungen Rosie möglicherweise nicht überzeugen könnten. Aber eine Verbesserung meiner gesellschaftlichen Fähigkeiten wäre an sich schon ein Gewinn.

Ich hatte mich bis zu einem gewissen Grad damit abgefunden, in gesellschaftlicher Hinsicht anders zu sein. In der Schule war ich zunächst ungewollt zum Klassenclown geworden, später dann mit Absicht. Es war an der Zeit, erwachsen zu werden.

Der Kellner kam an unseren Tisch. »Bestell du«, forderte Claudia mich auf.

»Was möchtest du haben?«

»Einen koffeinfreien Latte macchiato mit Magermilch.«

Diese Kaffeevariante war höchst albern, doch ich sagte nichts. Claudia hatte das bestimmt schon bei anderen Gelegenheiten von mir gehört und würde eine Wiederholung nicht schätzen und sich ärgern.

»Ich hätte gern einen doppelten Espresso«, teilte ich dem Kellner mit, »und meine Begleiterin nimmt einen koffeinfreien Latte macchiato mit Magermilch, ohne Zucker, bitte.«

»Oha«, meinte Claudia, »da hat sich was verändert.«

Ich wies darauf hin, dass ich schon mein ganzes Leben lang höflich und mit Erfolg meinen Kaffee bestellt hätte, aber Claudia wiederholte, mein Verhalten habe sich auf subtile Weise verändert.

»Um deine Umgangsformen zu verfeinern, hätte ich dir nicht gerade New York empfohlen«, meinte sie, »aber siehe da, dort ist es passiert.«

Ich erklärte, die Menschen dort seien entgegen ihrer Meinung sehr freundlich gewesen, berichtete von meinen Begegnungen mit Baseballfan Dave, mit Mary, der Assistenzprofessorin und Spezialistin für bipolare Störungen, mit dem Dekan der medizinischen Fakultät der Columbia, David Borenstein, sowie dem Koch und dem komischen Typen im *Momofuku Ko*. Ich erzählte, dass wir zum Abendessen bei den Eslers gewesen seien, die ich als Freunde von Rosies Familie beschrieb. Claudias Schlussfolgerung war einfach. All die ungewohnten sozialen Interaktionen plus der Kontakt mit Rosie hätten meine gesellschaftlichen Fähigkeiten bereits dramatisch verbessert.

»Mit mir und Gene hat es keinen Sinn zu üben, weil du uns weder beeindrucken noch als neue Freunde gewinnen willst.«

Obwohl Claudia recht hatte, dass Übung wichtig wäre, lerne ich im Allgemeinen besser durch Lesen und Beobachten. Meine nächste Aufgabe bestand also in der Beschaffung von Lernmaterial.

Ich entschied, mit den romantischen Filmen zu beginnen, die Rosie namentlich erwähnt hatte. Das waren vier: *Casablanca*, *Die Brücken am Fluss*, *Harry und Sally* und *Die große Liebe meines Lebens*. Dazu nahm ich noch *Wer die Nachtigall stört* und *Weites Land* wegen Gregory Peck, den Rosie als sexysten Mann aller Zeiten bezeichnet hatte.

Ich brauchte eine ganze Woche, um alle sechs Filme anzuschauen, da ich den DVD-Player immer wieder anhielt und Notizen machte. Die Filme waren unglaublich hilfreich, aber auch eine große Herausforderung. Die emotionale Dynamik war äußerst komplex! Ich fuhr mit weiteren Filmen über Mann-Frau-Beziehungen fort, die Claudia mir empfahl, sowohl mit glücklichem als auch unglücklichem Ausgang. Das waren *Hitch – Der Date Doktor, Vom Winde verweht, Bridget Jones – Schokolade zum Frühstück, Der Stadtneurotiker, Notting Hill, Tatsächlich Liebe* und *Eine verhängnisvolle Affäre*.

Claudia schlug außerdem den Film *Besser geht's nicht* vor, »nur so zum Spaß«. Obwohl ihr Rat lautete, den Film als Beispiel dafür zu sehen, wie man es *nicht* machen sollte, war ich beeindruckt, dass die Figur des Jack Nicholson das Jackett-Problem sehr viel eleganter löste, als ich es getan hatte. Ermutigend fand ich außerdem, dass der Protagonist trotz seiner eklatanten sozialen Inkompetenz, trotz des beträchtlichen Altersunterschieds zur Figur der Helen Hunt, trotz der vermutlich multiplen psychiatrischen Störungen und trotz einer deutlich stärker ausgeprägten Intoleranz als meiner am Ende doch die Frau bekam, die er liebte. Ein exzellenter Film, den Claudia da ausgewählt hatte!

Allmählich wurde mir einiges klar. In romantischen Beziehungen zwischen Männern und Frauen bestanden gewisse gleichbleibende Verhaltensrichtlinien, einschließlich des Verbots der Untreue. Als ich Claudia zur nächsten Übungssitzung traf, musste ich an diese Regel ganz besonders denken.

Wir arbeiteten ein paar allgemeine Szenarien durch.

»Mein Essen hat einen Fehler«, sagte ich. Die Situation war hypothetisch, denn wir tranken nur Kaffee. »Das wäre zu aggressiv, oder?«

Claudia bejahte. »Und bei Essen spricht man nicht von Schaden oder Fehler. Das ist Computersprache.«

»Aber ich kann doch sagen: ›Tut mir leid, ich habe mich geirrt, mein Fehler.‹ Da ist der Gebrauch von ›Fehler‹ akzeptabel, oder?«

»Korrekt«, sagte Claudia und lachte. »Ich meine: ja. Ach, Don, man braucht Jahre, um das zu lernen.«

Ich hatte nicht jahrelang Zeit. Aber ich lerne schnell und befand mich im Schwamm-Modus, in dem ich alles aufsaugte. Ich überlegte ein neues Beispiel.

»Ich könnte eine objektive Aussage machen, gefolgt von der Bitte um Klarstellung, und vorher eine Floskel anwenden: ›Entschuldigen Sie, bitte. Ich hatte das Steak englisch bestellt. Haben Sie eine andere Definition von englisch?‹«

»Netter Versuch, aber etwas zu aggressiv.«

»Nicht akzeptabel?«

»Vielleicht in New York. Hier gibt man nicht dem Kellner die Schuld.«

Ich modifizierte die Frage. »Entschuldigung. Ich hatte das Steak englisch bestellt. Könnten Sie bitte dafür sorgen, dass meine Bestellung korrekt ausgeführt wird?«

Claudia nickte. Aber sie sah nicht ganz zufrieden aus. Mittlerweile achtete ich sehr auf den Ausdruck von Emotionen, und ihre hatte ich richtig gedeutet.

»Don. Ich bin beeindruckt, aber … sich zu ändern, nur um die Erwartungen eines anderen zu erfüllen, ist keine gute Idee. Am Ende wirfst du es Rosie vielleicht noch vor.«

Das hielt ich für unwahrscheinlich. Ich lernte einfach ein paar neue Regeln, das war alles.

»Wenn du jemanden wirklich liebst«, fuhr Claudia fort, »musst du gewillt sein, ihn so anzunehmen, wie er ist. Vielleicht hoffst du, dass er eines Tages aufwacht und sich aus eigenem Antrieb heraus ändert.«

Diese Aussage passte zu der Regel über Treue, die ich seit

unserem Treffen im Kopf hatte. Nun musste ich das Thema nicht mehr ansprechen, denn ich hatte meine Antwort bekommen. Ganz sicher sprach Claudia von Gene.

Für den folgenden Morgen verabredete ich mich mit Gene zum Joggen. Ich musste unter vier Augen mit ihm sprechen, und das so, dass er nicht flüchten konnte. Sobald wir uns in Bewegung gesetzt hatten, begann ich mit meiner Privatvorlesung. Mein Hauptargument lautete, dass Untreue absolut inakzeptabel sei. Jegliche Vorteile würden durch das Risiko einer totalen Katastrophe zunichtegemacht. Gene war bereits einmal geschieden. Eugenie und Carl …

Gene unterbrach mich unter schwerem Keuchen. Aufgrund meines Bestrebens, die Botschaft klar und nachdrücklich zu vermitteln, war ich schneller gelaufen als sonst. Gene ist deutlich weniger trainiert als ich, und meine Niedrigpuls-Dauerläufe im Fettverbrennungsbereich sind für ihn ein anstrengendes Herz-Kreislauf-Training.

»Ich höre, was du sagen willst«, schnaufte er. »Was hast du gelesen?«

Ich erzählte ihm von den Filmen und ihrer idealisierten Darstellung von akzeptablem und inakzeptablem Verhalten. Hätten Gene und Claudia ein Kaninchen besessen, wäre es hochgradig gefährdet gewesen, von einer aufgebrachten Geliebten getötet zu werden. Gene widersprach, nicht zum Thema Kaninchen, sondern dazu, dass sein Verhalten seine Ehe beeinträchtige.

»Wir sind Psychologen«, sagte er. »Mit einer offenen Ehe können wir umgehen.«

Ich ignorierte die falsche Kategorisierung seiner Person als echter Psychologe und konzentrierte mich auf den wichtigsten Aspekt: Alle Experten und die allgemeine Moral halten Treue für wichtig. Selbst in der Evolutionspsychologie wird eingeräumt, dass eine Person, die ihren Partner als untreu identifiziert, starke Gründe hat, sich von ihm zu trennen.

»Das gilt nur für Männer«, winkte Gene ab. »Weil die sich nicht das Risiko leisten können, ein Kind aufzuziehen, das nicht ihre Gene besitzt. Und ich dachte immer, dir sei es wichtig, Instinkt zu überwinden.«

»Korrekt. Der männliche Instinkt treibt zur Untreue. Das musst du überwinden.«

»Frauen akzeptieren das, solange du sie nicht bloßstellst. Guck dir Frankreich an.«

Ich zitierte ein Gegenbeispiel aus einem bekannten Buch und Film.

»Bridget Jones?«, fragte Gene nach. »Seit wann wird erwartet, dass wir uns wie Filmfiguren verhalten?« Er blieb abrupt stehen, beugte sich vor und rang nach Luft. Das gab mir die Möglichkeit, meinen Vortrag ohne Unterbrechungen seinerseits abzuschließen. Am Ende wies ich darauf hin, dass er Claudia liebe und deshalb gewillt sein müsse, die notwendigen Opfer zu bringen.

»Ich werde dann darüber nachdenken, wenn ich sehe, dass du deine lebenslangen Gewohnheiten änderst«, entgegnete er.

Ich hatte angenommen, dass es relativ einfach wäre, meinen Terminplan abzuschaffen. In New York hatte ich gerade erst eine Woche ohne ihn gelebt, und trotz diverser Probleme hatte keines davon mit unstrukturierter oder nicht effizient genutzter Zeit zu tun gehabt. Allerdings hatte ich die Auswirkungen der immensen Turbulenzen in meinem Leben nicht berücksichtigt. Abgesehen von der Unsicherheit wegen Rosie, dem Projekt zur Verbesserung meines gesellschaftlichen Verhaltens und der Angst, meine besten Freunde könnten sich auf dem Weg zur Trennung befinden, stand ich kurz davor, meinen Job zu verlieren. Mein Terminplan schien in meinem Leben das einzig Stabile zu sein.

Am Ende schloss ich einen Kompromiss, der für Rosie sicher akzeptabel wäre. Jeder Mensch hat einen Kalender für regelmäßige Termine, in meinem Fall Vorlesungen, Konferenzen und Kampfsporttraining. Das würde ich mir weiterhin zugestehen. *Wie alle anderen Menschen auch* würde ich Termine in meinen Kalender eintragen, die Standardisierung jedoch reduzieren. Die Dinge könnten sich von Woche zu Woche ändern. Ich entschied, dass der Aspekt meines Terminplans, der die heftigsten Kommentare abbekommen hatte – das Standardmahlzeitenmodell –, das Einzige wäre, das ich umgehend ändern müsste.

Mein nächster Marktbesuch war erwartungsgemäß eigenartig. Ich kam an den Stand mit Fischen und Meeresfrüchten, und sofort drehte der Standbesitzer sich um und wollte einen Hummer aus dem Bassin angeln.

»Planänderung«, sagte ich. »Was können Sie heute empfehlen?«

»Hummer«, erwiderte er in seinem gebrochenen Englisch. »Hummer gut für dich jeden Dienstag.« Er lachte und winkte den anderen Kunden zu. Er machte sich über mich lustig. Rosie hatte bei ihrer Drohung »Leg dich nicht mit mir an« einen bestimmten Gesichtsausdruck gehabt. Diesen Gesichtsausdruck machte ich nun nach. Er schien auch ohne Worte zu wirken.

»Ich mache nur Spaß«, sagte der Verkäufer. »Schwertfisch ist gut. Austern. Du essen Austern?«

Natürlich aß ich Austern, auch wenn ich sie noch nie zu Hause zubereitet hatte. Ich kaufte sie ungeöffnet, da gute Restaurants ihre Austern immer als frisch geöffnet anpriesen.

Als ich zu Hause ankam, hatte ich eine Auswahl an Lebensmitteln in der Tasche, für die ich keine Rezepte besaß. Die Austern erwiesen sich als Herausforderung. Mit dem Messer konnte ich sie nicht öffnen, ohne eine Verletzung der Hand durch Ausrutschen zu riskieren. Ich hätte im Internet nach einer Technik zum Öffnen suchen können, aber das hätte einige Zeit in Anspruch genommen. Genau deshalb hatte ich ja einen Plan mit bekannten Abläufen erstellt: um Zeit zu sparen. Das Fleisch eines Hummers konnte ich mit geschlossenen Augen auslösen, während mein Gehirn an einem Genetikproblem arbeitete. Was war an Standardisierung falsch? Auch eine zweite Auster konnte ich nicht mit dem Messer öffnen. Ich wurde ungeduldig und war schon drauf und dran, das ganze Dutzend in den Müll zu werfen, als mir eine Idee kam.

Ich legte eine Auster in die Mikrowelle und heizte sie ein paar Sekunden lang auf. Sie ließ sich problemlos öffnen, war leicht warm, schmeckte aber köstlich. Ich versuchte es mit einer zweiten und fügte diesmal noch einen Spritzer Zitronensaft und etwas frisch gemahlenen Pfeffer hinzu. Sensationell! Ich spürte, dass sich mir eine ganz neue Welt öffnete. Ich hoffte, die Austern waren nachhaltig produziert, denn ich wollte Rosie meine neuen Fähigkeiten vorführen.

31

Da ich mit meiner Selbstverbesserung beschäftigt war, blieb mir wenig Zeit, mich mit der Entlassungsdrohung der Dekanin auseinanderzusetzen und darauf zu reagieren. Ich hatte beschlossen, Genes Angebot, ein Alibi zu konstruieren, nicht anzunehmen – nun, da mir bewusst war, dass ich Regeln gebrochen hatte, würde ich meine persönliche Integrität verletzen, wenn ich den Fehler durch Vertuschungsversuche noch vergrößerte.

Es gelang mir, die Gedanken an meine berufliche Zukunft zu verdrängen, aber ich konnte nicht verhindern, dass mir der abschließende Kommentar der Dekanin zu Kevin Yu und meiner Plagiatsbeschwerde immer wieder durch den Kopf ging. Nach einigem Nachdenken zog ich den Schluss, dass die Dekanin mir keinen unethischen Handel vorgeschlagen hatte nach dem Motto: »Ziehen Sie die Beschwerde zurück und Sie können Ihren Job behalten.« Was sie gesagt hatte, beunruhigte mich deshalb, weil ich im Zuge des Vaterprojekts selbst gegen die Regeln verstoßen hatte. Zur Moral seines eigenen Verhaltens befragt, hatte Gene mir einmal einen religiösen Witz erzählt.

Jesus spricht zu einer aufgebrachten Menge, die eine Prostituierte steinigen will: »Wer ohne Sünde ist, werfe den ersten Stein.« Da fliegt ein Stein durch die Luft und trifft die Frau. Jesus dreht sich um und sagt: »Manchmal gehst du mir ganz schön auf die Nerven, Mutter.«

Ich konnte mich nicht länger mit der Jungfrau Maria vergleichen. Ich hatte der Sünde nachgegeben und war verdorben worden. Ich war wie jeder andere auch. Meine Berechtigung zum Steinewerfen war beträchtlich eingeschränkt.

Ich bestellte Kevin zu einer Besprechung in mein Büro. Er stammte vom chinesischen Festland und war ungefähr achtundzwanzig Jahre alt (geschätzter BMI neunzehn). Seine Haltung und seinen Gesichtsausdruck interpretierte ich als »nervös«.

Ich hielt ihm den Aufsatz hin, der teilweise oder in Gänze von seinem Tutor geschrieben worden war, und stellte die zwingende Frage, warum er ihn nicht selbst geschrieben habe.

Er senkte den Blick – was ich eher als kulturell bedingtes Zeichen von Respekt betrachtete denn als Ausweichmanöver –, doch statt meine Frage zu beantworten, begann er, die Konsequenzen seines möglichen Universitätsverweises zu erläutern. Er habe Frau und Kind in China und ihnen noch nichts von seinem Problem erzählt. Er hoffe, eines Tages nach Australien emigrieren oder, falls nicht, zumindest als Genetiker arbeiten zu können. Sein unkluges Verhalten bedeute das Ende seiner Träume und der seiner Frau, die nun schon fast vier Jahre ohne ihn hatte zurechtkommen müssen. Er weinte.

Früher hätte ich das als bedauerlich, aber irrelevant erachtet. Es war gegen eine Regel verstoßen worden, Punkt. Nun aber war ich selbst jemand, der gegen Regeln verstoßen hatte. Ich hatte es nicht absichtlich getan oder zumindest nicht mit bewusstem Vorsatz. Vielleicht war Kevins Verhalten gleichermaßen unbedacht gewesen.

Ich fragte ihn: »Wie lauten die grundlegenden Argumente gegen den Gebrauch genetisch modifizierten Getreides?« Thema des Aufsatzes waren ethische und juristische Probleme durch den Vormarsch der Genetik gewesen. Kevin lieferte eine detaillierte Zusammenfassung. Ich stellte weitere Fragen, die Kevin ebenfalls hervorragend beantwortete. Er schien sehr gut über das Thema informiert zu sein.

»Warum haben Sie das nicht selbst geschrieben?«, wollte ich wissen.

»Ich bin Naturwissenschaftler. Ich fühle mich unsicher, über ethische und kulturelle Fragen auf Englisch zu schreiben. Ich wollte sichergehen, dass ich nicht durchfalle. Ich habe nicht nachgedacht.«

Ich wusste nicht, was ich ihm darauf antworten sollte. Zu handeln, ohne nachzudenken, war mir ein Gräuel, und ich wollte einen zukünftigen Naturwissenschaftler nicht dazu ermutigen. Ich wollte auch nicht, dass meine eigene Schwäche die richtige Entscheidung bezüglich Kevin beeinträchtigte. Für meinen Fehler würde ich selbst bezahlen müssen, so, wie ich es verdient hatte. Aber meinen Job zu verlieren hätte nicht dieselben Konsequenzen wie ein Universitätsverweis für Kevin. Ich bezweifelte, dass ihm als Alternative eine potentiell lukrative Partnerschaft in einer Cocktailbar angeboten würde.

Ich dachte eine ganze Weile nach, während Kevin einfach nur dasaß. Er musste gemerkt haben, dass ich nach irgendeiner Form der Begnadigung suchte. Aber während ich die Auswirkungen verschiedener Entscheidungen erwog, fühlte ich mich in der Rolle des Richters unglaublich unwohl. Musste die Dekanin jeden Tag so etwas leisten? Zum ersten Mal empfand ich ihr gegenüber Respekt.

Ich war nicht sicher, dass ich das Problem innerhalb kurzer Zeit lösen könnte. Aber mir war klar, dass es grausam wäre, Kevin im Unklaren darüber zu lassen, ob sein Leben zerstört war.

»Ich verstehe …«, begann ich und erkannte, dass ich diese

Feststellung im Umgang mit Menschen nicht gewohnt war. Ich hielt inne und dachte noch ein wenig länger nach. »Ich werde eine zusätzliche Aufgabe stellen – wahrscheinlich einen Aufsatz über persönliche Fragen der Ethik. Als Alternative zum Universitätsverweis.«

Kevins Gesichtsausdruck interpretierte ich als ekstatisch.

Mir war bewusst, dass zu gesellschaftlichen Fähigkeiten mehr gehörte, als eine Kaffeebestellung aufgeben zu können und seinem Partner treu zu sein. Seit meiner Schulzeit hatte ich meine Kleidung unter Missachtung der gängigen Mode gewählt. Am Anfang war mir egal gewesen, wie ich aussah, und dann entdeckte ich, dass die Leute meine Art, mich zu kleiden, amüsant fanden. Ich genoss meinen Status als jemand, der sich den gesellschaftlichen Regeln nicht unterwarf. Aber jetzt wusste ich nicht, wie ich mich anziehen sollte.

Ich bat Claudia, mir passende Kleidung zu kaufen – immerhin hatte sie mit der Jeans und dem Hemd bereits guten Geschmack bewiesen. Sie bestand jedoch darauf, dass ich sie begleitete.

»Ich bin vielleicht nicht ewig da«, kommentierte sie. Nach einigem Nachdenken leitete ich daraus ab, dass sie nicht vom Tod sprach, sondern von etwas sehr viel Naheliegenderem: dem Scheitern ihrer Ehe! Ich musste einen Weg finden, Gene auf die drohende Gefahr hinzuweisen.

Das Einkaufen dauerte einen ganzen Vormittag. Wir besuchten diverse Geschäfte und kauften Schuhe, eine Hose, ein Jackett, ein zweites Paar Jeans, mehrere Hemden, einen Gürtel und sogar eine Krawatte.

Ich musste noch etwas anderes einkaufen, wozu ich Claudias Hilfe jedoch nicht mehr benötigte. Ein Foto reichte aus, um meine speziellen Wünsche zu vermitteln. Ich ging zum

Optiker, zum Friseur (nicht meinem üblichen) und zum Herrenausstatter. Alle waren extrem hilfsbereit.

Nun waren mein Terminkalender und meine gesellschaftlichen Fähigkeiten innerhalb der von mir veranschlagten Zeit und nach besten Bemühungen auf konventionellen Stand gebracht worden. Das Don-Projekt war beendet. Es wurde Zeit, das Rosie-Projekt zu starten.

An der Innenseite der Spindtür in meinem Büro befand sich ein Spiegel, den ich noch nie gebraucht hatte. Jetzt benutzte ich ihn zur Kontrolle meines Outfits. Ich ging davon aus, dass ich nur eine einzige Chance hätte, Rosies negatives Bild von mir zu ändern und eine emotionale Reaktion hervorzurufen. Ich wollte, dass sie sich in mich verliebte.

Laut offiziellem Protokoll war es mir verboten, in den Universitätsgebäuden einen Hut zu tragen, doch ich entschied, dass der Bereich der Doktoranden als öffentlich galt. Demnach wäre es akzeptabel. Ich warf erneut einen Blick in den Spiegel. Rosie hatte recht gehabt. Mit meinem dreiteiligen Anzug hätte man mich für Gregory Peck aus *Wer die Nachtigall stört* halten können. Atticus Tillman. Der sexyste Mann der Welt.

Rosie saß an ihrem Schreibtisch, ebenso Stefan, unrasiert wie immer. Ich hatte meine Rede vorbereitet.

»Guten Tag, Stefan. Hallo, Rosie. Rosie, ich fürchte, das ist sehr kurzfristig, aber ich habe mich gefragt, ob du wohl heute Abend mit mir essen gehen würdest. Da ist etwas, das ich dir gern sagen würde.«

Niemand sprach ein Wort. Rosie wirkte verblüfft. Ich sah sie direkt an. »Das ist ein bezaubernder Anhänger«, fuhr ich fort. »Ich hole dich um 19:45 Uhr ab.« Während ich davonging, zitterten mir die Knie, aber ich hatte mein Bestes gegeben. Hitch aus *Hitch – Der Date Doktor* wäre mit mir zufrieden gewesen.

Vor meiner Verabredung mit Rosie hatte ich noch zwei Dinge zu erledigen.

Ich ging direkt an Helena vorbei. Gene saß in seinem Büro und starrte in den Computer. Auf dem Bildschirm war das Foto einer Asiatin zu sehen, die in nichtkonventioneller Weise attraktiv war. Ich erkannte das Bildformat – es war eine Bewerberin des Ehefrauprojekts. Geburtsort: Nordkorea.

Gene sah mich seltsam an. Mein Gregory-Peck-Anzug war zweifellos unerwartet, für meine Mission jedoch angemessen.

»Hallo, Gene.«

»Was soll das mit dem ›Hallo‹? Was ist aus ›Sei gegrüßt‹ geworden?«

Ich erklärte, ich hätte eine Reihe unkonventioneller Eigenheiten aus meinem Vokabular gestrichen.

»Das hat Claudia mir schon erzählt. Dachtest du, dein regulärer Mentor sei für diesen Job nicht gut genug?«

Ich verstand nicht, was er meinte.

Er erklärte: »Ich. Mich hast du nicht gefragt.«

Das war korrekt. Rosies Äußerungen hatten mich veranlasst, Genes soziale Kompetenz anzuzweifeln, und meine letzte Zusammenarbeit mit Claudia und die Filmbeispiele hatten meinen Verdacht bestätigt, dass sich Genes Fähigkeiten nur auf einen begrenzten Bereich bezogen und er sie nicht zum Wohl für sich selbst und seine Familie einsetzte.

»Nein«, erwiderte ich. »Ich brauchte Rat zu gesellschaftlich angemessenem Verhalten.«

»Was soll das nun wieder heißen?«

»Offensichtlich bist du mir ähnlich. Deshalb bist du mein bester Freund. Daher diese Einladung.« Ich hatte viele Vorbereitungen für diesen Tag getroffen und reichte Gene einen Umschlag. Ohne ihn zu öffnen, setzte er unser Gespräch fort.

»Ich bin dir ähnlich? Das soll jetzt keine Beleidigung sein,

Don, aber dein Verhalten … dein früheres Verhalten … hatte schon eine ganz eigene Klasse. Wenn du meine Meinung hören willst, hast du dich hinter einer Person versteckt, von der du dachtest, die Leute finden sie lustig. Es ist kaum überraschend, dass die Leute dich als Witzfigur ansahen.«

Genau das dachte ich auch. Aber Gene zog nicht die nötigen Schlüsse daraus. Als sein bester Freund war es meine Pflicht, mich als erwachsener Mann zu verhalten und ihm die Wahrheit geradewegs ins Gesicht zu sagen.

Ich ging zu seiner Weltkarte, in der für jede Eroberung eine bunte Stecknadel prangte, und überprüfte sie zum hoffentlich letzten Mal. Dann tippte ich mit dem Finger darauf, um eine bedrohliche Atmosphäre zu schaffen.

»Genau«, sagte ich. »Und *du* denkst, die Leute halten dich für einen Casanova. Weißt du, was? Es ist mir egal, was andere von dir denken, aber falls du es wissen willst: Sie halten dich für ein Arschloch. Und sie haben recht, Gene. Du bist sechsundfünfzig Jahre alt, hast eine Frau und zwei Kinder … und ich weiß nicht, wie lange noch. Es wird Zeit, dass du erwachsen wirst. Das sage ich dir als Freund.«

Ich beobachtete Genes Gesicht. Ich wurde immer besser darin, Gefühle zu lesen, aber dieses war komplex. Erschüttert, würde ich sagen.

Ich war erleichtert. Das konventionelle Prinzip einer Aussprache von Mann zu Mann war erfolgreich verlaufen. Ich hatte ihn nicht niederschlagen müssen.

32

Ich kehrte in mein Büro zurück und tauschte den Gregory-Peck-Anzug gegen die neue Hose und das Jackett. Dann telefonierte ich. Die Dame an der Rezeption war nicht bereit, einen Termin in einer persönlichen Angelegenheit einzuräumen, also buchte ich für 16 Uhr einen offiziellen Termin zur Fitnesskontrolle bei Phil Jarman, Rosies Vater in Anführungszeichen.

Als ich gerade gehen wollte, klopfte die Dekanin und kam einfach in mein Büro. Sie gab mir ein Zeichen, ihr zu folgen. Das war in meinem Plan nicht vorgesehen, aber heute war ein passender Tag, um diese Phase meines beruflichen Lebens zu beenden.

Schweigend nahmen wir den Fahrstuhl nach unten und durchquerten den Campus bis zu ihrem Büro. Wie es schien, musste unser Gespräch in formeller Umgebung stattfinden. Ich fühlte mich unwohl, was eine rationale Reaktion auf die fast mit Sicherheit bevorstehende Kündigung aufgrund von Regelverstößen aus einer festen Anstellung einer angesehenen Universität war. Doch das hatte ich erwartet – meinen Gefühlen lag eine andere Ursache zugrunde. Die Situation erinnerte mich an meine erste Woche an der Highschool, als ich wegen angeblich unangemessenen Verhaltens in das Büro des Direktors geschickt worden war. Das unangemessene Verhalten bezog sich darauf, dass ich die Religionslehrerin einem strengen Verhör unterzogen hatte. Im Nachhinein begriff ich durchaus, dass sie eigentlich ein netter Mensch gewesen war, aber sie hatte ihre Machtposition gegenüber einem Elfjährigen ausgenutzt und mir damit beträchtliches Leid verursacht.

Der Direktor war halbwegs verständnisvoll, warnte mich jedoch, ich müsse »Respekt« zeigen. Allerdings kam die Warnung zu spät: Als ich sein Büro betrat, hatte ich bereits beschlossen, dass es keinen Sinn hätte, mich anpassen zu wollen. Die nächsten sechs Jahre lang war ich der Klassenclown.

Über dieses Ereignis habe ich oft nachgedacht. Meine Entscheidung damals hatte sich wie eine rationale Reaktion auf meine Einschätzung der neuen Umgebung angefühlt, doch im Nachhinein erkannte ich, dass ich vom Ärger über die Machtstruktur getrieben gewesen war, die meine Argumente nicht anerkannt hatte.

Nun, da ich zum Büro der Dekanin ging, kam mir ein weiterer Gedanke: Was, wenn meine Lehrerin damals eine brillante Theologin gewesen wäre, befähigt, zweitausend Jahre christlicher Lehre wohlartikuliert zu erklären? Dann hätte sie schlagkräftigere Argumente vorbringen können als ein Elfjähriger. Hätte mich das zufriedengestellt? Ich schätze, nicht. Als Naturwissenschaftler, dem wissenschaftliches Denken über alles ging, hätte ich das Gefühl bekommen, dass ich – wie Rosie sagen würde – verarscht würde. Hatte Wunderheiler sich so gefühlt?

War die Sache mit der Flunder eine ebenso abscheuliche Machtdemonstration gewesen wie die meiner damaligen Religionslehrerin, *auch wenn ich recht hatte?*

Als ich, wie ich annahm, das letzte Mal vor das Büro der Dekanin trat, fiel mir der voll ausgeschriebene Name an ihrer Tür auf, was ein kleines Rätsel löste. *Professor Charlotte Law-*

rence. Ich hatte nie als »Charlie« an sie gedacht, aber vermutlich hatte Simon Lefebvre das getan.

Wir gingen hinein und setzten uns. »Wie ich sehe, tragen Sie Bewerbungskleidung«, sagte sie. »Wie schade, dass Sie es bislang nicht für nötig hielten, uns damit zu beehren.«

Ich antwortete nicht.

»Also. Kein Bericht. Keine Erklärung?«

Wiederum fiel mir kein passender Kommentar ein.

Da erschien Simon Lefebvre im Türrahmen, was offenbar so geplant gewesen war. Er hielt die Dokumente in der Hand, die ich ihm gegeben hatte.

Die Dekanin – Charlie – winkte ihn zu sich, ohne mich aus den Augen zu lassen. »Wir können Zeit sparen, indem Sie es mir und Simon gemeinsam erklären.«

Noch bevor irgendjemand Weiteres sagen konnte, betrat die persönliche Assistentin der Dekanin, Regina (die durch den Beinamen »die Schöne« nicht objektifiziert werden würde), den Raum.

»Tut mir leid, dass ich Sie störe, Professor«, sagte sie, was mehrdeutig war, da wir allesamt Professorentitel trugen, zumindest noch in den nächsten Minuten, doch aus dem Kontext wurde klar, dass sie die Dekanin meinte. »Ich habe ein Problem mit Ihrer Tischreservierung im *Le Gavroche.* Anscheinend hat man Sie dort von der VIP-Liste gestrichen.«

Im Gesicht der Dekanin war Verärgerung zu lesen, doch sie winkte Regina fort.

Simon Lefebvre lächelte mich an. »Sie hätten mir das hier auch einfach schicken können«, sagte er und wedelte mit den Unterlagen. »Diese Vorstellung des Idiot Savant war überhaupt nicht notwendig – aber, wie ich zugeben muss, ganz großartig. Genau wie der Antrag. Wir müssen ihn noch von den Ethikleuten genehmigen lassen, aber es ist genau das, wonach wir immer gesucht haben. Genetik und Medizin … ein aktuelles Thema … beide Lehrstühle werden davon profitieren.«

Ich versuchte, das Gesicht der Dekanin zu lesen. Ihr Ausdruck lag jenseits meiner derzeitigen Deutungsfähigkeit.

»Meinen Glückwunsch, Charlie«, fuhr Simon fort. »Da haben Sie nun Ihr gemeinsames Forschungsprojekt. Das medizinische Forschungsinstitut ist bereit, vier Mio. dafür springen zu lassen, was über das tatsächlich geforderte Budget hinausgeht, also können Sie gleich loslegen.«

Ich nahm an, dass er von vier Millionen Dollar sprach.

Er zeigte auf mich. »Auf den müssen Sie gut aufpassen, Charlie. Der ist ein echter Geheimtipp. Und ich will, dass er bei dem Projekt mitmacht.«

Hier bekam ich nun die erste Auszahlung auf meine Investition in gesellschaftliche Fähigkeiten. Ich hatte herausbekommen, worum es ging. Ich hatte keine dummen Fragen gestellt. Ich hatte die Dekanin nicht in eine peinliche Situation gebracht, in der sie gegen ihre eigenen Interessen hätte arbeiten müssen. Zufrieden nickte ich nur und kehrte in mein Büro zurück.

Phil Jarman hatte blaue Augen. Das hatte ich zwar schon gewusst, aber es war das Erste, was mir an ihm auffiel. Er war Mitte fünfzig, etwa zehn Zentimeter größer als ich, kräftig gebaut und wirkte extrem fit. Wir standen an der Rezeption in »Jarmans Fitnesscenter«. An den Wänden hingen Zeitungsausschnitte und Fotos eines jüngeren Phil, der Australian Football spielte. Wäre ich ein Medizinstudent ohne Fortgeschrittenenkenntnisse in Kampfsport gewesen, hätte ich mir sehr genau überlegt, mit der Freundin dieses Mannes Sex zu haben. Vielleicht war das der simple Grund, warum Phil die Identität von Rosies Vater nie erfahren hatte.

»Bring dem Prof Trainingsklamotten, und lass ihn die Einverständniserklärung unterschreiben.«

Die Frau hinter der Theke schien verwirrt.

»Das ist doch nur eine erste Einschätzung seines Trainingsstatus.«

»Die neuen Regeln gelten ab sofort«, sagte Phil.

»Ich brauche keine Trainingsstunde«, erwiderte ich, aber Phil schien dazu klare Vorstellungen zu haben.

»Sie haben eine gebucht«, meinte er. »Fünfundsechzig Kröten. Holen wir Ihnen ein Paar Boxhandschuhe.«

Ich fragte mich, ob ihm wohl bewusst war, dass er mich »Prof« genannt hatte. Vielleicht hatte Rosie richtig getippt, dass er das Foto vom Institutsball kannte. Ich hatte keine Anstalten gemacht, meinen Namen darunter anonymisieren zu lassen. Immerhin wusste ich jetzt, dass er wusste, wer ich war. Wusste er, dass ich wusste, dass er wusste, wer ich war? In gesellschaftlichen Feinheiten wurde ich immer besser.

Ich zog ein Turnhemd und eine kurze Trainingshose über, die frisch gewaschen rochen, und wir legten Boxhandschuhe an. Boxtraining hatte ich nur gelegentlich einmal absolviert, aber ich hatte keine Angst vor Schmerzen. Falls nötig, könnte ich auf bewährte Verteidigungstechniken zurückgreifen. Ich war mehr daran interessiert zu reden.

»Versuchen Sie mal, mich zu treffen«, sagte Phil.

Ich schlug ein paar leichte Schwinger, die Phil abblockte.

»Kommen Sie«, sagte er. »Versuchen Sie, mir weh zu tun.«

Er hatte darum gebeten.

»Ihre Stieftochter versucht, ihren biologischen Vater zu finden, weil sie mit Ihnen unzufrieden ist.«

Phil ließ seine Abwehr sinken, was äußerst nachlässig war. Würden wir richtig kämpfen, hätte ich ungehindert einen Treffer landen können.

»Stieftochter?«, fragte er nach. »So nennt sie sich selbst? Sind Sie deswegen hier?«

Er holte zum Schlag aus, den ich gezielt abblocken musste, um nicht getroffen zu werden. Das merkte er und versuchte einen Aufwärtshaken. Den blockte ich ebenfalls und setzte eine Gerade, der er gekonnt auswich.

»Da es unwahrscheinlich ist, dass sie Erfolg haben wird, müssen wir das Problem mit Ihnen klären.«

Phil zielte direkt auf meinen Kopf. Ich wehrte ab und wich einen Schritt zurück.

»Mit mir?«, fragte er. »Mit Phil Jarman, der sich sein eigenes Unternehmen aus dem Nichts aufgebaut hat? Der hundertvierundfünfzig Kilo stemmen kann und bei einer Menge Frauen immer noch besser abschneidet als ein Arzt oder Anwalt? Oder ein Professor Schlaumeier?«

Er griff mit einer Kombination an, und ich konterte. Die Wahrscheinlichkeit, dass ich ihn zu Boden bringen könnte, kalkulierte ich als hoch, aber ich wollte die Unterhaltung fortführen.

»Es geht Sie zwar nichts an, aber ich war im Elternrat der Schule, habe das Fußballteam trainiert …«

»Diese Ämter waren offensichtlich unzureichend«, erwiderte ich. »Vielleicht braucht Rosie mehr als persönliche Bestleistungen.« In einem Moment der Klarheit erkannte ich, was dieses Mehr in meinem Fall bedeuten könnte. Waren all meine Anstrengungen zur Selbstverbesserung umsonst gewesen? Würde ich wie Phil enden und versuchen, Rosies Liebe zu gewinnen, während sie mich nur verachtete?

Boxen und Denken sind nicht kompatibel. Phil landete einen Schlag in meinen Solarplexus. Zwar konnte ich zurückweichen und so die Wucht des Schlags mindern, doch ich ging zu Boden. Phil stand über mir und sah mich wütend an.

»Vielleicht wird sie eines Tages alles wissen. Vielleicht wird ihr das helfen, vielleicht auch nicht.« Er schüttelte heftig den Kopf, als sei er derjenige gewesen, der den Schlag abbekommen hatte. »Habe ich mich je als ihr Stiefvater bezeichnet? Fragen Sie sie. Ich habe keine anderen Kinder, keine *Frau*. Ich habe alles gemacht … ihr vorgelesen, bin nachts aufgestanden … mit ihr Reiten gegangen. Nachdem ihre Mutter weg war, konnte ich ihr nichts mehr recht machen.«

Ich setzte mich auf und wurde laut. Auch ich war wütend. »Sie haben sie nicht nach Disneyland mitgenommen. Sie haben sie angelogen.«

Ich nahm seine Beine in die Schere und brachte ihn zu Fall. Er fiel nicht gekonnt und krachte unsanft zu Boden. Wir rangen, und ich drückte ihn auf die Matte. Er blutete stark aus der Nase, und mein Turnhemd war blutverschmiert.

»Disneyland!«, ereiferte sich Phil. »Sie war zehn!«

»Sie hatte es allen in der Schule erzählt. Das ist immer noch ein Problem für sie.«

Er versuchte, sich zu befreien, aber trotz der Behinderung durch die Boxhandschuhe hielt ich ihn weiter fest.

»Wollen Sie wissen, wann ich ihr das mit Disneyland gesagt habe? Das war ein Mal. Ein einziges Mal. Und wissen Sie, wann? Auf der Beerdigung ihrer Mutter. Ich saß damals im Rollstuhl. Danach war ich acht Monate in der Reha.«

Das war eine sehr logische Erklärung. Ich wünschte, ich hätte diese Hintergrundinformationen von Rosie erhalten, bevor ich den Kopf ihres aus der Nase blutenden Stiefvaters zu Boden drückte. Ich erzählte Phil, ich hätte bei der Beerdigung meiner Schwester das irrationale Versprechen gegeben, an ein Hospiz zu spenden, während das Geld in der Forschung viel besser aufgehoben gewesen wäre. Er schien mich zu verstehen.

»Ich habe ihr ein Schmuckkästchen gekauft. Ständig hatte

sie ihre Mutter deswegen gelöchert. Als ich aus der Reha wiederkam, dachte ich, sie hätte Disneyland längst vergessen.«

»Die Auswirkungen des eigenen Verhaltens auf andere Leute vorauszusagen ist schwer.«

»Amen«, meinte Phil. »Können wir aufstehen?«

Seine Nase blutete immer noch und war vermutlich gebrochen, daher war es eine vernünftige Forderung. Ich war allerdings noch nicht bereit, ihn loszulassen.

»Nicht, bevor wir das Problem gelöst haben.«

Es war ein ereignisreicher Tag gewesen, aber das Wichtigste lag noch vor mir. Ich begutachtete mich im Spiegel. Die neue, sehr viel leichtere Brille und der neue Haarschnitt bewirkten eine weitaus größere Veränderung als die Kleidung.

Ich steckte den wichtigen Umschlag in meine Jackett- und die kleine Schachtel in meine Hosentasche. Während ich das Taxi bestellte, musterte ich mein Whiteboard. Der Terminplan, jetzt mit abwaschbarem Filzstift geschrieben, war wie ein Meer aus roter Schrift – mein Code für das Rosie-Projekt. Ich sagte mir, dass es alle dadurch bedingten Veränderungen wert gewesen war, selbst wenn ich das eigentliche Ziel heute Abend nicht erreichte.

33

Das Taxi kam, und wir machten einen Zwischenstopp am Blumenladen. Seit meinem letzten Besuch bei Daphne war ich nicht mehr dort gewesen – oder hatte überhaupt irgendwelche Blumen gekauft. Für heute Abend waren ganz offensichtlich Rosen die angemessene Wahl. Die Blumenhändlerin erkannte mich wieder, und ich informierte sie über Daphnes Tod. Nachdem ich konventionellem romantischem Verhalten entsprechend ein Dutzend langstielige Rosen gekauft hatte, knipste sie noch ein paar Zweige Seidelbast ab und steckte sie mir ans Revers. Der Duft brachte Erinnerungen an Daphne zurück. Ich wünschte, sie wäre noch am Leben, um Rosie kennenzulernen.

Während sich das Taxi ihrem Wohnhaus näherte, rief ich Rosie an, doch sie reagierte nicht. Sie stand auch nicht draußen, als wir ankamen, und die meisten der Klingelknöpfe hatten kein Namensschild. Es bestand das Risiko, dass sie beschlossen hatte, meine Einladung nicht anzunehmen.

Es war kalt, und ich zitterte. Ich wartete volle zehn Minuten, dann rief ich wieder an. Rosie reagierte immer noch nicht, und ich wollte dem Fahrer gerade sagen, er könne wieder fahren, als sie aus dem Haus gelaufen kam. Ich rief mir in Erinnerung, dass ich derjenige war, der sich verändert hatte, nicht Rosie – ich hätte damit rechnen müssen, dass sie zu spät käme. Sie trug das schwarze Kleid, das ich am Abend des Jackett-Zwischenfalls so atemberaubend gefunden hatte. Ich gab ihr die Rosen. In ihrem Gesicht las ich Überraschung.

Sie sah mich an. »Du siehst schon wieder anders aus … ganz anders«, sagte sie. »Was ist passiert?«

»Ich habe mich zu einer Generalüberholung entschlossen.« Das Wort gefiel mir: Generalüberholung. Wir stiegen ins Taxi, Rosie immer noch mit den Rosen in der Hand, und fuhren schweigend das kurze Stück bis zum Restaurant. Ich suchte nach Informationen zu ihrer Einstellung mir gegenüber und hielt es für besser, sie als Erste sprechen zu lassen. Tatsächlich sagte sie nichts, bis sie merkte, dass das Taxi vor dem *Le Gavroche* hielt – dem Ort des Jackett-Zwischenfalls.

»Don, ist das irgendeine Art von Witz?«

Ich bezahlte den Fahrer, stieg aus und öffnete Rosie die Tür. Sie stieg ebenfalls aus, blieb jedoch stehen und presste die Rosen mit beiden Händen gegen den Oberkörper. Ich legte eine Hand an ihren Rücken und führte sie zur Tür, wo der Empfangschef stand, den wir schon bei ersten Mal getroffen hatten: Jackettmann.

Wie aus seiner Begrüßung hervorging, erkannte er Rosie sofort: »Rosie!«

Dann sah er zu mir. »Sir?«

»Guten Abend.« Ich nahm Rosie die Blumen ab und reichte sie ihm. »Wir haben auf den Namen Tillman reserviert. Wären Sie wohl so freundlich, sich um die hier zu kümmern?« Es war eine Standardformel, die aber Vertrauen schaffen sollte. Nun, da wir auf vorhersehbare Weise agierten, schienen sich alle sehr wohl zu fühlen. Der Empfangschef überprüfte die Reservierungsliste. Ich nahm die Gelegenheit wahr, möglicherweise noch verbliebene Schwierigkeiten mit einem kleinen vorbereiteten Witz zu glätten.

»Ich möchte mich für das Missverständnis beim letzten Mal entschuldigen. Heute Abend sollte es keine weiteren Probleme mehr geben … es sei denn, der weiße Burgunder ist zu stark gekühlt.« Ich lächelte.

Ein Kellner erschien. Der Empfangschef stellte mich vor, machte ein kurzes Kompliment über mein Jackett, und wir wurden zu unserem Tisch geführt. Alles lief reibungslos.

Ich bestellte eine Flasche Chablis. Rosie schien sich noch nicht ganz mit der Situation zurechtzufinden.

Der Weinkellner kam mit dem Wein. Hilfesuchend sah er sich um, und ich diagnostizierte Nervosität.

»Der Wein wurde bei dreizehn Grad gelagert, Sir, aber wenn Sie ihn gern weniger gekühlt hätten … oder mehr …«

»Er ist wunderbar so, danke.«

Ich bekam einen Schluck zum Probieren eingeschenkt, schwenkte mein Glas, schnüffelte und nickte anerkennend, wie es das Standardprotokoll vorgab. Mittlerweile war der erste Kellner zurückgekehrt. Er war etwa vierzig, BMI ungefähr zweiundzwanzig, und recht groß.

»Professor Tillman?«, sagte er. »Ich heiße Nick und bin der Oberkellner. Wenn Sie irgendetwas benötigen oder es irgendein Problem gibt, fragen Sie einfach nach mir.«

»Vielen Dank, Nick.«

Dass Kellner sich mit Namen vorstellten, entsprach eher der amerikanischen Tradition. Entweder hielt man es in diesem Restaurant bewusst so, um sich abzusetzen, oder wir wurden bevorzugt behandelt. Ich tippte auf Letzteres: Vermutlich war ich als gefährlich eingestuft worden. Gut. Heute Abend würde ich jede erdenkliche Unterstützung brauchen, die ich bekommen konnte.

Nick reichte uns die Speisekarten.

»Die Auswahl überlasse ich gern dem Küchenchef«, sagte

ich. »Aber bitte kein Fleisch, und Fisch und Meeresfrüchte nur, wenn sie nachhaltig produziert wurden.«

Nick lächelte. »Ich werde mit dem Koch reden und sehen, was er vorschlägt.«

»Ich weiß, dass es ein bisschen schwierig ist, aber meine Begleiterin lebt nach ziemlich strengen Regeln«, fügte ich hinzu.

Rosie sah mich seltsam an. Meine Aussage war als kleine Spitze gedacht gewesen, und ich denke, sie hatte gesessen. Rosie probierte den Chablis und bestrich ein Brötchen mit Butter. Ich schwieg.

Endlich sagte sie etwas.

»Also gut, Gregory Peck. Womit fangen wir an? Mit der Pygmalion-Geschichte oder der großen Enthüllung?«

Das war gut. Rosie war bereit, die Dinge direkt anzusprechen. Tatsächlich war Direktheit schon immer eine ihrer positiven Eigenschaften gewesen, auch wenn sie das wichtigste Thema diesmal nicht genannt hatte.

»Das überlasse ich ganz dir«, entgegnete ich. Eine höfliche Standardmethode, um eine Entscheidung zu umgehen und der anderen Person die Macht zu überlassen.

»Don, hör auf. Du weißt, wer mein Vater ist, stimmt's? Der Serviettenmann, oder?«

»Möglicherweise«, antwortete ich wahrheitsgemäß. Trotz des positiven Gesprächsausgangs bei der Dekanin hatte ich meinen Laborschlüssel nicht wiedererhalten.

»Das ist es nicht, was ich dir sagen will.«

»Also gut. Hier ist der Plan: Du sagst mir, was du zu sagen hast, verrätst mir, wer mein Vater ist, erzählst mir, was du mit dir angestellt hast, und wir gehen beide nach Hause.«

Ich konnte Rosies Gesichtsausdruck und Tonfall nicht deuten, aber sie waren deutlich negativ. Sie trank einen weiteren Schluck Wein.

»Entschuldige.« Sie bedachte mich mit einem leicht reumütigen Blick. »Schieß einfach los. Sag, was du mir sagen wolltest.«

Ich hegte arge Zweifel an der Effizienz meines nächsten Schritts, hatte aber keinen Plan B parat. Meine Ansprache war aus *Harry und Sally* zusammengebastelt. Sie entsprach mir und der Situation am meisten und bot den zusätzlichen Vorteil einer Verbindung zu unserer glücklichen Zeit in New York. Ich hoffte, Rosies Gehirn würde die Assoziation herstellen, im Idealfall unterbewusst. Ich trank den Rest meines Weines. Rosies Blick folgte meinem Glas, dann sah sie zu mir auf.

»Alles okay, Don?«

»Ich habe dich heute Abend hierher eingeladen, denn wenn man erkennt, dass man den Rest seines Lebens mit jemandem verbringen will, dann will man, dass der Rest dieses Lebens so bald wie möglich beginnt.«

Aufmerksam studierte ich Rosies Reaktion. Ich erkannte Verblüffung.

»O mein Gott«, sagte Rosie und bestätigte meine Diagnose. Ich fuhr fort, solange sie noch aufnahmebereit schien.

»Im Moment kommt es mir so vor, als hätte mich alles, was ich je in meinem Leben getan habe, zu dir geführt.«

Ich konnte erkennen, dass Rosie das Zitat nicht dem Film *Die Brücken am Fluss* zuordnen konnte, der im Flugzeug eine so starke Reaktion bei ihr ausgelöst hatte. Sie wirkte verwirrt.

»Don, was willst du damit … Was hast du mit dir gemacht?«

»Ich habe ein paar Veränderungen vorgenommen.«

»Große Veränderungen.«

»Welche Verhaltensmodifikationen auch immer du von mir wünschst – sie sind ein kleiner Preis, wenn ich dich dafür als Partnerin haben kann.«

Rosie machte eine Abwärtsbewegung mit der Hand, die

ich nicht deuten konnte. Dann sah sie sich um, und ich folgte ihrem Blick. Alle beobachteten uns. Nick war auf dem Weg zu unserem Tisch stehen geblieben. Ich erkannte, dass ich aufgrund der Dringlichkeit der Situation meine Stimme erhoben haben musste. Es war mir egal.

»Du bist die perfekteste Frau der Welt. Alle anderen Frauen sind mir egal. Für immer. Du wirst weder Botox noch Implantate benötigen.«

Ich hörte jemanden klatschen. Es war eine schlanke Frau von etwa sechzig Jahren, die mit einer anderen Frau desselben Alters an einem Tisch saß.

Rosie trank einen Schluck Wein, dann sprach sie sehr bedächtig. »Don, ich weiß nicht, wo ich anfangen soll. Ich weiß nicht einmal, mit wem ich hier rede – dem alten Don oder Billy Crystal.«

»Es gibt keinen alten oder neuen Don«, erwiderte ich. »Es geht nur um Verhalten. Gesellschaftliche Konventionen. Brille und Haarschnitt.«

»Ich mag dich sehr gern, Don«, sagte Rosie. »Okay? Vergiss, was ich über das Bloßstellen meines Vaters gesagt habe. Wahrscheinlich hast du recht. Ich mag dich wirklich sehr, sehr gern. Wir haben Spaß zusammen. Riesigen Spaß. Aber du weißt, dass ich nicht jeden Dienstag Hummer essen könnte, oder?«

»Ich habe mich vom Standardmahlzeitenmodell getrennt. Ich habe achtunddreißig Prozent meines wöchentlichen Terminplans eliminiert, abgesehen vom Schlafen. Ich habe meine alten T-Shirts aussortiert. Ich habe alles abgeschafft, was dir nicht gefallen hat. Weitere Änderungen sind möglich.«

»Du hast dich für *mich* geändert?«

»Nicht mich, nur mein Verhalten.«

Rosie schwieg eine Weile, während sie offenbar die neuen Informationen verarbeitete.

»Ich brauche eine Minute zum Nachdenken«, sagte sie. Automatisch aktivierte ich an meiner Armbanduhr den Countdown. Rosie begann zu lachen. Ich sah sie an. Verständlicherweise war ich mitten in dieser ernsten Lebensentscheidung über ihren Heiterkeitsausbruch irritiert.

»Die Uhr«, erklärte sie. »Ich sage: ›Ich brauche eine Minute‹, und du startest den Timer. Der alte Don ist doch nicht tot.«

Ich wartete. Ich sah auf die Uhr. Als noch fünfzehn Sekunden Zeit blieben, ging ich davon aus, dass sie vermutlich nein sagen würde. Ich hatte nichts zu verlieren. Ich zog das Kästchen aus der Hosentasche und öffnete es, um ihr den Ring zu zeigen, den ich gekauft hatte. Ich wünschte, ich hätte nicht gelernt, Gesichtsausdrücke zu lesen, denn nun konnte ich Rosies deuten und kannte die Antwort.

»Don«, sagte sie. »Ich weiß, es ist nicht das, was du hören willst. Aber erinnerst du dich, als du im Flugzeug sagtest, du wärst anders konfiguriert?«

Ich nickte. Ich wusste, wo das Problem lag. Das fundamentale, unüberwindbare Problem, wie ich war. Seit es beim Kampf mit Phil zum Vorschein getreten war, hatte ich es zu verdrängen versucht. Rosie brauchte nichts weiter zu erklären. Doch das tat sie.

»Es steckt in dir. Du kannst es nicht vortäuschen – entschuldige, falsches Wort. Du kannst dich nach außen perfekt verhalten, aber wenn das *Gefühl* nicht da drin ist … O Gott, ich komme mir so unlogisch vor.«

»Die Antwort lautet nein?«, sagte ich, während ein winziger Teil meines Gehirns inständig hoffte, meine Unfähigkeit, gesellschaftsrelevante Zeichen zu erkennen, könnte sich diesmal zu meinen Gunsten auswirken.

»Don, du empfindest keine Liebe, oder?«, fragte Rosie. »Du kannst mich nicht wirklich lieben.«

»Gene hat Liebe diagnostiziert.« Doch in diesem Moment wusste ich, dass er sich geirrt hatte. Ich hatte dreizehn Liebesfilme gesehen und nichts empfunden. Nein, das stimmte nicht. Ich hatte Spannung empfunden, Neugier und Erheiterung. Aber ich hatte nicht einen Moment lang etwas von der Liebe zwischen den Protagonisten gespürt. Ich hatte nicht geweint, weder wegen Meg Ryan noch Meryl Streep, noch Deborah Kerr, noch Vivian Leigh, noch Julia Roberts.

Bei einer so wichtigen Angelegenheit konnte ich nicht lügen. »Nach deiner Definition nicht, nein.«

Rosie wirkte extrem unglücklich. Der Abend war in ein Desaster ausgeartet.

»Ich dachte, mein Verhalten würde dich glücklich machen, stattdessen hat es dich traurig gemacht.«

»Ich bin traurig, weil du mich nicht lieben kannst. Okay?«

Das war noch schlimmer! Sie wollte, dass ich sie liebte. Und ich war dazu nicht fähig.

»Don«, sagte sie, »ich glaube, wir sollten uns nicht weiter sehen.«

Ich stand auf und ging zurück ins Foyer, außer Sichtweite von Rosie und den anderen Gästen. Nick stand dort und sprach mit dem Empfangschef. Als er mich sah, kam er zu mir.

»Kann ich Ihnen helfen?«

»Unglücklicherweise gab es eine Katastrophe.«

Nick wirkte besorgt, und ich führte weiter aus: »Eine private Katastrophe. Andere Gäste sind nicht betroffen. Würden Sie bitte die Rechnung bringen?«

»Wir haben Ihnen nichts serviert«, erwiderte Nick. Er sah mich einen Moment lang eingehend an. »Es gibt keine Rechnung, Sir. Der Chablis geht aufs Haus.« Er streckte seine Hand vor, und ich schüttelte sie. »Ich finde, Sie haben Ihr Bestes gegeben.«

Als ich aufblickte, sah ich Gene und Claudia ankommen. Händchenhaltend. So hatte ich sie seit einigen Jahren schon nicht mehr gesehen.

»Sag nicht, dass wir zu spät kommen«, meinte Gene munter.

Ich nickte und warf einen Blick zurück ins Restaurant. Rosie kam mit schnellen Schritten auf uns zu.

»Don, was tust du?«, wollte sie wissen.

»Ich gehe. Du hast gesagt, wir sollten uns nicht weiter sehen.«

»Scheiße«, sagte sie, dann sah sie zu Gene und Claudia. »Was machen Sie hier?«

»Wir wurden zu einem ›Dankeschön‹ und einer Feier eingeladen«, sagte Gene. »Alles Gute zum Geburtstag, Don!«

Er reichte mir ein eingewickeltes Päckchen, nahm mich in den Arm und drückte mich. Ich folgerte, dass dies vermutlich der letzte Schritt im Protokoll für Ratschläge unter Männern war und er meinen Rat angenommen hatte, ohne dass unsere Freundschaft darunter litt. Ich schaffte es, nicht zusammenzuzucken, konnte aber nicht weiter darauf eingehen. Mein Gehirn war bereits überlastet.

»Du hast Geburtstag?«, erkundigte sich Rosie.

»Korrekt.«

»Ich musste Helena dazu bringen, deinen Geburtstag nachzuschlagen«, sagte Gene, »aber ›Feier‹ war ein Hinweis.«

Normalerweise behandle ich Geburtstage nicht anders als andere Tage, aber diesen hatte ich als gute Gelegenheit betrachtet, eine neue Richtung einzuschlagen.

Claudia stellte sich Rosie vor und fügte hinzu. »Tut mir leid, wenn wir stören. Wie es scheint, haben wir einen schlechten Zeitpunkt erwischt.«

Rosie wandte sich an Gene. »Ein ›Dankeschön‹? Er wollte sich bei *Ihnen* bedanken? Scheiße. Nicht genug, dass Sie uns verkuppeln wollten – Sie mussten ihn auch noch coachen. Sie mussten ihn in Sie verwandeln!«

Claudia sagte ruhig: »Rosie, es war nicht Genes Idee …«

Gene legte eine Hand auf Claudias Schulter und stoppte sie. »Nein, war es nicht«, sagte er. »Wer *hat* ihn denn angestachelt, sich zu ändern? *Wer* hat gesagt, er wäre *perfekt*, wenn er nur *anders* wäre?«

Jetzt sah Rosie sehr unglücklich aus. Zwischen allen meinen Freunden (mit Ausnahme von Baseballfan Dave) herrschte Spannung. *Es war schrecklich.* Ich wollte die Zeit auf New York zurückdrehen und bessere Entscheidungen treffen. Aber das war unmöglich. Nichts würde den Fehler in meinem Gehirn ändern, der mich inakzeptabel machte.

Gene war noch nicht fertig. »Haben Sie überhaupt eine Ahnung, was er für Sie getan hat? Werfen Sie bei Gelegenheit mal einen Blick in sein Büro.« Wahrscheinlich spielte er auf meinen Terminplan und die große Anzahl an Aktivitäten bezüglich des Rosie-Projekts an.

Rosie stürmte aus dem Restaurant.

Gene wandte sich an Claudia. »Tut mir leid, dass ich dich unterbrochen habe.«

»Jemand musste es ihr sagen«, erwiderte Claudia. Sie sah Rosie hinterher, die bereits etliche Meter entfernt die Straße hinunterging. »Da habe ich wohl die ganze Zeit die falsche Person beraten.«

Gene und Claudia boten an, mich nach Hause zu fahren, aber ich wollte mit niemandem mehr reden. Ich marschierte los und beschleunigte dann zum Laufen. Es wäre vernünftig, vor dem Regen nach Hause zu kommen. Es war außerdem vernünftig, mich körperlich zu verausgaben und das Restaurant so schnell wie möglich hinter mir zu lassen. Die neuen Schuhe waren okay, aber das Sakko und die Krawatte saßen selbst an diesen kühlen Abend unbequem. Ich zog das Jackett aus – das Kleidungsstück, das mich vorübergehend für eine Welt akzeptabel gemacht hatte, zu der ich nicht gehörte – und warf es in einen Abfalleimer. Die Krawatte folgte. Aus einem Impuls heraus ergriff ich noch mal das Jackett, zog den Seidelbast aus dem Revers und hielt ihn den Rest des Wegs über in der Hand. Es begann zu regnen, und als ich die Sicherheit meiner Wohnung erreichte, war mein Gesicht vollkommen nass.

34

Wir hatten die Flasche Wein im Restaurant nicht ausgetrunken. Ich beschloss, das daraus resultierende Alkoholdefizit zu kompensieren, und schenkte mir ein Whiskyglas voll Tequila ein. Dann schaltete ich den Fernsehbildschirm und meinen Computer an und sah als letzten Versuch *Casablanca* im Schnellvorlauf. Um die relative Bedeutungslosigkeit seiner Beziehung zu Ingrid Bergmans Figur im Verhältnis zum Weltgeschehen zu verdeutlichen, benutzt Humphrey Bogarts Figur Bohnen. Dann stellt er Vernunft und Anstand über seine selbstsüchtigen emotionalen Begierden, und dieses Dilemma gibt dem Film ein spannendes Thema. Doch das ist es nicht, worüber die Leute weinen. *Die beiden liebten sich und würden nie zusammen sein.* Ich wiederholte diese Aussage immer wieder und versuchte, eine emotionale Reaktion hervorzurufen. Nichts passierte. Es war mir egal. Ich hatte genug eigene Probleme.

Die Türklingel summte, und sofort dachte ich *Rosie*, aber als ich die Sprechverbindung aktivierte, erschien Claudias Gesicht auf dem Bildschirm.

»Don, ist alles in Ordnung?«, fragte sie. »Können wir raufkommen?«

»Es ist zu spät.«

In Claudias Stimme schwang Panik. »Was hast du getan? Don?«

»Es ist 22:31 Uhr«, erklärte ich. »Zu spät für Besuch.«

»Ist alles in Ordnung?«, wiederholte Claudia.

»Alles okay. Die Erfahrung war äußerst hilfreich. Neue gesellschaftliche Fähigkeiten. Und eine endgültige Lösung für das Ehefrauproblem. Es ist klar ersichtlich, dass ich mit Frauen inkompatibel bin.«

Nun erschien Genes Gesicht auf dem Bildschirm. »Don. Können wir auf einen Drink reinkommen?«

»Alkohol wäre eine schlechte Idee.« Ich hielt immer noch das halbvolle Glas Tequila in der Hand. Es war eine höfliche Lüge, um gesellschaftlichen Kontakt zu vermeiden. Ich schaltete die Sprechverbindung ab.

Das Nachrichtenlicht an meinem Telefon blinkte. Meine Eltern und mein Bruder hatten angerufen, um mir zum Geburtstag zu gratulieren. Ich hatte bereits vor zwei Tagen, bei ihrem üblichen Sonntagsanruf, mit meiner Mutter gesprochen. In den letzten drei Wochen hatte ich versucht, ebenfalls ein paar Neuigkeiten mitzuteilen, von Rosie jedoch nichts erzählt. Sie hatten die Lautsprecherfunktion eingeschaltet und mir zusammen ein Lied gesungen – zumindest meine Mutter, während sie die anderen beiden zum Mitsingen aufforderte.

»Ruf zurück, wenn du vor halb elf wieder da bist«, sagte meine Mutter. Es war 22:38 Uhr, aber ich entschied, nicht pedantisch zu sein.

»Es ist 22:39 Uhr«, sagte meine Mutter. »Ich bin überrascht, dass du zurückrufst.« Natürlich hatte sie erwartet, dass ich genauestens auf die Zeit achten würde, was in Anbetracht meiner Geschichte nur logisch war, doch sie klang erfreut.

»Hey«, sagte mein Bruder. »Garry Parkinsons Schwester hat dich auf Facebook gesehen. Wer ist die Rothaarige?«

»Nur ein Mädchen, mit dem ich zusammen war.«

»Ja, ja, schon klar. Verarschen kann ich mich selber«, meinte mein Bruder.

Die Worte hatten auch für mich seltsam geklungen, aber es war kein Scherz gewesen.

»Wir sind nicht mehr zusammen.«

»Na logisch.« Mein Bruder lachte.

Meine Mutter ging dazwischen. »Hör auf, Trevor. Donald, du hast uns gar nicht erzählt, dass du eine Freundin hattest. Du weißt, dass du immer …«

»Mom, er hat uns verarscht«, sagte mein Bruder.

»Ich *sagte*«, begann meine Mutter erneut, »dass du uns *jederzeit* jemanden vorstellen kannst, *wen* auch immer, egal, ob Frau oder *Mann* …«

»Lasst ihn in Ruhe, alle beide«, unterbrach mein Vater.

Eine Weile hörte ich nichts, nur unterdrückte Stimmen im Hintergrund. Dann sagte mein Bruder: »Entschuldige, Kumpel. Ich habe nur Spaß gemacht. Ich weiß, du hältst mich für einen konservativen Hinterwäldler, aber ich finde dich wirklich okay so, wie du bist. Ich fände es blöd, wenn du in deinem Alter immer noch denkst, ich hätte ein Problem damit.«

Also korrigierte ich an diesem bereits denkwürdigen Tag auch noch eine Fehleinschätzung, die meine Familie seit mindestens fünfzehn Jahren hegte, und outete mich als Hetero.

Die Gespräche mit Gene, Phil und meiner Familie waren überraschend therapeutisch wirksam gewesen. Ich brauchte keine *Edinburgher Postnatale Depressionsskala*, um zu wissen, dass ich traurig war, aber ich stand nicht mehr am Abgrund. Ich würde in naher Zukunft diszipliniert nachdenken müssen, um weiter sicher zu sein, aber im Moment musste ich den emotionalen Teil meines Gehirns nicht komplett abschalten. Ich wollte ein bisschen Zeit haben, um zu beobachten, wie ich mich nach den letzten Ereignissen fühlte.

Es war kalt, und der Regen prasselte, aber mein Balkon war geschützt. Ich brachte einen Stuhl und mein Glas nach draußen, ging dann wieder rein, zog den Pullover aus Rohwolle an, den meine Mutter mir zu einem früheren Geburtstag gestrickt hatte, und holte die Tequila-Flasche.

Ich war vierzig Jahre alt. Mein Vater hatte immer einen Song von John Sebastian gespielt. Dass er von John Sebastian war, weiß ich, weil Noddy Holder vorher ankündigt: »Und jetzt spielen wir einen Song von John Sebastian. Sind John-Sebastian-Fans unter euch?« Offenbar ja, denn bevor er zu singen begann, hörte man lauten, ausgelassenen Applaus.

Ich entschied, dass ich auch ein John-Sebastian-Fan war und den Song hören wollte. Es war das erste Mal in meinem Leben, dass ich das Bedürfnis verspürte, ein spezielles Musikstück zu hören. Die nötige Technik dazu hatte ich. Oder ich hatte sie gehabt. Als ich mein Handy holen wollte, fiel mir ein, dass es in dem Jackett steckte, dass ich weggeworfen hatte. Ich ging rein, startete meinen Laptop, registrierte mich bei einer Webseite und lud *Darling Be Home* vom Album »Slade Alive!« von 1972 herunter. Dann fügte ich noch *Satisfaction* hinzu und verdoppelte auf diese Weise meine Musiksammlung. Ich holte meinen Kopfhörer aus der Schachtel, kehrte auf den Balkon zurück, schenkte mir noch einen Tequila ein und lauschte, wie diese Stimme aus meiner Jugend sang, sie habe ein Viertel ihres Lebens gebraucht, um zu erkennen, wer sie sei.

Mit achtzehn, kurz bevor ich zum Studieren von zu Hause auszog und – statistisch betrachtet – am Viertel meines Lebens angekommen war, hatte ich diesen Worten ebenfalls gelauscht und gedacht, wie wenig ich davon wusste, wer ich sei. Ich hatte bis heute gebraucht, ungefähr die Hälfte meines Lebens, um das einigermaßen zu erkennen. Das hatte ich Rosie und dem

Rosie-Projekt zu verdanken. Nun, da es vorbei war, überlegte ich, was ich gelernt hatte.

1. Ich musste nicht auffällig anders sein. Ich konnte mich den Regeln beugen, denen andere folgen, und mich unbemerkt unter ihnen bewegen. Und wer sagte denn, dass andere Leute nicht dasselbe taten – das Spiel mitspielten, um akzeptiert zu werden, während sie die ganze Zeit vermuten, dass sie anders seien?
2. Ich besaß Fähigkeiten, die andere nicht hatten. Mein Gedächtnis und meine Konzentrationsfähigkeit hatten mir Vorteile bei Baseball-Statistiken, Cocktail-Rezepten und in der Genetik verschafft. Andere Leute hatten diese Fähigkeiten zu schätzen gewusst und sich nicht darüber lustig gemacht.
3. Ich konnte Freundschaft genießen und Spaß haben. Es war mein Mangel an gesellschaftlichen Fähigkeiten gewesen, nicht ein Mangel an Motivation, der mich davon abgehalten hatte. Jetzt war ich kompetent genug, um mein Leben mehr Menschen zu öffnen. Ich konnte mehr Freunde haben. Baseballfan Dave war vielleicht der erste von vielen gewesen.
4. Ich hatte Gene und Claudia gesagt, ich sei inkompatibel mit Frauen. Das war übertrieben. Ich konnte ihre Gesellschaft genießen, was meine Unternehmungen mit Rosie und Daphne bewiesen hatten. Realistisch betrachtet, war es sogar möglich, dass ich mit einer Frau eine Partnerschaft eingehen könnte.
5. Das Konzept des Ehefrauprojekts war durchaus tauglich. In vielen Kulturen hätte ein Heiratsvermittler routinemäßig dasselbe getan wie ich, vielleicht nur mit weniger Technologie, Datenreichweite und Konsequenz, aber in dersel-

ben Annahme, dass Kompatibilität eine ebenso wichtige Grundlage für eine Ehe ist wie Liebe.

6. Ich war nicht dafür konfiguriert, Liebe zu empfinden. Und sie vorzutäuschen war nicht akzeptabel. Nicht für mich. Ich hatte Angst gehabt, dass Rosie mich nicht lieben würde. Stattdessen war ich es, der Rosie nicht lieben konnte.
7. Ich besaß umfangreiches Wissen – über Genetik, Computer, Aikido, Karate, Eisenwaren, Schach, Wein, Cocktails, Tanzen, Sexstellungen, gesellschaftliche Regeln und die Wahrscheinlichkeit für eine sechsundfünfzigfache Trefferserie beim Baseball. Ich wusste so viel *Mist* und wusste dennoch nicht, wie ich mich in Ordnung bringen sollte.

Während die Shuffle-Einstellung meines Abspielgeräts immer wieder dieselben zwei Songs anwählte, merkte ich, dass auch mein Denken allmählich im Kreis lief und dass trotz der geordneten Gedankengänge irgendwo in meiner Logik ein Fehler steckte. Ich entschied, dass es an meiner Trauer über das Ergebnis dieses Abends lag – an meinem Wunsch, es könnte anders sein.

Ich beobachtete, wie der Regen auf die Stadt fiel, und goss den letzen Rest Tequila in mein Glas.

35

Als ich am nächsten Morgen aufwachte, saß ich immer noch auf dem Balkon. Es war kalt und regnete, und der Akku meines Laptops war leer. Ich schüttelte den Kopf, um festzustellen, ob ich einen Kater hätte, aber wie es schien, hatten meine alkoholverarbeitenden Enzyme ihre Arbeit adäquat erledigt. Ebenso mein Gehirn. Ich hatte ihm unbewusst eine Aufgabe gestellt, und in Erkenntnis der Bedeutsamkeit der Situation hatte es die Beeinträchtigung durch Alkohol überwunden und eine Lösung gefunden.

Ich begann die zweite Hälfte meines Lebens, indem ich Kaffee kochte. Dann überprüfte ich noch einmal die simple Logik.

1. Ich war anders konfiguriert. Ein besonderes Merkmal meiner speziellen Konfiguration war, dass ich Schwierigkeiten hatte, mich in andere einzufühlen, Empathie zu empfinden. Dieses Problem ist hinreichend dokumentiert und tatsächlich eines der wesentlichen Symptome des Autismus-Spektrums.
2. Ein Mangel an Empathie würde meine Unfähigkeit erklären, emotional auf die Erlebnisse von Filmfiguren zu reagieren. Das entsprach auch meiner Unfähigkeit, wie andere auf die Opfer des Terrorangriffs auf das World Trade Center zu reagieren. Trotzdem hatte ich Mitgefühl mit Feuerwehrmann

Frank gehabt. Und mit Daphne und meiner Schwester und meinen Eltern, als meine Schwester starb, und mit Carl und Eugenie, als sich die Ehekrise zwischen Gene und Claudia anbahnte. Auch mit Gene selbst, der bewundert werden wollte, aber das Gegenteil erreichte, und mit Claudia, die einer offenen Ehe zugestimmt, dann aber ihre Meinung geändert hatte und litt, während Gene sie ungerührt fortsetzte. Ich hatte auch Mitgefühl mit Phil, der gerungen hatte, um mit der Untreue und dem Tod seiner Freundin zurechtzukommen, und dann, um Rosies Liebe zu gewinnen. Mit Kevin Yu, der so krampfhaft darauf bedacht gewesen war, den Kurs zu bestehen, dass er seine ethischen Überzeugungen vergaß, mit der Dekanin, die unter widersprüchlichen Regeln schwierige Entscheidungen treffen und Vorurteilen gegenüber ihrer Kleiderwahl und ihrer Beziehung entgegentreten musste. Ich hatte Mitgefühl mit Wunderheiler, der seine religiöse Überzeugung mit wissenschaftlichen Beweisen in Einklang bringen musste, mit Margaret Case, deren Sohn Selbstmord begangen hatte und deren Gehirn nicht mehr richtig funktionierte, besonders aber mit Rosie, die als Kind und auch noch jetzt als Erwachsene unter dem Tod ihrer Mutter und dem Vaterproblem litt und sich wünschte, dass ich sie liebte. Das war eine beeindruckende Liste, und obwohl Rick und Ilsa aus *Casablanca* nicht darin vorkamen, war es doch ein eindeutiger Beweis, dass ich nicht vollkommen unfähig zur Empathie war.

3. Die Unfähigkeit (oder verminderte Fähigkeit) zur Empathie ist nicht dasselbe wie die Unfähigkeit zu lieben. Liebe ist ein starkes Gefühl für einen anderen Menschen, das sich der Logik oft entzieht.
4. Rosie hatte bei etlichen Kriterien des Ehefrauprojekts versagt, einschließlich des äußerst kritischen Punkts »Rau-

chen«. *Mein Gefühl für sie konnte durch Logik nicht erklärt werden.* Meryl Streep war mir egal. Rosie dagegen … liebte ich.

Ich musste schnell handeln – nicht, weil ich dachte, die Situation mit Rosie könnte sich in naher Zukunft ändern, sondern weil ich mein Jackett brauchte, von dem ich hoffte, dass es noch in dem Abfalleimer steckte, in den ich es geworfen hatte. Zum Glück war ich bereits angezogen.

Es regnete noch immer, als ich den Abfalleimer erreichte – gerade rechtzeitig, um zu sehen, wie er in einen Müllwagen geleert wurde. Ich hatte einen Plan B parat, aber der würde Zeit benötigen. Ich drehte das Fahrrad um und überquerte die Straße. Da entdeckte ich einen Obdachlosen, der sich zum Schutz vor dem Regen in einen Hauseingang gekauert hatte. Er schlief tief und fest und trug mein Jackett. Vorsichtig griff ich in die Innentasche und zog den Umschlag und mein Handy heraus. Als ich wieder aufs Fahrrad stieg, sah ich auf der anderen Straßenseite ein Pärchen, das mich beobachtete. Der Mann wollte auf mich zurennen, doch die Frau rief ihn zurück. Sie holte ihr Handy und telefonierte.

Es war erst 7:48 Uhr, als ich die Uni erreichte. Aus entgegengesetzter Richtung kam ein Polizeiwagen, fuhr langsam an mir vorbei und setzte zur 180-Grad-Wende an. Mir fiel ein, dass er meinetwegen gerufen worden sein könnte, um wegen des vermeintlichen Diebstahls an dem Obdachlosen zu fahnden. Schnell bog ich auf den Radweg ab, auf dem ich von einem Auto nicht verfolgt werden konnte, und radelte zum Genetik-Gebäude, um ein Handtuch zu organisieren.

Als ich die unverschlossene Tür zu meinem Büro öffnete, war offensichtlich, dass ich Besuch gehabt hatte – und wer dieser Besuch gewesen war. Die roten Rosen lagen auf meinem

Schreibtisch. Ebenso der Ordner des Vaterprojekts, der aus dem Aktenschrank hervorgeholt worden war. Die Liste der Vaterkandidaten mit Beschreibung der Proben lag daneben. Rosie hatte eine Nachricht hinterlassen.

Don, es tut mir alles so leid. Aber jetzt weiß ich, wer Serviettenmann ist. Ich habe es Dad erzählt. Das hätte ich vielleicht nicht tun sollen, aber ich war sehr aufgebracht. Ich habe versucht, Dich anzurufen. Ich bitte nochmals um Entschuldigung. Rosie.

Zwischen *Entschuldigung* und *Rosie* waren viele Wörter durchgestrichen. Aber das war eine Katastrophe! Ich musste Gene warnen.

In seinem Kalender stand eine Verabredung zum Frühstück im Universitätsclub. Ich ging in den Doktorandenbereich und fand Stefan, aber keine Rosie. Stefan merkte wohl, dass ich sehr aufgebracht war, und folgte mir.

Im Club sah ich Gene an einem Tisch mit der Dekanin sitzen. An einem anderen Tisch saß Rosie. Sie war mit Claudia dort und wirkte sehr traurig. Mir ging auf, dass sie womöglich die Neuigkeiten über Gene erzählen könnte, auch ohne vorherige Überprüfung der DNA. Das Vaterprojekt wuchs sich zu einem schrecklichen Desaster aus. Doch ich war aus einem anderen Grund hier. Ich wollte unbedingt meine neue Erkenntnis mitteilen. Das andere Problem könnten wir später lösen.

Immer noch ganz durchnässt, da ich vergessen hatte, mir ein Handtuch zu holen, rannte ich zu Rosies Tisch. Rosie war offenkundig überrascht, mich zu sehen. Ich übersprang die Formalitäten.

»Ich habe einen unglaublichen Fehler gemacht. Ich kann nicht fassen, dass ich so dumm war! Irrational!« Claudia signalisierte mir aufzuhören, doch ich ignorierte sie. »Du bist in fast jedem Punkt des Ehefrauprojekts durchgefallen. Du bist unorganisiert, mathematisch unbegabt und hast anstrengende Essgewohnheiten. Unfassbar. Ich habe in Erwägung gezogen, mein Leben mit einer Raucherin zu teilen. Für immer!«

Rosies Gesichtsausdruck war komplex und beinhaltete wohl Trauer, Ärger und Überraschung. »Du hast ja nicht lange gebraucht, um deine Meinung zu ändern«, sagte sie.

Claudia wedelte hektisch mit den Händen, um mich zum Schweigen zu bringen, aber ich war entschlossen, meinen Plan durchzuziehen.

»Ich habe meine Meinung nicht geändert. Das ist es ja! Ich will mein Leben mit dir verbringen, obwohl es völlig irrational ist. Und du hast kurze Ohrläppchen. Aus gesellschaftlicher wie genetischer Sicht gibt es keinen Grund, warum ich mich zu dir hingezogen fühlen sollte. Die einzige logische Schlussfolgerung ist, dass ich dich liebe.«

Claudia stand auf und drückte mich auf ihren Stuhl.

»Du gibst nicht auf, wie?«, meinte Rosie.

»Bin ich dir lästig?«

»Nein«, sagte Rosie, »ich finde, du bist unglaublich tapfer. Ich habe riesigen Spaß mit dir, du bist der klügste und lustigste Mensch, den ich kenne, und du hast so viel für mich getan. Das ist alles, was ich mir nur wünschen kann, und trotzdem hatte ich Angst, diese Chance zu ergreifen, weil …«

Sie hielt inne, und ich wusste, was sie dachte. Ich beendete ihren Satz.

»Weil ich anders bin, komisch. Das kann ich gut verstehen. Ich kenne das Problem, weil für mich alle anderen Menschen komisch sind.«

Rosie lachte.

Ich versuchte, es ihr zu erklären.

»Zum Beispiel, wenn sie bei Filmen um nicht reale Figuren weinen.«

»Könntest du damit leben, dass ich bei Filmen weine?«, fragte Rosie.

»Natürlich«, erwiderte ich. »Das ist konventionelles Verhalten.« Dann ging mir auf, was sie gerade gesagt hatte.

»Heißt das, du willst mit mir leben?«

Rosie lächelte.

»Du hast das hier auf dem Tisch vergessen.« Sie zog das Schmuckkästchen aus ihrer Tasche. Ich erkannte, dass Rosie ihre Entscheidung des letzten Abends zurücknahm, dass sie tatsächlich die Zeit zurückdrehte und mir die Chance gab, meinen ursprünglichen Plan an anderem Ort durchzuführen. Ich holte den Ring heraus, und sie streckte ihren Finger vor. Ich schob den Ring darüber, und er passte. Ich war unglaublich erleichtert.

Da merkte ich, dass Applaus ertönte. Das schien mir normal. Ich erlebte gerade einen Liebesfilm, und dies war die letzte Szene. Aber sie war real. Alle Gäste im Universitätsclub beobachteten uns. Ich beschloss, die Geschichte traditionsgemäß zu beenden, und gab Rosie einen Kuss. Es war sogar noch besser als beim letzten Mal.

»Wehe, wenn du mich enttäuschst«, sagte Rosie. »Ich erwarte permanente Verrücktheit.«

Auf einmal betrat Phil den Raum, die Nase unter einem Verband, begleitet von der Managerin des Clubs. Ihr folgten zwei Polizisten. Die Managerin zeigte auf Gene.

»Oh, Scheiße«, sagte Rosie. Phil ging auf Gene zu, der sich erhob. Es gab einen kurzen Wortwechsel, dann schlug Phil meinen Freund mit einem Kinnhaken zu Boden. Die Polizisten eilten vor und hielten Phil fest, der keinen Widerstand leistete. Claudia lief zu Gene, der sich langsam erhob. Er schien nicht ernsthaft verletzt zu sein. Ich dachte, dass es nach den traditionellen Regeln romantischen Verhaltens richtig von Phil war, Gene zu schlagen in der Annahme, dass er Rosies Mutter verführt hatte, während sie mit Phil zusammen war.

Es stand zwar nicht eindeutig fest, ob Gene der Schuldige war. Andererseits hatten vermutlich unzählige Männer einen Grund, Gene eins auf die Nase zu geben. So gesehen, übte Phil in ihrem Namen romantische Gerechtigkeit. Gene muss das ähnlich empfunden haben, denn er schien der Polizei zu versichern, dass alles in Ordnung sei.

Ich wandte mich wieder an Rosie. Nun, da ich zu meinem ursprünglichen Plan zurückgekehrt war, durfte ich mich nicht mehr ablenken lassen.

»Punkt zwei auf dem Plan war die Identität deines Vaters.«

Rosie schmunzelte. »Du bist wieder in der Spur. Punkt eins: Lass uns heiraten. Okay, erledigt. Weiter zu Punkt zwei. Das ist der Don, den ich kennen- und lieben gelernt habe.«

Ihre letzen Worte ließen mich stutzen. Während ich ihre volle Bedeutung in mich aufnahm, konnte ich Rosie nur ansehen. Ich schätze, ihr ging es ebenso, denn es dauerte ein paar Sekunden, bis sie wieder etwas sagte.

»Wie viele Positionen aus dem Buch beherrschst du?«

»Dem Sexbuch? Alle.«

»Blödsinn.«

»Es war bedeutend weniger komplex als das Cocktailbuch.«

»Dann lass uns nach Hause gehen«, sagte sie. »Zu mir. Oder zu dir, wenn du immer noch den Atticus-Finch-Anzug hast.« Sie lachte.

»Der ist in meinem Büro.«

»Dann ein andermal. Wirf ihn ja nicht weg!«

Wir standen auf, aber die Polizisten, ein Mann und eine Frau, stellten sich uns in den Weg.

»Sir«, sagte die Frau (Alter etwa achtundzwanzig, BMI dreiundzwanzig), »ich muss Sie fragen, was Sie in der Tasche tragen.«

Den Umschlag hatte ich ganz vergessen! Ich zog ihn hervor und wedelte damit vor Rosies Nase.

»Tickets! Tickets für Disneyland. Alle Probleme gelöst!« Ich fächerte die drei Karten auf, nahm Rosies Hand, und wir gingen hin und zeigten sie Phil.

36

Wir fuhren nach Disneyland – Rosie, Phil und ich. Es machte riesigen Spaß und verhalf allen Beteiligten zur Verbesserung der Beziehungen. Rosie und Phil unterhielten sich ausgiebig, und ich erfuhr viel über Rosies Leben. Das war eine wichtige Grundlage für die schwierige, aber bedeutende Aufgabe, ein hohes Maß an Empathie für einen einzigen Menschen auf der Welt zu entwickeln.

Dann machten Rosie und ich uns auf den Weg nach New York, wo ein Anderssein generell akzeptiert wird. Aber das ist eine Vereinfachung der Beweggründe: In Wahrheit war es mir wichtig, mit meinen neuen Fähigkeiten, meiner neuen Lebensweise und meiner neuen Partnerin einen neuen Anfang zu machen, ohne durch die Einschätzung anderer behindert zu werden – eine Einschätzung, die ich nicht nur verdient, sondern noch gefördert hatte.

Hier in New York arbeite ich an der Fakultät für Genetik der Columbia-Universität, und Rosie studiert dort im ersten Jahr Medizin. Ich arbeite per Fernkontakt an Simon Lefebvres Forschungsprojekt mit, da dies eine Vorbedingung für seine finanzielle Unterstützung war. Ich betrachte es als eine Form der moralischen Rückzahlung dafür, dass ich die Ausrüstung der Universität für das Vaterprojekt benutzt hatte.

Wir haben eine Wohnung in Williamsburg, nicht weit von den Eslers entfernt, die wir regelmäßig besuchen. Das Kellergespräch ist mittlerweile eine lustige Geschichte, die wir beide auf diversen gesellschaftlichen Zusammenkünften erzählen.

Wir haben vor, uns fortzupflanzen (oder, wie ich in Gesellschaft sagen würde, »ein Kind zu bekommen«). Als Vorbereitung hat Rosie aufgehört zu rauchen, und wir haben beide unseren Alkoholkonsum eingeschränkt. Zum Glück haben wir zahlreiche andere Beschäftigungen, um uns von unserem Suchtverhalten abzulenken. An drei Abenden pro Woche arbeiten Rosie und ich gemeinsam in einer Cocktailbar. Das ist manchmal anstrengend, aber gesellig und lustig und bessert mein Akademikergehalt auf.

Wir hören Musik. Ich habe eine erneute Annäherung an Bach gewagt und versuche dabei nicht mehr, einzelne Tonfolgen zu analysieren. Das gelingt mir immer besser, aber mein persönlicher Musikgeschmack scheint sich seit meiner Jugend nicht weiterentwickelt zu haben. Da ich zu jener Zeit nicht in der Lage war, eine eigene Auswahl zu treffen, entsprechen meine Vorlieben denen meines Vaters. Ich kann ausführlich und überzeugend argumentieren, dass nach 1972 nichts Hörenswertes mehr aufgenommen wurde (und Rosie und ich diskutieren häufig über dieses Thema). Ich koche, behalte mir die Gerichte des Standardmahlzeitenmodells allerdings nur für Abendeinladungen vor.

Wir sind offiziell verheiratet. Obwohl ich mit dem Ring dem romantischen Ritual gefolgt war, war ich nicht davon ausgegangen, dass Rosie als moderne Feministin tatsächlich würde heiraten wollen. Der Begriff »Ehefrau« im Ehefrauprojekt hatte immer für »weibliche Lebenspartnerin« gestanden. Doch sie entschied, sie wolle »eine Beziehung in meinem Leben haben, die genau so ist, wie sie sein soll«. Das beinhaltet Monogamie und Beständigkeit. Ein exzellentes Ergebnis.

Ich kann Rosie in den Arm nehmen. Nachdem sie eingewilligt hatte, mit mir zu leben, war dies der Punkt gewesen, der mir am meisten Angst gemacht hatte. Mir ist Körperkontakt im Allgemeinen unangenehm, aber Sex bildet da offensichtlich eine Ausnahme. Wir können uns jetzt auch berühren, ohne Sex zu haben, was gelegentlich ganz angenehm ist.

Um die Anforderungen zu bewältigen, die das partnerschaftliche Leben mit sich bringt, und um meine Fähigkeiten auf diesem Gebiet zu verbessern, gehe ich einen Abend pro Woche zur Therapie. Das ist ein kleiner Scherz: mein »Therapeut« ist Dave, und ich erweise ihm denselben Dienst. Dave ist ebenfalls verheiratet, und in Anbetracht der Tatsache, dass ich eigentlich anders konfiguriert bin, sind unsere Themen überraschend ähnlich. Manchmal bringt er Freunde und Kollegen von der Arbeit mit – er ist Ingenieur der Kältetechnik. Wir sind alle Fans der Yankees.

Das Vaterprojekt hat Rosie erst mal nicht mehr erwähnt. Ich schrieb es dem verbesserten Verhältnis mit Phil zu sowie allen anderen Ablenkungen unseres neuen Lebens. Von ihr unbemerkt erhielt ich zu dem Thema jedoch neue Informationen.

Auf unserer Hochzeit bat mich Dr. Eamonn Hughes, den wir damals als Ersten getestet hatten, um ein Gespräch unter vier Augen.

»Da ist etwas, das Sie wissen sollten«, sagte er. »Über Rosies Vater.«

Ich hielt es für vollkommen logisch, dass der beste Freund von Rosies Mutter aus Studienzeiten die Antwort kannte. Vielleicht hätten wir einfach nur danach fragen müssen. Doch Eamonn meinte etwas anderes. Er deutete auf Phil.

»Phil hatte eine ziemlich verkorkste Beziehung zu Rosie.«

Dann war Rosie also nicht die Einzige, die Phil für einen schlechten Vater hielt.

»Sie wissen von dem Autounfall?«

Ich nickte, obwohl ich keine detaillierten Informationen besaß. Rosie hatte deutlich zu verstehen gegeben, dass sie nicht darüber sprechen wollte.

»Bernadette saß am Steuer, weil Phil getrunken hatte.«

Dass Phil mit im Wagen gewesen war, hatte ich bereits kombiniert.

»Phil konnte sich befreien, mit gebrochener Hüfte, und zog dann Rosie aus dem Auto.« Eamonn hielt inne. Es machte ihm offensichtlich zu schaffen. »Er hat Rosie als Erste rausgezogen.«

Das war tatsächlich ein schreckliches Szenario, aber als Genetiker dachte ich sofort: *Natürlich.* Phils Verhalten unter Schmerzen und extremer Anspannung war sicher rein instinktiv gewesen. Im Reich der Tiere finden derlei Situationen auf Leben und Tod häufig statt, und Phils Entscheidung entsprach allen Theorien sowie experimentellen Ergebnissen. Während er diesen Moment gedanklich wohl noch häufig durchgespielt hatte und seine späteren Gefühle für Rosie vermutlich stark davon beeinträchtigt waren, stand seine Handlung im Einklang mit dem primitiven Drang, die Trägerin seines Erbguts zu beschützen.

Mein offenkundiger Irrtum ging mir erst später auf. Da Rosie nicht Phils biologische Tochter war, hatten solche Instinkte gar nicht greifen können. Ich verbrachte einige Zeit damit, Erklärungen für sein Verhalten zu ergründen. Meine Gedanken und die abschließende Hypothese teilte ich Rosie nicht mit.

Als ich mich an der Columbia etabliert hatte, bat ich um Erlaubnis, die DNA-Geräte für einen privaten Test zu benutzen. Sie wurde mir erteilt. Im Fall einer Ablehnung wäre das auch kein Problem gewesen, denn ich hätte die verbliebenen Proben an ein kommerzielles Labor schicken und für die Tests ein paar hundert Dollar zahlen können. Diese Option war Rosie das ganze Vaterprojekt über möglich gewesen. Inzwischen habe ich erkannt, dass ich Rosie nie auf diese Möglichkeit hingewiesen hatte, weil ich schon damals unterbewusst an einer Beziehung mit ihr interessiert war. Erstaunlich!

Ich sagte Rosie nichts vom Test. Eines Tages packte ich einfach alle Proben, die ich nach New York mitgenommen hatte, in meine Tasche.

Ich begann mit dem paranoiden Schönheitschirurgen Freyberg, der für mich der am wenigsten wahrscheinliche Kandidat war. Ein grünäugiger Vater war nicht unmöglich, aber es gab keine weiteren Hinweise, die ihn wahrscheinlicher machten als die anderen Kandidaten. Sein Unwillen, mir eine Blutprobe zu schicken, erklärte sich aus dem Umstand, dass er generell ein misstrauischer und wenig hilfsbereiter Mensch war. Meine Einschätzung war korrekt.

Dann nahm ich Eslers Probe, den Abstrich von der Gabel, die einmal um die halbe Welt und dann wieder zurückgereist war. Damals in seinem dunklen Keller war ich beinahe überzeugt gewesen, dass er Rosies Vater war. Danach aber war ich zu dem Schluss gekommen, dass er einen Freund oder die Erinnerung an einen Freund schützen wollte. Ich fragte mich, ob Eslers Entscheidung, Psychiater zu werden, durch den Selbstmord seines besten Freundes und Trauzeugen Geoffrey Case beeinflusst worden war.

Ich testete die Probe. Isaac Esler war nicht Rosies Vater.

Ich nahm Genes Probe. *Mein* bester Freund. Er strengt sich inzwischen an, eine gute Ehe zu führen. Als ich der Dekanin meine Kündigung brachte, hing die Landkarte in seinem Büro nicht mehr an der Wand. Aber ich konnte mich nicht erinnern, je einen Stecknadelkopf in Irland gesehen zu haben, dem Geburtsort von Rosies Mutter. Es bestand kein Grund, die Serviette zu testen. Ich warf sie in den Mülleimer.

Nun hatte ich alle Kandidaten mit Ausnahme von Geoffrey

Case eliminiert. Isaac Esler hatte gesagt, er wisse, wer Rosies Vater sei, und habe Stillschweigen geschworen. Hatten Rosies Mutter – und Esler – Rosie vor dem Wissen bewahren wollen, dass in ihrer Familie ein Selbstmord verübt worden war? Oder dass möglicherweise eine genetische Disposition zu Geisteskrankheit bestand? Oder dass Geoffrey Case sich umgebracht hatte, nachdem er erfahren hatte, dass er Rosies Vater war und Rosies Mutter bei Phil bleiben wollte? Das alles waren gute Gründe – gut genug, dass ich Geoffrey Case als Kandidaten für die Ausschweifung nach der Abschlussfeier für sehr wahrscheinlich hielt.

Ich griff in meine Tasche und zog die DNA-Probe hervor, die das Schicksal mir ohne Rosies Wissen geliefert hatte. Ich war nun fast sicher, dass sie meine Hypothese bezüglich der Vaterschaft bestätigen würde.

Ich schnitt ein Stück aus dem Stoff heraus, goss etwas vom Reagens darüber und ließ es einige Minuten wirken. Während ich den Gewebefetzen in der klaren Flüssigkeit beobachtete, ließ ich das Vaterprojekt noch einmal in Gedanken Revue passieren und wurde mir meiner Vorhersage immer sicherer. Ich entschied, dass Rosie mir beim Ergebnis Gesellschaft leisten solle, egal, ob ich recht hatte oder nicht. Ich schrieb ihr eine SMS. Sie war auf dem Gelände und kam wenige Minuten später vorbei. Sofort erkannte sie, was ich vorhatte.

Ich verbrachte die aufbereitete Probe in das Gerät und startete die Analyse. Gemeinsam starrten wir auf den Bildschirm, bis das Ergebnis erschien. Nach all dem Blutabnehmen, Wangenschaben, Cocktailschwenken, Tassenstehlen, Mauerklettern, Gläsersammeln, Fliegen, Fahren, Antragschreiben, Gabelreiben, Taschentuchklauben, Urinaufwischen, Zahnbürstenstehlen, Haarbürstenzupfen und Tränenabtupfen gab es endlich eine Übereinstimmung.

Rosie hatte wissen wollen, wer ihr biologischer Vater war. Ihre Mutter hatte die Identität des Mannes, mit dem sie – möglicherweise nur ein einziges Mal während durch Alkohol und Gefühlsüberschwang bedingter Untreue – Sex gehabt hatte, für immer geheimhalten wollen. Beiden Wünschen konnte ich nun entsprechen.

Ich zeigte Rosie den Rest des blutgetränkten Turnhemds aus Phils Fitnesscenter, aus dem ich eine Probe herausgeschnitten hatte. Es bestand kein Grund mehr, das Taschentuch zu testen, mit dem ich Margaret Case die Tränen abgewischt hatte.

Letzten Endes war das ganze Vaterproblem durch Gene hervorgerufen worden. Aller Wahrscheinlichkeit nach hatte er den Medizinstudenten ein stark vereinfachtes Modell der Vererbbarkeit äußerer Merkmale beigebracht. Hätte Rosies Mutter gewusst, dass die Augenfarbe kein verlässlicher Indikator für Vaterschaft ist, und einen DNA-Test machen lassen, um ihren Verdacht zu bestätigen, hätte es kein Vaterprojekt gegeben, keine Große Cocktailnacht, kein Abenteuer in New York, kein Don-Generalüberholungs-Projekt – und kein Rosie-Projekt. Hätten all diese unvorhergesehenen Ereignisse nicht stattgefunden, hätten ihre Tochter und ich uns nicht verliebt. Und ich würde immer noch jeden Dienstagabend Hummer essen.

Unfassbar.

Danksagung

Das Buch *The Rosie Project* wurde binnen kurzer Zeit geschrieben. Ich verließ meinen Schreibtisch nur, um meine Schriftsteller-Ehefrau Anne, meine Tochter Dominique und meinen Romanschriftsteller-Kurs am Royal Melbourne Institute for Technology (RMIT) unter der Leitung von Michelle Aung Thin um Rat zu bitten.

Nachdem der Verlag *Text Publishing* das Manuskript angenommen hatte, profitierte es ungemein von der Sorgfalt meiner Lektorin Alison Arnold, die genau verstand, was ich ausdrücken wollte, sowie der eifrigen Unterstützung von Michael Heyward samt seinem Team, speziell Jane Nowak, Kirsty Wilson, Chong Weng Ho und Michelle Calligaro. Dank Anne Beilbys Bemühungen, Verlage in der ganzen Welt auf *Rosie* aufmerksam zu machen, wird die Geschichte von Don und Rosie in achtunddreißig Sprachen zu lesen sein.

Die Anfänge dieses Projekts liegen jedoch weit zurück. Während eines Drehbuch-Seminars am RMIT wurde die Geschichte zunächst als Drehbuch verfasst. Anne, mein Sohn Daniel und ich entwickelten die Story auf einer Wandertour in Neuseeland. Eine Ausarbeitung der Charaktere wurde 2007 als *The Klara Project: Phase 1* in *The Envelope Please* veröffentlicht, und als ich nach einiger Überlegung entschieden hatte, dass es eher eine Komödie als ein Drama ist, schrieb ich 2008 eine erste Fassung des Drehbuchs mit leicht veränderter

Handlung und einer eher nerdhaften ungarischen Klara anstelle von Rosie. Während der nächsten fünf Jahre veränderte sich die Geschichte erheblich – natürlich nur zum Besseren –, und dafür muss ich den vielen Menschen danken, die mich ermutigt, kritisiert und motiviert haben, mich nicht mit dem Bestehenden abzufinden.

Das Studium am RMIT hat mich die Grundlagen des Geschichtenerzählens gelehrt und spezielle Beratung beim Verfassen des Drehbuchs angeboten. Vor allem erwähnen möchte ich Universitätsleiterin Clare Renner, Comedy-Legende Tim Ferguson, die routinierten Filmproduzenten David Rapsey und Ian Pringle, die bei schwierigen Liebesgeschichten nicht kneifen, sowie Boris Trbic, der das Screwball-Comedy-Element lobte. Cary Grant wäre der perfekte Don Tillman gewesen. Mein Schreibpartner im Jahr der radikalsten Veränderungen war Jo Moylan. Beim Erstellen von Kurzfilmen mit den Studenten für audiovisuelle Medien unter der Leitung von Rowan Humphrey und Simon Embury habe ich gelernt, was funktioniert und was nicht. Während ich mit ansah, wie meine irrelevanten Dialoge auf das digitale Äquivalent eines Schneideraumbodens fielen, lernte ich eine Menge über effizientes Schreiben. Kim Krejus von der Schauspielschule *16th Street Actors Studio* stellte talentierte Schauspieler für eine hilfreiche Lesung zusammen.

Ich habe das Glück, einer begabten und arbeitsamen Schriftsteller-Projektgruppe anzugehören, gemeinsam mit Irina Goundortseva, Steve Mitchell, Susannah Petty und May Yeung. *Rosie* stand regelmäßig auf dem Besprechungsplan, und Irinas Begeisterung für die Kurzgeschichte war ausschlaggebend dafür, dass ich sie weiterverfolgte. Später war Heidi Winnen die erste Person außerhalb meiner Familie, die verkündete, die Geschichte habe Potential.

Dem Manuskript kam außerdem die Erfahrung und der Scharfsinn der Drehbuch-Gurus Steve Kaplan und Michael Hauge zugute. Dass sie sich überhaupt damit befassten, war Marcus West von der Schriftstellerförderung *Inscription* sowie der australischen Schriftsteller-Gilde zu verdanken, die 2010 einen Preis für romantische Komödien vergaben. Auch die Produzenten Peter Lee und Ros Walker sowie Regisseur John Paul Fischbach steuerten wertvolle Kritik bei.

Der Weg zur Publikation wurde gangbar, als *The Rosie Project* 2012 den Preis *Victorian Premier's Literary Award* gewann, und ich danke der Regierung des Bundesstaats Victoria sowie dem Literaturverein *Wheeler Centre* für die Stiftung und Vergabe dieses Preises. Außerdem danke ich der Jury – Nick Gadd, Peter Mews, Zoe Dattner und Roderick Poole – für ihre mutige Entscheidung.

Auf unserer sechsjährigen Reise wurden Rosie und ich noch von vielen anderen Menschen unterstützt, besonders Jon Blackhouse, Rebecca Carter, Cameron Clarke, Sara Cullen, Fran Cusworth, Barbara Gliddon, Amanda Golding, Vin Hedger, Kate Hicks, Amy Jasper, Noel Maloney, Brian McKenzie, Steve Melnikoff, Ben Michael, Helen O'Connell, Rebecca Peniston-Bird, April Reeve, John Reeves, Sue und Chris Waddell, Geri und Pete Walsh sowie meinen Studienkollegen am RMIT.

Dons Hummersalat beruht auf einem Rezept aus *Contemporary Australian Food* von Teage Ezard – perfekt für einen romantischen Abend auf dem Balkon mit einer Flasche Drappier Rosé-Champagner.

Lesen Sie, wie es weitergeht!

Leseprobe

GRAEME SIMSION

DER ROSIE-EFFEKT

NOCH VERRÜCKTER NACH IHR

ROMAN

Aus dem australischen Englisch
von Annette Hahn

1. Kapitel

Orangensaft war für freitags nicht vorgesehen. Obwohl Rosie und ich das Standardmahlzeitenmodell aufgegeben hatten, was eine Steigerung der »Spontaneität« auf Kosten von Einkaufszeit, Lagerbestand und Essensresten ergab, hatten wir vereinbart, jede Woche drei alkoholfreie Tage einzulegen. Wie ich sofort voraussah, gestaltete sich die Einhaltung dieser Zielsetzung ohne formellen Zeitplan als schwierig. Nach einiger Zeit erkannte Rosie die Logik meines Lösungsvorschlags an.

Offensichtlich gut geeignete Tage für den Konsum von Alkohol waren Freitag und Samstag. Keiner von uns hatte am Wochenende regulären Unterricht. Wir konnten ausschlafen und eventuell Sex haben.

Sex durfte *auf keinen Fall* per Zeitplan terminiert werden, zumindest nicht offiziell, aber mir war eine Abfolge bestimmter Begebnisse aufgefallen, die seine Wahrscheinlichkeit erhöhten: ein Blaubeer-Muffin der *Blue Sky Bakery*, ein dreifacher Espresso von *Otha's*, das Ausziehen meines Oberhemds und eine Imitation von Gregory Peck in der Rolle des Atticus Finch in *Wer die Nachtigall stört*. Ich hatte gelernt, die vier Begebenheiten nicht jedes Mal in derselben Reihenfolge einzusetzen, da meine Absicht dann durchschaubar gewesen wäre. Um ein Element der Unvorhersehbarkeit einzuführen, warf ich nun eine Münze, um eine der vier Komponenten zu eliminieren.

Ich hatte eine Flasche *Elk Cove* Pinot Gris in den Kühlschrank gelegt, der zu den Jakobsmuscheln passte, die ich am Morgen auf dem Chelsea Market gekauft hatte, doch als ich nach dem Abnehmen der Wäsche aus dem Keller kam, standen zwei Gläser Orangensaft auf dem Tisch. Orangensaft verträgt sich nicht mit Wein. Ihn vorher zu trinken, würde unsere Geschmacksnerven so weit desensibilisieren, dass wir die feine Restsüße des Pinot Gris nicht mehr schmecken und den Wein somit als sauer empfinden würden. Ihn nach dem Wein zu trinken wäre gleichermaßen inakzeptabel, da Orangensaft schnell verdirbt – weshalb in Frühstückslokalen so viel Wert auf den Zusatz »frisch gepresst« gelegt wird.

Rosie war im Schlafzimmer, für eine Klärung der Situation also nicht unmittelbar verfügbar. In unserer Wohnung bestanden für den gleichzeitigen Aufenthalt zweier Personen neun Kombinationsmöglichkeiten, wobei wir uns bei sechs davon in verschiedenen Räumen befanden. In unserer idealen Wohnung, wie wir sie, bevor wir nach New York umzogen, gemeinsam spezifiziert hatten, hätte es sechsunddreißig mögliche Kombinationen gegeben, da sie ein Schlafzimmer, zwei Arbeitszimmer, zwei Badezimmer und ein Wohnzimmer mit offener Küche aufgewiesen hätte. Diese Musterwohnung hätte sich in Manhattan nahe einer U-Bahn-Station der Linie 1 oder A befunden, mit Blick aufs Wasser von einem Balkon oder einer Dachterrasse aus.

Da unser Einkommen aus einem Akademikergehalt plus der Einnahmen für zwei Teilzeitjobs als Cocktailmixer minus Rosies Studiengebühren bestand, war ein Kompromiss notwendig gewesen, und unsere derzeitige Wohnung bot keine der gewünschten Spezifikationen.

Die geringere Zimmerzahl, kombiniert mit unserer Eheschließung, bedeutete, dass ich mich dauerhaft in größerer

Nähe zu einem anderen menschlichen Wesen befand als je zuvor in meinem Leben. Rosies physische Anwesenheit war ein überaus positives Ergebnis des von mir eingeleiteten Ehefrauprojekts, doch auch nach zehn Monaten und zehn Tagen des Ehelebens musste ich mich immer noch daran gewöhnen, Teil eines Paares zu sein. Manchmal verbrachte ich mehr Zeit im Badezimmer, als unbedingt nötig gewesen wäre.

Ich überprüfte das Datum auf meinem Handy – definitiv Freitag, der 21. Juni. Das war besser als das ebenfalls mögliche Szenarium, in dem mein Gehirn eine Fehlfunktion entwickelt hatte und Tage inkorrekt zuordnete. So jedoch bestätigte sich eine Verletzung des Alkoholprotokolls.

Meine Gedanken wurden unterbrochen, als Rosie nur mit einem Handtuch bekleidet aus dem Badezimmer trat. Dies war die Bekleidung, die ich an ihr am meisten schätzte, vorausgesetzt, dass »unbekleidet« nicht als Bekleidung galt. Wieder einmal überwältigte mich ihre außergewöhnliche Schönheit und ihre unerklärliche Entscheidung, mich als Partner zu wählen. Und wie immer folgte diesem Gedankengang ein unerwünschtes Gefühl: ein kurzer, aber intensiver Moment der Angst, sie könnte ihren Irrtum eines Tages bemerken.

»Was gibt's?«, wollte sie wissen.

»Noch nichts zu essen. Ich befinde mich noch in der Phase der Zutatenzusammenstellung.«

Sie lachte auf eine Weise, die mir verriet, dass ich ihre Frage missverstanden hatte. Natürlich hätte sich ihre Frage komplett erübrigt, würden wir noch nach dem Standardmahlzeitenmodell verfahren.

»Nachhaltig produzierte Jakobsmuscheln mit einem *Mirepoix* aus Karotten, Knollensellerie, Schalotten und Paprika sowie Sesamöl-Dressing. Das dazu empfohlene Getränk ist Pinot Gris.«

»Soll ich irgendetwas helfen?«

»Wir brauchen heute alle unseren Schlaf. Morgen fahren wir nach Navarone.«

Der Inhalt dieses Gregory-Peck-Zitats war irrelevant. Der Effekt beruhte allein auf dem Tonfall und der damit übermittelten Botschaft, dass ich die Zubereitung der sautierten Muscheln im Alleingang kompetent und zuverlässig erledigen würde.

»Und was, wenn wir nicht schlafen können, Captain?«, erwiderte Rosie schmunzelnd und verschwand im Bad. Das Handtuchproblem wollte ich nicht weiter thematisieren – ich hatte schon vor einiger Zeit akzeptiert, dass es wahllos im Bade- oder Schlafzimmer abgelegt werden würde und damit gewissermaßen zwei Orte in Anspruch nahm.

Unsere Präferenzen, was Ordnung angeht, liegen an unterschiedlichen Enden einer Skala. Als wir von Australien nach New York umzogen, packte Rosie drei Koffer in Übergröße. Allein die Menge an Kleidungsstücken war unfassbar. Meine persönlichen Besitztümer passten in zwei Handgepäckstücke. Ich sah den Umzug als günstige Gelegenheit, meine Einrichtungsgegenstände durch verbesserte Versionen zu ersetzen. So schenkte ich meinem Bruder Trevor Stereoanlage und Computer als Ersatzteillager, brachte Bett, Haushaltswäsche und Küchengeräte in das Haus meiner Eltern in Shepparton zurück und verkaufte mein Fahrrad.

Im Gegensatz dazu vermehrte Rosie ihren umfangreichen Bestand an Besitztümern noch weiter, indem sie binnen weniger Wochen nach unserer Ankunft diverse Dekorationsobjekte dazukaufte. Das Resultat offenbarte sich im chaotischen Zustand unserer Wohnung: Topfpflanzen, überzählige Stühle und ein unpraktisches Weinregal.

Aber es lag nicht nur an der Quantität der Objekte – es bestand ferner das Problem der Organisation. Der Kühlschrank war überfüllt mit halbleeren Behältnissen für Brotaufstriche, Soßen und verderbenden Milchprodukten. Rosie hatte sogar vorgeschlagen, einen zweiten Kühlschrank von unserem Freund, Baseballfan Dave, zu kaufen. Ein Kühlschrank pro Person! Nie drängten sich die Vorteile des Standardmahlzeitenmodells mehr auf als jetzt: ein spezifiziertes Gericht für jeden Tag einer Woche, eine Standard-Einkaufsliste und optimierter Lagerbestand.

Es gab exakt eine Ausnahme in Rosies unorganisierter Lebensweise. Diese Ausnahme war eine Variable. Es handelte sich um ihr Medizinstudium, im jetzigen Moment speziell um ihre Doktorarbeit über *Umweltrisiken für Frühausprägungen der bipolaren Störung*. Rosie war in das Doktorandenprogramm der Columbia University aufgenommen worden unter der Bedingung, dass sie ihre Dissertation im Fach Psychologie in den Sommerferien fertigstellen würde. Der Abgabetermin war mittlerweile nur noch zwei Monate und fünf Tage entfernt.

»Wie kannst du bei einer Sache so organisiert sein und bei allen anderen so unorganisiert?«, hatte ich Rosie gefragt, als ich mitbekam, wie sie gerade einen falschen Druckertreiber installierte.

»Gerade *weil* ich mich so auf meine Doktorarbeit konzentriere, kümmere ich mich eben weniger um alles andere. Freud hat auch keiner gefragt, ob er das Verfallsdatum der Milch kontrolliert hat.«

»Anfang des zwanzigsten Jahrhunderts gab es noch keine Verfallsdaten.«

Unfassbar, wie zwei so unterschiedliche Menschen wie wir ein so erfolgreiches Paar werden konnten!

2. Kapitel

Das Orangensaftproblem stellte sich am Ende einer bereits chaotischen Woche. Ein Mitbewohner unseres Apartmentkomplexes hatte die beiden »salonfähigen« Hemden, die ich besaß, verunstaltet, da er sich im Gemeinschaftswaschraum an unserer Waschmaschinenfüllung beteiligt hatte. Seinen Sinn für Effizienz kann ich durchaus nachvollziehen, aber eines seiner Wäschestücke hatte unsere gesamte weiße Wäsche in einen ungleichmäßigen Rosaton verfärbt.

Aus meiner Sicht bestand weiter kein Problem: Meine Stelle als Gastprofessor an der Columbia Medical School war gesichert, so dass ich mir keine Sorgen um einen »guten ersten Eindruck« machen musste. Auch konnte ich mir nicht vorstellen, dass ich wegen der *Farbe* meines Oberhemds in einem Restaurant nicht bedient werden würde. Rosies Oberbekleidung, die weitgehend schwarz war, hatte nicht weiter gelitten. Folglich beschränkte sich für sie das Problem auf ihre Unterwäsche.

Ich argumentierte, dass ich nichts gegen den neuen Farbton einzuwenden hätte und sie ja niemand sonst in Unterwäsche sehen werde, außer vielleicht ein Arzt oder eine Ärztin, die aufgrund ihrer Professionalität an derlei ästhetischen Aspekten keinen Anstoß nähmen. Aber Rosie hatte bereits versucht, das Problem mit Jerome – den sie als Urheber identifiziert hatte – zu besprechen, um eine Wiederholung auszuschließen.

Dieses Vorgehen schien vernünftig, allerdings hatte Jerome erwidert, sie solle sich verpissen.

Es überraschte mich nicht, dass sie auf Ablehnung gestoßen war. Rosie hat eine sehr direkte Art der Kommunikation, was mir gegenüber recht effektiv und tatsächlich oft notwendig ist. Andere hingegen interpretieren ihre Direktheit häufig als provozierend. Jerome vermittelte nicht den Eindruck, als wolle er gern Lösungsmöglichkeiten für eine Win-win-Situation erörtern.

Jetzt verlangte Rosie, ich solle ihm »die Stirn bieten« und zeigen, dass wir uns »nicht herumschubsen lassen«. Vor genau dieser Art von Verhalten warne ich meine Kampfsportschüler grundsätzlich. Wenn beide Parteien das Ziel verfolgen, Dominanz zu demonstrieren, und so dem Algorithmus folgen, jeweils immer heftiger zurückzuschlagen, wird dies letztlich zu Invalidität oder Tod einer Partei führen. Und das alles wegen einer Ladung Wäsche!

Im Gesamtkontext der Woche war das Wäscheproblem allerdings fast unerheblich zu nennen. Denn es hatte eine *Katastrophe* gegeben.

Man wirft mir regelmäßig vor, dieses Wort überzustrapazieren, aber jeder vernünftige Mensch würde es als angemessene Beschreibung für das Scheitern der Ehe meiner besten Freunde ansehen, bei dem obendrein zwei minderjährige Kinder in Mitleidenschaft gezogen wurden. Gene und Claudia lebten zwar weiterhin in Australien, aber die Situation stand kurz davor, den geordneten Ablauf meiner Woche über den Haufen zu werfen.

Gene und ich hatten über Skype telefoniert, mit sehr schlechter Verbindungsqualität. Möglicherweise war Gene auch betrunken gewesen. Er schien abgeneigt, ins Detail zu gehen, denn:

1. Menschen sprechen generell ungern über sexuelle Aktivitäten, die sie selbst betreffen.
2. Er hatte sich extrem dumm verhalten.

Nachdem er Claudia versprochen hatte, sein Forschungsprojekt aufzugeben, Sex mit Frauen aus allen Ländern der Welt zu haben, hatte er dieses Versprechen gebrochen. Offenbar war das bei einer Konferenz in Göteborg geschehen.

»Ach, Don, nun zeig aber mal ein bisschen mehr Mitgefühl«, klagte er. »Wie hoch standen denn die Chancen, dass sie in Melbourne wohnt? Sie stammte aus *Island!*«

Ich wies darauf hin, dass ich aus Australien stamme und in den Vereinigten Staaten lebte. Damit war Genes lächerliche Hypothese, dass die Menschen in ihren Heimatländern blieben, durch ein einfaches Gegenbeispiel widerlegt.

»Okay, aber *Melbourne!* Und dass sie Claudia kennt! Wie hoch stehen da die Chancen?«

»Schwer zu berechnen.« Ich machte Gene darauf aufmerksam, dass er diese Frage *vor* der Erweiterung seiner Nationalitätenstrichliste hätte stellen sollen. Wenn er eine vernünftige Schätzung der Wahrscheinlichkeit wollte, bräuchte ich dafür allgemeine Informationen über Migrationsmuster sowie über die Größe von Claudias sozialem und beruflichem Kontaktnetz.

Und es gab einen weiteren Faktor. »Um das Risiko zu berechnen, muss ich wissen, wie viele Frauen du seit deinem Versprechen, es nicht mehr zu tun, verführt hast. Denn natürlich steigt das Risiko proportional zur Anzahl.«

»Spielt das wirklich eine Rolle?«

»Wenn du eine akkurate Schätzung willst ... Ich vermute mal, die Antwort ist nicht null.«

»Don, Konferenzen – noch dazu in Übersee – zählen nicht.

Deshalb fahren die Leute ja überhaupt zu Konferenzen. Jeder versteht das.«

»Wenn Claudia es versteht, wo liegt das Problem?«

»Man darf sich nicht erwischen lassen. Was in Göteborg passiert, bleibt in Göteborg.«

»Vermutlich kannte Islandfrau diese Regel nicht.«

»Sie ist in Claudias Lesegruppe.«

»Gibt es für Lesegruppen eine Ausnahme?«

»Vergiss es. Jedenfalls ist es vorbei. Sie hat mich rausgeworfen.«

»Du bist obdachlos?«

»Mehr oder weniger. Ich nehme ein Sabbatjahr«, erwiderte Gene. »Wer weiß, vielleicht schaue ich ja in New York vorbei und spendiere dir ein Bier.«

Die Vorstellung war überraschend – nicht das Bier, das ich mir selbst kaufen konnte, sondern die Möglichkeit, dass mein langjährigster Freund zu mir nach New York kommen könnte.

Abgesehen von Rosie und Familienangehörigen habe ich insgesamt sechs Freunde. In absteigender Reihenfolge des Kontaktumfangs waren dies:

1. Gene, dessen Ratschläge sich oft als unklug erwiesen hatten, der jedoch ein faszinierendes theoretisches Wissen über sexuelle Anziehung bei Menschen besaß – möglicherweise herbeigeführt durch seine eigene Libido, die für einen Mann von siebenundfünfzig übermäßig ausgeprägt war.
2. Genes Frau Claudia, eine klinische Psychologin und der vernünftigste Mensch der Welt. Vor Genes Versprechen, sich zu ändern, hatte sie eine außergewöhnlich hohe Toleranz gegenüber seiner Untreue gezeigt. Ich fragte mich, was mit ihrer Tochter Eugenie und Genes Sohn Carl aus

erster Ehe geschehen würde. Eugenie war neun und Carl siebzehn.

3. Dave Bechler, ein Kühlgerätetechniker, den ich vierzehn Monate zuvor bei meinem ersten gemeinsamen Besuch mit Rosie in New York bei einem Baseball-Spiel kennengelernt hatte. Wir trafen uns jetzt wöchentlich zum »Männerabend«, um über Baseball, Kühltechnik und Ehealltag zu diskutieren.
4. Sonia, Daves Ehefrau. Obwohl leicht übergewichtig (geschätzter BMI: siebenundzwanzig), war sie extrem hübsch und hatte einen gut bezahlten Job in der Finanzabteilung eines In-vitro-Fertilisationszentrums.
5. (gleicher Kontaktumfang wie 4) Isaac Esler, ein Psychiater australischer Herkunft, den ich einst als den wahrscheinlichsten von Rosies Vaterschaftskandidaten eingestuft hatte.
6. (gleicher Kontaktumfang wie 5) Judy Esler, Isaacs amerikanische Ehefrau. Judy war Keramik-Künstlerin, die außerdem Spendengelder für wohltätige Zwecke und Forschungsvorhaben sammelte. Etliche der dekorativen Objekte, die unsere Wohnung anfüllten, stammten von ihr.

Das ergab eine Summe von sechs Freunden – wenn ich annahm, dass die Eslers überhaupt noch meine Freunde waren. Seit dem Blauflossen-Thunfisch-Zwischenfall vor sechs Wochen und fünf Tagen hatten wir keinen Kontakt mehr gehabt. Aber selbst vier Freunde waren mehr, als ich je zuvor gehabt hatte. Nun bestand die Möglichkeit, dass alle mit einer Ausnahme – Claudia – hier bei mir in New York versammelt sein könnten.

Ich handelte unverzüglich und fragte den Dekan der medizinischen Fakultät der Columbia, Professor David Borenstein, ob Gene sein Sabbatjahr hier verbringen könne. Wie sein Name rein zufällig andeutet, ist Gene Genetiker, der jedoch als Spezialist für Evolutionspsychologie am Institut für Psychologie arbeitet. Theoretisch könnte er in den Bereichen Psychologie, Genetik oder Medizin eingesetzt werden, wobei ich eine Empfehlung gegen Psychologie aussprach. Die meisten Psychologen gehen mit Genes Theorien nicht konform, und ich nahm an, dass Gene im Moment nicht noch mehr Konflikte in seinem Leben gebrauchen konnte. Dies war eine Einsicht, die ein gewisses Maß an Empathie voraussetzte, zu der ich vor meiner Begegnung mit Rosie noch nicht fähig gewesen wäre.

Ich teilte dem Dekan mit, dass Gene als Vollzeit-Professor sicher keinerlei Interesse daran hätte, wirklich zu arbeiten. David Borenstein kannte die Gepflogenheiten des Sabbatjahrs, die besagten, dass Gene weiterhin von seiner Universität in Australien bezahlt werden würde. Er kannte außerdem Genes Ruf.

»Wenn er sich bei einigen Veröffentlichungen als Co-Autor nennen lässt und ansonsten die Finger von den Doktorandinnen lässt, kann ich ein Büro für ihn auftreiben.«

»Natürlich, natürlich.« Gene war Experte darin, mit minimalem Aufwand Co-Autorenschaft zu erlangen. Wir würden jede Menge Zeit haben, über interessante Themen zu diskutieren.

»Das mit den Doktorandinnen meine ich ernst. Wenn er Schwierigkeiten macht, ziehe ich Sie zur Verantwortung.«

Dies schien eine unzumutbare Drohung, typisch für Universitätsverwalter, aber es bot mir die Chance, Gene zu einer Verhaltensänderung zu bekehren. Und nachdem ich mir entsprechende Informationen über die Psychologie-Doktorandinnen verschafft hatte, folgerte ich, dass keine davon Genes gesteigertes Interesse wecken würde. Ich überprüfte meine

Einschätzung, nachdem ich ihn telefonisch über meine erfolgreiche Arbeitsbeschaffungsmaßnahme informiert hatte.

»Mexiko hast du schon, korrekt?«

»Ich habe gewisse Zeit mit einer Dame dieser Nationalität verbracht, falls du das meinst.«

»Also hattest du Sex mit ihr?«

»Etwas in der Art.«

Es gab durchaus ein paar internationale Doktorandinnen an der Fakultät, aber Gene hatte die bevölkerungsreichsten Industrieländer bereits erledigt.

»Also: Nimmst du den Job an?«, wollte ich wissen.

»Ich muss noch meine Optionen abwägen.«

»Lächerlich. Columbia hat die beste medizinische Fakultät der Welt. Und sie sind bereit, jemanden zu nehmen, dem man Faulheit und unangemessenes Verhalten nachsagt.«

»Unangemessenes Verhalten? Davon musst *du* gerade reden ...«

»Korrekt. Mich haben sie genommen. Sie sind extrem tolerant. Du kannst Montag anfangen.«

»Montag? Don, ich hab doch gar keine Bleibe.«

Ich erklärte, für die geringfügigen praktischen Details werde ich schon eine Lösung finden. Und nun kam Gene nach New York. Er würde wieder an derselben Universität arbeiten wie ich. Und Rosie.

Während ich die zwei Orangensaft anstarrte, erkannte ich, dass ich mich auf den Alkoholkonsum gefreut hatte, um der Nervosität entgegenzuwirken, die mich überkam, wenn ich mir vorstellte, Rosie die Neuigkeiten von Gene zu erzählen. Ich sagte mir, dass ich mir unnötig Sorgen machte. Rosie behauptete immer, sie möge Spontaneität. Diese simple Analyse ließ jedoch drei Faktoren außer Acht:

1. Rosie mochte Gene nicht. Er war in Melbourne ihr Doktorvater gewesen und war es im Grunde noch immer. Sein akademisches Verhalten hatte ihr mehrfach Anlass zur Klage gegeben, und seine Untreue gegenüber Claudia befand sie als inakzeptabel. Mein Argument, er habe sich geändert, war mittlerweile entkräftet worden.
2. Rosie fand es wichtig, dass wir »Zeit für uns« hätten. Nun müsste ich unvermeidlich auch Zeit für Gene aufbringen. Er betonte, seine Beziehung zu Claudia sei zerstört. Wenn jedoch die geringste Chance bestand, sie zu retten, schien es mir vernünftig, unserer eigenen stabilen Ehe vorübergehend weniger Priorität einzuräumen. Ich war sicher, dass Rosie mir nicht zustimmen würde.
3. Der dritte Faktor war der gewichtigste, möglicherweise aber das Ergebnis einer Fehleinschätzung meinerseits. Ich schob den Gedanken daran beiseite, um mich auf das vordringliche Problem zu konzentrieren.

Die zwei hohen Saftgläser mit oranger Flüssigkeit erinnerten mich an die Nacht, in der Rosie und ich das erste Mal »einen besonderen Draht zueinander bekamen«: die Große Cocktailnacht, in der wir allen männlichen Gästen der Jubiläumsfeier des Medizinabschlussjahrgangs ihrer Mutter eine DNA-Probe abnahmen, wonach wir sie allesamt als biologischen Vater ausschließen konnten. Jetzt bestand die Möglichkeit, mittels meiner Cocktailkenntnisse erneut die Lösung eines Problems herbeizuführen.

Rosie und ich arbeiteten drei Abende pro Woche in *The Alchemist*, einer Cocktailbar an der West 19th Street nahe des Flatiron-Gebäudes, daher hatten wir sowohl Ausrüstung wie auch Zutaten für Cocktailzubereitungen als fachspezifische Arbeitsmittel für unseren Beruf im Haus (auch wenn ich unseren Steuerberater noch nicht davon hatte überzeugen können). Ich holte Wodka, Galliano und Eiswürfel, fügte alles dem Orangensaft hinzu und rührte um. Da ich meinen Cocktail nicht ohne Rosie trinken wollte, goss ich einen Schuss Wodka in ein Glas mit Eiswürfeln, spritzte etwas Limettensaft darüber und trank schnell aus. Ich fühlte mich augenblicklich besser. Der Alkohol neutralisierte den Stress fast vollständig, so dass ich in meinen Normalzustand zurückgesetzt wurde.

Endlich kam Rosie aus dem Badezimmer. Abgesehen von ihrer Bewegungsrichtung lag der einzige Unterschied zu vorher darin, dass ihr rotes Haar jetzt nass war. Allerdings schien sie besserer Laune zu sein, denn auf dem Weg ins Schlafzimmer tanzte sie fast. Die Muscheln waren wohl eine gute Wahl gewesen.

Möglicherweise machte sie ihr emotionaler Zustand empfänglicher für die Neuigkeit zu Genes Sabbatjahr, auch wenn es mir ratsam schien, die Mitteilung bis zum nächsten Morgen aufzuschieben, nachdem wir Sex gehabt hätten. Natürlich würde sie mich rügen, sobald sie erkannte, dass ich ihr zu diesem Zweck Daten vorenthalten hatte. Das Eheleben war kompliziert.

Als Rosie die Schlafzimmertür erreichte, drehte sie sich um: »In fünf Minuten bin ich angezogen, und dann erwarte ich die besten Jakobsmuscheln der Welt.« Mit dem Ausdruck »beste xy der Welt« imitierte sie mich – definitiv ein Hinweis auf ihre gute Laune.

»Fünf Minuten?« Eine Fehleinschätzung hätte katastrophale Folgen für die Muschelzubereitung.

»Okay, gib mir fünfzehn. Wir brauchen mit dem Essen nicht zu hetzen. Wir können erst was trinken und ein bisschen plaudern, Captain Mallory.«

Ihr Gebrauch des Gregory-Peck-Rollennamens aus *Die Ka-*

nonen von Navarone war ein weiteres positives Zeichen. Das einzige Problem war das Plaudern. Sie würde »Was hast du heute so erlebt?« fragen, und ich wäre gezwungen, Genes Sabbatjahr anzusprechen. Ich beschloss, meine Gesprächsverfügbarkeit durch Essenszubereitung einzuschränken. Die Harvey Wallbangers stellte ich einstweilen in den Gefrierschrank, da sie mit dem Schmelzen der Eiswürfel einer Erwärmung über die optimale Temperatur hinaus bedenklich nahe kamen. Die Kühlung würde außerdem die Verfallsrate des frisch gepressten Orangensafts vermindern.

Ich machte mich wieder an die Essenszubereitung. Dieses Rezept hatte ich noch nie ausprobiert und entdeckte erst jetzt, dass das Gemüse in »zentimetergroße« Würfel geschnitten werden sollte. In der Zutatenliste war kein Lineal aufgeführt gewesen. Zwar konnte ich eine App mit entsprechender Messfunktion auf mein Handy laden, aber als ich gerade den ersten Musterwürfel zugeschnitten hatte, kam Rosie fertig angezogen aus dem Schlafzimmer. Sie trug ein Kleid – für ein Essen zu Hause äußerst ungewöhnlich. Es war weiß und bildete einen dramatischen Kontrast zu ihrem roten Haar. Die Wirkung war atemberaubend. Ich beschloss, die Neuigkeiten zu Gene nur bis zum späteren Abend aufzuschieben. Ich würde meine Aikido-Übungen auf den nächsten Morgen verschieben, wodurch sich nach dem Essen ein Zeitfenster für Sex öffnete. Oder davor. Ich war bereit, eine Menge Flexibilität zu zeigen.

Rosie setzte sich in einen der beiden Sessel, die prozentual gesehen einen erheblichen Anteil des Raumvolumens einnahmen.

»Komm und unterhalte dich mit mir«, sagte sie.

»Ich schneide gerade das Gemüse. Ich kann von hier aus reden.«

»Was ist mit dem Orangensaft passiert?«

Ich holte die modifizierten Getränke aus dem Gefrierschrank, reichte Rosie ein Glas und setzte mich ihr gegenüber. Der Wodka und Rosies gute Stimmung hatten mich entspannt, obwohl ich fürchtete, der Effekt könnte nur oberflächlich sein. Das Gene-, das Jerome- sowie das Saftproblem liefen als Hintergrundprozesse weiter.

Rosie hob ihr Glas, als wollte sie einen Trinkspruch verkünden. Und genau das tat sie dann auch.

»Wir haben was zu feiern, Captain«, sagte sie und sah mich ein paar Sekunden lang an. Sie weiß, dass ich Überraschungen nicht sonderlich mag, vor allem, wenn sie bereits gefasste Pläne durcheinanderbringen. Ich vermutete, dass sie mit ihrer Doktorarbeit einen bedeutenden Schritt weitergekommen war. Oder dass ihr nach Abschluss des Medizinstudiums ein Platz in einem weiterführenden Psychiatrie-Seminar angeboten worden war. Das wären extrem gute Neuigkeiten, und ich erhöhte die Wahrscheinlichkeit für Sex auf mehr als neunzig Prozent.

Sie lächelte, dann nahm sie, vermutlich um die Spannung zu erhöhen, einen Schluck aus ihrem Glas. Katastrophe! Es war, als hätte sie Gift geschluckt. Sie spuckte den Saft mitten auf ihr weißes Kleid und rannte ins Bad. Ich folgte ihr und sah, wie sie das Kleid auszog und unter fließendes Wasser hielt.

Sie stand in der rosa verfärbten Unterwäsche da, spülte ihr Kleid aus und drehte sich zu mir um. Ihr Gesichtsausdruck war zu komplex, um ihn zu deuten.

»Wir sind schwanger«, sagte sie.